普通高等教育中医药类创新课程“十四五”精品教材
全国高等中医药院校教材

中医药
信息检索与利用

供中医学·中医临床医学·中药学·药学·制药工程等专业用

主　编
王柳萍

副主编
李　欣　戴　翥　易安宁
郭　强　郜　峦

主　审
辛　宁

上海科学技术出版社

图书在版编目（CIP）数据

中医药信息检索与利用 / 王柳萍主编. -- 上海 : 上海科学技术出版社, 2024. 11. --（普通高等教育中医药类创新课程“十四五”精品教材）（全国高等中医药院校教材）. -- ISBN 978-7-5478-6918-5

Ⅰ. R-058

中国国家版本馆CIP数据核字第2024SL2705号

中医药信息检索与利用

主编　王柳萍

上海世纪出版(集团)有限公司
上 海 科 学 技 术 出 版 社 出版、发行

(上海市闵行区号景路159弄A座9F-10F)

邮政编码 201101　　www.sstp.cn

字数 270 千字

2024年11月第1版　2024年11月第1次印刷

ISBN 978-7-5478-6918-5/R·3155

定价：50.00元

编委会名单

主　编

王柳萍（广西中医药大学）

副主编

李　欣（湖北中医药大学）
戴　翥（云南中医药大学）
易安宁（浙江中医药大学）
郭　强（广州中医药大学）
郜　峦（安徽中医药大学）

主　审

辛　宁（广西中医药大学）

编　委（以姓氏笔画为序）

王　畅（成都中医药大学）

杨立勇（贵州中医药大学）

杨新杰（陕西中医药大学）

吴地尧（江西中医药大学）

张靖柯（河南中医药大学）

郑　坤（黑龙江中医药大学）

郭　乐（湖南中医药大学）

涂冬萍（广西中医药大学）

编写说明

为推动信息素养的普及与发展及信息技术与教育教学深度融合，国家教育部于2021年3月12日发布了《高等学校数字校园建设规范（试行）》，该规范贯彻落实《中国教育现代化2035》和《加快推进教育现代化实施方案（2018—2022年）》的要求，在教育信息化2.0发展中，应对信息技术的迅猛发展和积极发展“互联网＋教育”的发展需求，结合高等学校信息化发展实际，以标准规范促进教育信息化支撑，引领教育现代化发展，提高教育教学质量和科研服务水平，提升科学决策和教育治理能力，培养具有创新精神和实践能力的高素质人才。

《中医药信息检索与利用》是全国高等院校文献检索与利用课程系列教材之一，随着社会信息化进程和知识更新的加快，其课程体系和教学内容必须进行相应的改革。为此，本教材编委会于2024年4月召开了《中医药信息检索与利用》教材编写线上会议。会议总结、交流了中医药院校文献检索教学情况，为使教材进一步适应我国中医药院校教学实际及信息素养教育的需求，研究了教材的编写方案和计划。2024年6月，编委会在广西南宁召开了教材审定会。会议对初稿进行了认真细致的审定，对某些内容做了补充和修正。会后，由各章负责人分别统稿，最后由主编审阅定稿。需要说明的是，本教材中涉及的资源及统计数据均截至2024年8月。

本教材遵循科学性、系统性、实用性、创新性的编写原则，特色鲜明。① 强化信息素养教育、职业素养、学术道德、科学创新精神的思政引领；② 坚持“以学生的学习、学生的学习效果、学生的成长为核心”的教育理念；③ 突出中医药特色，厚植中医药传统文化；④ 理论与实践相结合，增加大量基于现实需求的检索实例，强化科学检索思维的培养及检索能力的训练。本教材紧跟时代步伐，实现理念新、资源新、数据新、实例新的“四新”一体化融合，旨在为学习者提供一本全面、系统、实用的教材。全书分为6章。内容及分工如下：绪论着重论述了信息素养及信息检索与利用课程在信息素养教育中的重要作用，由王柳萍负责编写；第一章为信息检索基础，由李欣、杨立勇负责编写；第二章为中医药图书检索，由郜峦、杨新杰负责编写；第三章为中医药期刊论文检索，由易安宁、吴地尧、郭乐负责编写；第四章为特种文献检索，由戴翥、郑坤负责编写；第五章为网络信息资源检索，由涂冬萍、张靖柯负责编写；第六章为文献的积累与管理利用，由郭强、王畅负责编写。

本教材的编写得到全国中医药院校信息检索课程广大教师的帮助，上海科学技术出版社、广西中医药大学等单位予以鼎力支持。范家永、吉文辉、梁延光、黎汉津、胡滨、石锦云、王者悦、林文超、邓翀、辛宁等前辈，为教材建设发展奠定了扎实的基础。在编写过程中，我们还参考或引用了一些同类教材、专著以及专业论文，在此一并表示衷心的感谢！

由于信息资源、检索技术日新月异，本教材中难免有所疏漏，敬请各位同道、读者提出宝贵意见和建议，以便进一步修订，使其更臻完善。

《中医药信息检索与利用》编委会

2024 年 8 月

目　录

本书配套数字教学资源

绪　论

随着科技的发展和信息的爆炸式增长，具备一定的信息素养已经成为个人适应信息社会的必要条件。信息素养不仅关乎个人在信息社会的生存与发展，也关系到整个人类社会的进步与发展。因此，信息素养以及信息素养教育在国内外逐渐得到重视。

一、信息素养与信息素养教育

1998 年，美国学校图书馆协会（American Association of School Librarians，AASL）和美国教育传播与技术协会（Association for Educational Communications and Technology，AECT）发布了《学生学习的信息素养标准》。2000 年，美国大学与研究图书馆协会（Association of College and Research Libraries，ACRL）发布了《高等教育信息素养能力标准》，在此基础上，又相继发布了各专业领域的信息素养标准，如《科学、工程与技术领域信息素养标准》《人类学与社会学学生信息素养标准》等。联合国教育、科学及文化组织（United Nations Educational, Scientific and Cultural Organization，UNESCO）简称联合国教科文组织，分别于 2003 年和 2005 年召开了以信息素养为主题的世界性大会，并发布了两个重要宣言，即《布拉格宣言》《亚历山大宣言》。2015 年，ACRL 发布了《高等教育信息素养框架》，以替代之前的《高等教育信息素养能力标准》，并引入了“阈概念”“元素养”“元认知”等革新性概念。

我国也积极参与、推动信息素养的普及与发展，为推动信息技术与教育教学深度融合，教育部于 2021 年 3 月 12 日发布了《高等学校数字校园建设规范（试行）》，该规范贯彻落实《中国教育现代化 2035》和《加快推进教育现代化实施方案（2018—2022 年）》的要求指出，信息素养是个体恰当利用信息技术来获取、整合、管理和评价信息，理解、建构和创造新知识，发现、分析和解决问题的意识、能力、思维及修养。信息素养培育是高等学校培养高素质、创新型人才的重要内容。

信息素养的组成要素包括信息意识、信息知识、信息应用能力、信息伦理与安全。信息意识包括：① 具有对信息真伪性、实用性、及时性辨别的意识；② 根据信息价值合理分配自己的注意力；③ 具有利用信息技术解决自身学习、生活中出现的问题意识；④ 具有发现并挖掘信息技术及信息在教学、学习、工作和生活中的作用与价值的意识；⑤ 具有积极利用信息和信息技术对教学、学习进行优化与创新，实现个人可持续发展的意识；⑥ 能够意识到信息技术在教学和学习中应用的限制性条件；⑦ 具有勇于面对、积极克服信息化教学和学习中困难的意识；⑧ 具有积极学习新的信息技术，以提升自身信息认知水平的意识。

信息知识包括：① 了解信息科学与技术的相关概念与基本理论知识；② 了解当前信息技术的发展进程、应用现状及发展趋势；③ 了解信息安全和信息产权的基础知识；④ 掌握学科领域中信息化教学、学习、科研等相关设备、系统、软件的使用方法；⑤ 了解寻求信息专家（如图书馆员、信息化技术支持人员等）指导的渠道。

信息应用能力包括：① 能够选择合适的查询工具和检索策略获取所需信息，并甄别检索结果的全面性、准确性和学术价值；② 能够结合自身需求，有效组织、加工和整合信息，解决教学、学习、工作和生活中的问题；③ 能够使用信息工具将获取的信息和数据进行分类、组织和保存，建立个人资源库；④ 能够评价、筛选信息，并将选择的信息进行分析归纳、抽象概括，融入自身的知识体系中；⑤ 能够根据教学和学习需求，合理选择并灵活调整教学和学习策略；⑥ 具备创新创造能力，能够发现和提炼新的教学模式、学习方式和研究问题；⑦ 能够基于现实条件积极创造、改进、发布和完善信息，能够合理选择在不同场合或环境中交流与分享信息的方式；⑧ 具备良好的表达能力，能够准确表达和交流信息。

信息伦理与安全包括：① 尊重知识，崇尚创新，认同信息劳动的价值；② 不浏览和传播虚假消息和有害信息；③ 信息利用及生产过程中，尊重和保护知识产权，遵守学术规范，杜绝学术不端；④ 信息利用及生产过程中，注意保护个人和他人隐私信息；⑤ 掌握信息安全技能，防范计算机病毒和黑客等攻击；⑥ 对重要信息数据进行定期备份。

该规范还指出，高等学校应积极开展信息素养培养，融合线上与线下教育方式，不断拓展教育内容，开展以学分课程为主、嵌入式教学和培训讲座为辅，形式多样的信息素养教育活动，推进学生信息素养教育的普及与深化，系统性、有针对性地提升学生的综合信息素养水平。

二、中医药信息检索与利用课程的产生与发展

人类社会进入 20 世纪以来，科学技术的高速发展导致各类文献信息数量剧增，新学科的不断出现和学科之间相互交叉与渗透的加快又使各专业文献日益分散。对中医药学来说，还有一个如何利用与开发数量庞大而内容广博的中医药古代文献问题。文献需求的专指性所产生的矛盾日趋严重，制约了对文献的利用。为解决这一矛盾，文献信息机构在不断加强信息检索服务的同时，也要求专业人员自己掌握与提高文献信息检索的技能，而对作为专业人员后备力量的高校学生进行这方面的培训也就提上了议事日程，信息检索课程就是在这样的背景下产生的。

20 世纪 80 年代初，我国不少高校(包括中医院校)开始给教师、科研人员和高年级学生开设文献检索讲座，继而发展为文献检索课程。国家教育主管部门因势利导，从 1984 年起多次发文要求全国各高等院校要为本科生、研究生开设并开好文献检索与利用课程。文件指出：“为了跟上科学技术发展日新月异的步伐，适应四化建设的需要，高等学校在给学生传授基本知识的同时，必须注意培养学生的自学能力和独立研究能力，让学生具有掌握知识情报的意识，具有获取与利用文献的技能，是培养学生能力的一个重要环节……在高校开设文献检索与利用课很有必要，各高等学校(包括社会科学和理工农医各专业院校)应当积极创造条件，开设文献检索与利用课。”教育部〔84〕教高一司 004 号文《关于在高等学校开设文献检索与利用课的意见》进一步指出本课程的开设目的：“在于使大学生和研究生增强情报意识，初步掌握利用文献与情报的技能。它不仅有助于当前教育质量的提高，而且是教育面向未来的一个组成部分，对人们不断吸收新知识，改善知识结构，提高自学能力和研究能力，发挥创造才能，都具有重要的意义。”1992 年，国家教育委员会在总结我国高校文献检索教学工作的基础上，又颁发了《文献检索课教学基本要求》。1996 年在国务院召开的全国第三次教育工作会议上，中共中央、国务院联合发布了《关于深化教育改革，全面推进素质教育的决定》，指出“要激发学生独立思考和创新意识”“重视培养学生收集处理信息的能力”。

1986年，全国中医药图书情报工作协作委员会在沈阳召开了全国中医药文献检索与利用课程教学研讨会。会议决定把教材建设作为文献检索教学研究的主要工作，会后即编写出版了供全国中医药高等院校本科生使用的文献检索教材——《中医文献检索与利用》(全国高等院校文献检索与利用课程系列教材)。该教材的出版，标志着中医药文献检索教学进入了一个新阶段。30多年来，我国中医高校的文献检索教学工作取得了很大的进展，形成了专业结构合理与教学经验丰富的师资队伍，教学方法与手段不断改进，教学内容不断更新，本科教材已出至第7版。第2版教材荣获1990—1994年国家中医药管理局优秀教材二等奖，第4版被全国中医药高等教育学会列为"新世纪全国高等中医药院校改革教材"，第5版被选入"普通高等教育国家级规划教材"，第6版列入"普通高等教育中医药类创新课程'十三五'规划教材"。第7版更名为《中医药信息检索与利用》，并列入"普通高等教育中医药类创新课程'十四五'精品教材"。

三、中医药信息检索与利用课程的作用

随着中医药学的不断发展和信息化时代的到来，中医药信息的获取、整理、分析和利用已成为中医药研究、教学和临床实践中不可或缺的重要环节。通过信息检索与利用课程的学习，有助于提升信息素养和创新能力，主要体现在以下方面。

1. 有助于培养创新能力　创新是人类社会发展的发动机，具备创新能力是对新时代人才的基本要求。所以，我国《高等教育法》明确规定高等教育的任务"是培养具有创新精神与实践能力的高级专门人才"。信息素养教育本身就是一种适应时代发展的创新教育，通过对学生的信息意识培养，增强其对知识信息学习利用的自觉性与主观能动权；通过信息获取能力的培养，增强其检索、分析、利用，进而重组与创新知识信息的能力。

2. 有助于提高自学能力　随着科技文化的迅速发展，知识更新越来越快，文献信息利用的时效性越来越强，学生获取大量新知识主要靠自学。自学能力的提高，除了方法因素外，还必须具备能够独立进行知识信息的收集、整理、鉴别、转化并加以掌握、运用与创造的能力。学生在对信息的查阅中主动寻找与掌握所学专业新的知识信息，了解学科发展动态与新的理论技术，使自己的专业知识得到拓展，并始终伴随学科的发展而更新，增强了终身学习的主动性。

3. 有助于增强科研功底　马克思指出，科学的劳动"部分地以今人的协作为条件，部分地以前人劳动的利用为条件"。可见，任何一项科学研究活动，都要从已有的知识和成果出发。因此，记载着这些知识信息的文献，在科学研究中起着极其重要的保障作用。如果不具备信息检索与利用的技能，就不可能有效地学习、借鉴他人的经验或教训，要想创新是不可能的，科研质量和科研效率也是无法提高的。信息检索与利用本身就是科学研究工作的重要组成部分，其方法和技能是科研人员必备的基本功之一。

4. 有助于促进信息资源的开发利用　在信息化时代，对信息资源的开发利用既是人类社会可持续发展的重要因素，又是各国、各地区及各行业提升竞争力的知识源泉。人们的信息意识是开发信息资源的主体动力，信息意识不仅控制着人们对信息需求的认识，而且在信息的获取、利用过程中起着支配作用。但仅仅有信息意识还不够，方法不对或技术不行，也影响信息资源开发利用的效果。信息检索与利用技能好比是开发信息资源宝库的一把金钥匙，掌握了它，就能打开信息资源宝库的大门；掌握的技术越精湛，就越能充分挖掘信息资源，有效发挥知识信息的作用，将潜在的信息资源转化为知识资本，从而促进事业不断向前发展。

四、中医药信息检索与利用课程的教学内容与教学理念

我国高校目前开设的信息检索课程已遍及各个学科，中医药信息检索与利用只是其中的一门。中医药信息资源跨越古今，涉及信息类型多样、数量庞大、更新速度快，故在教学内容与理念上有着自己的特点和侧重点。

1. 教学内容　关于文献信息的各种类型、信息检索语言与检索途径、信息检索方法、技能与检索策略等基础知识以及文献的积累与管理利用，是高校所有专业信息检索课程教学共同的内容。根据中医药院校专业设置的具体情况，在信息检索与利用教学中还应侧重中医药图书检索、期刊论文检索、特种文献检索、网络信息资源检索等内容的传授。

2. 教学理念　新时期网络环境下，中医药信息检索与利用课程的目标已经不仅仅是给学生传授信息检索知识及技巧，而是更应注重培养学生运用信息资源分析和解决中医药领域实际问题的能力。因此，教学理念要从“以教师为中心”向“以学生为中心”转变，改变传统以讲授式为主的教学模式，创设学习情境，激发学生积极实践、深度参与、主动学习，帮助学生获得以良好的信息素养为核心的终身学习能力。

本书配套数字教学资源

微信扫描二维码，加入中医药信息检索与利用读者交流圈，获取配套教学视频、学习课件、课后习题和沟通交流平台等板块内容，夯实基础知识

第一章
信息检索基础

导学

在信息迅猛发展的时代，中医药领域的知识和信息呈现出爆炸式增长的趋势。中医药作为中华民族的传统医学，其博大精深的理论体系和浩如烟海的临床经验，都蕴藏着丰富的知识和智慧。如何在浩渺的信息海洋中快速、准确、全面地找到所需的中医药知识，成为学习者面临的重要问题。

本章作为本教材的理论基础，主要介绍信息及其相关概念、文献信息源类型及文献评价、信息检索概述、信息检索技术、信息检索策略等知识，帮助学习者掌握信息检索的基础知识和技能，建立起一套系统的信息检索方法论，为后续的中医药知识学习、研究和实践打下坚实的基础。

学习目标

掌握信息检索技术、信息检索策略。

熟悉文献信息源类型及文献评价、信息检索概述。

了解信息、知识、情报、文献的概念。

课程思政

通过信息检索基础知识的学习，培养学生养成科学的检索思维习惯，树立甄别信息真伪、评价文献信息质量的意识。

第一节　信息及相关概念

信息(information)是一个内涵极为广泛的概念，它普遍存在于自然界、人类社会和人类的思维活动中。与信息相关的概念有“知识”“情报”和“文献”。它们各自有着不同的内涵，但相互之间又存在密切的联系。

一、信息

信息一词在中国历史文献中最早见于唐代诗人李中《暮春怀故人》的“梦断美人沉信息，目穿长路倚楼台”诗句中，英文 information 来源于拉丁文 information，原意是解释、陈述，指信息传递的过程，在 20 世纪中叶以后其本质才不断被揭示，并被引入哲学、信息论、系统论、控制论、传播学、情报学、管理学、通信和计算机科学等领域。

现代信息概念最早是1928年哈特莱(Hartley)在《信息传输》一文中提出的,他第一次指出信息与消息的区别,并设想用数学方法描述信息量。1948年,美国数学家、信息论的奠基人香农(Claude Elwood Shannon)在著名的《通信的数学理论》中提出"信息就是消除或减少接收一方认知上的不确定性",在自然科学语境下,香农信息论中的信息,是通信工程学的概念。此后,许多学者从不同的角度引入信息的概念,从不同的侧面表达信息的本质。因此,信息一词往往在不同的场合有不同的含义。在控制、通信和计算机科学等领域内,信息是信号和数据的同义词;在情报检索、新闻传播和经济管理等领域内,信息是消息和情报的同义词;在科学、文化、教育等领域内,信息是新知识的同义词。

科学的信息概念可以概括如下:信息是对客观世界中各种事物的运动状态和变化的反映,是客观事物之间相互联系和相互作用的表征,表现的是客观事物运动状态和变化的实质内容。

我国国家标准《信息与文献术语》(GB/T 4894-2009)中对信息定义为:"信息是被交流的知识","信息"是在通信过程中为了增加知识用以代表信息的一般消息。

(一)信息的属性

所谓信息的属性,是指信息本身所固有的性质,作为特殊形态的客观事物,信息主要有以下性质。

1. 普遍性　信息充满着广袤的宇宙,是物质固有的普遍属性。信息不仅存在于人类社会,也存在于自然界。人与人之间、机器之间、人机之间、动物之间、植物之间、细胞之间等,都可以进行信息交流。

2. 客观性　就世界的整体而言,信息统一于物质世界,信息的根源是物质世界。信息的存储、传播依靠物质和能量,它无所谓始,也无所谓终,它与整个物质世界共存。

3. 中介性　就物质世界的层次来看,信息既区别于物质又区别于精神。它的内核不是具体的物质和能量,尽管有些信息是通过文字、图像等具体物质形式表现出来的,但它本身却没有质量,也不占有空间,它是介于物质世界和精神世界之间过渡状态的东西,人们通过信息来认识事物。

4. 增殖性　随着事物的不断变化,信息将不断扩充,人们对事物的认识也将不断深入。

5. 传递性　信息可以在时间上和空间上从一点传递到另一点,可以通过语言、动作、文献、电话、电报、广播、电视、通信卫星和电子计算机等进行传递。

6. 可储性　信息可以收集、加工、整理、筛选、归纳、综合,并可以通过记忆和各种载体记载下来。

7. 转换性　只要信息的含义、内容不变,其存在形式可以相互转换,如专业论著、技术标准等可以转换成生产工艺、具体产品等。

8. 可知性　信息是可为人们感知的,但由于人们认识水平的差异性,对于同一事物,不同的人对其认识可能不同。

9. 共享性　信息可以多方向、多层次传播,为人们所共享,但不失去其内容,与实物交易不同。

(二)信息的功能

信息的功能是多方面的,下面从三个主要方面进行阐述。

1. 帮助人们全面认识宇宙的发展　信息扩大了人们对世界的科学认识,揭示了客观世界层次和要素新的一面,有助于人们认识宇宙发展中进化与退化的辩证统一关系。

2. 帮助人们消除认识的不确定性　可以用来消除人们在认识上的某种不确定性，其消除不确定性的程度与信息接受者的思想意识、知识结构有关，人类认识就是不断地从外界获取信息和加工信息的过程。

3. 信息是人类可利用的资源　与物质、能量一样，信息是一种资源。物质提供材料，能量提供动力，信息则提供知识、智慧和情报。

二、知识

知识历来是哲学中认识论研究的对象，故常见的有关知识的定义多是从哲学的角度提出的。《教育词典》将知识定义为："人们对于客观世界的现象、事实及其规律的认识，是人类在长期社会实践中积累起来的经验的概括和总结。"国家标准《信息与文献术语》(GB/T 4894 - 2009)将知识定义为："基于推理并经过证实的认识。"

知识可分为事实知识(know-what)、原理知识(know-why)、技能知识(know-how)、人力知识(know-who)、检索知识(know-where)五种类型。检索知识是一种如何在知识与信息的海洋中寻觅、获取、利用信息资源的知识，17 世纪法国著名哲学家笛卡尔(Rene Descartes)说过，最有价值的知识是关于方法的知识。

(一) 知识的属性

所谓知识的属性是指知识本身所固有的性质，主要表现是在以下方面。

1. 意识性　知识是一种观念形态的东西，只有人的大脑才能产生它、识别它和利用它。知识通常以概念、判断、推理、假说、预见等思维形式和范畴体系表现自身的存在。

2. 信息性　信息是产生知识的原料，知识是被人们理解、认识并经大脑重新组织和系列化了的信息，信息提炼为知识的过程称为思维。

3. 实践性　社会实践是一切知识产生的基础和检验知识的标准，科学知识对实践有重大指导作用。

4. 规律性　人们对实践的认识，是一个无限的过程，人们获得的知识在一定层面上揭示了事物及其运动过程的规律性。

5. 继承性　每一次新知识的产生，既是原有知识的深化与发展，又是更新的知识产生的基础和前提，知识被记录或被物化为劳动产品后，可以世代相传和利用。

6. 渗透性　随着知识门类的增多，各种知识可以相互渗透，形成许多新的知识门类，形成科学知识的网状结构体系。

(二) 知识的功能

知识在人类社会的发展中起着巨大的作用。

1. 知识是文明程度的标志　衡量一个国家、一个民族文明程度的高低，主要看其创造、吸收、掌握和应用知识的能力。

2. 知识可以转化为巨大的生产力　劳动者素质的提高、工具的进步、劳动对象的扩大、经济的发展，都是知识推动的结果。

3. 知识是建设精神文明的动力　知识是科学教育的内容，能促进人类智能的改善。

人们通过对信息进行归纳、演绎、比较，使其有价值的部分与已有的人类知识体系相融合，就转变成知识。例如，《伤寒论·辨太阳病脉证并治》中对太阳病的记载："太阳之为病，脉浮，头项强痛而恶寒。""太阳病，发热，汗出，恶风，脉缓者，名为中风。""太阳病，或已发热，或未发热，必恶寒，体痛，呕逆，脉阴阳俱紧者，名为伤寒。"《伤寒论》成书于东汉末年，"太阳病"是当时人们对外感发热性疾病的总称。但当人们对这些有关"太阳病"的条文信息进行归纳和对比就会发现：当时所谓的"太阳病"除了具有"发热、恶寒、头项强痛、脉浮"的共同特点外，还可以根据脉证分为"中风"和"伤寒"两种类型。发热、汗出、恶风、脉浮缓的，即为中风；发热、恶寒、身痛、脉浮紧的，则为伤寒。所以，有价值的信息与已有的知识结合后就形成了新的知识。

知识是信息的一部分，是人类的第二资源，具有指导与推动人们开发和利用第一资源(物质资源)的作用。

三、情报

情报是指为了特定的目的，经过选择而传递给用户的信息。但到目前为止，学术界还没有一个公认的定义。

情报的最初含义是指那些时间性很强的消息传递，即把情报视为一种活动，如军事、谍报工作。《辞源》最早的版本(1915 年 10 月版)将情报解释为："军中集种种报告，并预见之机兆，定敌情如何，而报于上官者。"《辞海》初版(1939 年 10 月版)解释为："战时关于敌情之报告，曰情报。"这是我国早期最原始的情报定义，反映了情报作为消息传递的功能及构成情报的两个基本要素"情"与"报"，强调情况、消息的传递报道作用。到了近代，随着科学技术的迅速发展，创造与传播知识的工作有了新的发展，专职情报机构的主要工作是使知识有序化，以解决情报检索问题。于是，情报概念也有了新发展，认为情报是作为存储、传递和转换的对象的知识。为了满足用户的多种需要，有学者从特定概念出发，提出情报是在特定时间、特定状态下，对特定的人提供的有用知识。为了解决情报资料激增给决策人员有效服务的问题，情报工作由一般文献工作阶段进入了侧重与经济、社会发展相结合的情报分析研究阶段，情报的定义增添了新的内容，提出情报是判断、意志、决心、行动所需要的能指引方向的知识和智慧，是解决问题所需要的知识，是激活了的知识。我国著名科学家钱学森指出：情报就是为了解决一个特定问题而需要的知识；僵死的资料不是情报，情报是激活了的、活化了的知识。

(一) 情报的属性

所谓情报的属性是指情报本身固有的性质，主要表现在以下方面。

1. 知识性与信息性　情报必须具有实质内容，凡人们需要的各种知识或信息，如事实、数据、图像、信息和消息等，都可以成为情报的内容，没有内容的情报是不可能存在的。

2. 动态性　无论多么重要的成果，人们不知道其存在就不能成为情报，情报处于运动状态中，用户主动搜集情报，情报机构采用先进载体和手段主动传递、研究情报，促使更多的静态知识成为动态情报。

3. 效用性　人们利用情报是为了获得实际效益，在多数情况下是为了竞争，同一情报因时间、地区、对象不同呈现出的效益也不同，情报针对性越强，就越能促进人们达到目的。

4. 社会性　情报来源于人类社会的实践和认识活动，存储于社会系统，并为社会广泛地选择利用。

5. 语言性　情报必须通过自然语言和人工语言进行表达、传播，正是由于情报的语言性，才使它能够记录在各种载体上。

6. 可塑性　在情报的加工整理过程中，既可概括归纳，使之精炼浓缩，又可补充综合，使之系统全面。

7. 时间性 特定情报只有在合适的时间内传递和利用才会产生更大效用，随着时间的推移，情报的效用性也会随之降低。

（二）情报的功能

在信息社会中，情报将发挥越来越重要的作用，其功能主要包括三个方面：① 启迪思维，增长知识，提高人们的认识能力；② 帮助决策，协调管理，节约各项事业的人力、物力和财力；③ 了解动向，解决问题，加快人们各项活动的进程，以便在信息社会的竞争中获胜。

四、文献

文献一词在不同的历史时期有着不同的内涵。有关“文献”概念的描述最早见于《论语·八佾》：“子曰：夏礼，吾能言之，杞不足徵也。殷礼，吾能言之，宋不足徵也。文献不足故也。足，则吾能徵之矣。”朱熹解释为：“文，典籍也；献，贤也。”元代历史学家、文献学家马端临，首次以“文献”一词命名他自己的专著《文献通考》，他把“文献”概念的内涵表述为可做叙事、论事佐证的古今典籍及圣贤的言论。后来，文献概念的内涵偏指著述或专指具有历史价值的图书文物资料。

我国国家标准《文献著录 第1部分：总则》(GB 3792.1－2009)将文献定义为：“文献是记录有知识的一切载体。”具体地说，文献是指用文字、图像、符号、声频、视频等作为记录手段，将信息记录或描述在一定的物质载体上，有其特定的表现形式，并能起到存储、传播信息情报和知识作用的一切载体。为与其他相关国际标准相一致，2021年我国发布的新标准《信息与文献资源描述》(GB 3792－2021)代替了原标准《文献著录 第1部分：总则》，其中最大的一个变化就是在新标准中将“文献”改为“资源”。

文献由内容信息、物质载体、符号系统和记录方式四要素构成：① 内容信息是指文献的思想内容，即文献所记录的知识；② 物质载体是文献的外在表现形式；③ 符号系统是信息的携带者；④ 记录方式则是代表文献的符号进入载体的方法和过程(数字与非数字式)。四个要素缺一不可，共同促成文献的形成、传播与交流。

（一）文献的属性

所谓文献的属性，是文献本身所固有的性质，可概括为以下四个方面。

1. 知识信息性 这是文献的本质属性，知识是文献的实质内容，离开知识信息，文献便不复存在，传递信息、记录知识是文献的基本功能。

2. 物质实体性 载体是文献的存在形式，文献所表达的知识信息内容必须借助一定的信息符号、依附一定的物质载体，才能长时期保存和传递。

3. 人工记录性 文献所蕴涵的知识信息是通过人们用各种方式将其记录在载体上的，而不是天然加载在物质实体上的。

4. 动态发展性 文献并非处于静止状态，而是按新陈代谢的规律运动着。随着人类记录水平的提高，信息交流的频繁，文献的数量日趋庞大，形式日益多样。与此同时，文献的老化速度也在加快，生命周期日益缩短，形成了有规律的运动。

（二）文献的功能

文献的功能主要体现在以下方面。

1. 存储知识信息 文献是知识的物质存在形式，是积累和保存知识的工具，人类所有的知识成果都只有记录于文献，才能保存和流传；文献的产生是人类文明史上的重要里程碑，人们正是通过文献了解相关学科信息，通过文献得悉某一科技成果或创造发明诞生于何时，被记录在何种科技文献之中等具体情况。

2. 传递知识信息　文献能帮助人们克服时间与空间上的障碍，传递、交流人类已有的知识和经验，促进知识信息的增加和融合，增进人们思想感情的联系和交流，成为人类知识信息交流的重要途径。

3. 教育功能　通过阅读文献，人们可获取科学文化知识，掌握专业技能，提高认识水平和基本素质。

五、信息、知识、文献与情报之间的相互关系

信息包含了知识、文献和情报。其中，知识是人类大脑对低级和高级信息进行加工形成的有用的高级信息；文献则记载着经过加工的高级信息，但文献不是信息的全部；情报传递着能为人类所接受的一切有用的信息，可以是未经加工的低级信息，也可以是经过加工的高级信息。

知识是人类对各种信息认识和加工形成的精神产品，是人类大脑对大量信息通过思维重新组合的、系统化的信息集合，即高级信息；而信息仅仅是人类大脑加工形成知识的原料。人类既要通过信息来认识世界、改造世界，又要根据所获得的信息组成知识。知识是已经被人类所认识的一部分信息，迄今尚有许多信息未被人类所认识。

文献是一种具有特殊存在形式的信息，是固化在载体上的知识；但并不是所有的知识都已经记录在文献中。文献是传递交流信息、知识和情报的主要媒介，是最重要的情报源，然而文献不是情报的全部。情报不仅是在传递中为人类所接受和利用的知识，也可能是为人类所感知、接受和利用的信息。

情报不是全部的信息、知识和文献，而是经过筛选后能满足特定需要的信息、知识和文献。情报可来自口头、实物，但更多的是来自文献。

由此可见，信息、知识、文献和情报四者各自具有不同的内涵，但这四者之间有密切的联系。

第二节　文献信息源类型及文献评价

随着科学技术的发展，文献信息源的表现形式呈多样化态势。了解信息源的不同类型，有助于加深对信息内涵及其特征的认识，为信息的利用打下坚实的基础。

一、信息源

信息源是人们在科研活动、生产经营活动和其他一切活动中所产生的成果、各种原始记录，以及对这些成果和原始记录加工整理得到的成品。信息源内涵丰富，不仅包括各种信息载体，也包括各种信息机构；不仅包括传统印刷型文献资料，也包括现代电子图书、报刊；不仅包括各种信息储存和信息传递机构，也包括各种信息生产机构。UNESCO 出版的《文献术语》将其定义为：“个人为满足其信息需要而获得信息的来源，称为信息源。”

按照不同的标准可以将信息源划分为不同的种类。其中，按信息资源所依附的载体可分

为体载信息源、实物信息源、文献信息源、数字信息源四种类型。

（一）体载信息源

体载信息源是指以人体为载体并能为他人识别的信息源，按其表述方式又可分为口语信息源和体语信息源。口语信息源存在于大脑的记忆中，通过语言来传播，即以大脑为信息载体的人与人之间的对话、交谈、讨论和演讲等；体语信息源是以人的体态表述出来的信息资源，如表情、手势、姿态和舞蹈等。

（二）实物信息源

实物信息源是指以实物为载体的信息源，依据实物的人工与天然特性又可分为以自然物质为载体的天然实物信息源（如博物馆陈列的各种文物）和以人工实物为载体的人工实物信息源（如产品、样品、样机、模型、雕塑等）。它们不仅都负载着十分丰富的知识和信息，而且具有强烈的真实感，用文字是难以描述的。

（三）文献信息源

文献信息源是人类用文字、数据、图像、声频和视频等方式记录在一定载体上的信息源，从不同角度可有多种划分和归类。

1. 按载体形式　分纸质文献、缩微文献、磁盘文献和光盘文献。

2. 按文献信息的记录方式　分手写型文献、印刷型文献、声像型文献、电子型文献和网络型文献。

3. 按文献级别　分零次文献、一次文献、二次文献和三次文献。

4. 按出版形式　分常见文献（图书、期刊、报纸）和特种文献（专利文献、标准文献、学位论文、会议文献、科技报告、技术档案、产品资料）。

5. 按公开程度和易获取性　分白色文献、灰色文献和黑色文献。

（四）数字信息资源

数字信息资源（digital information resources）按照数字图书馆联盟电子资源管理Ⅰ组（Digital Library Federal Electronic Resource Management I，DLF ERMI）的界定，是指借助计算机编码完成的可供直接获取和远端使用的多种形式的资源。数字信息资源在某些特定情形下也被称作“电子资源”（electronic resources）、“网络信息资源”（network information resources）。

数字信息资源主要有数据库和网络信息资源两种形式。数据库是数字信息资源产生的最早的形式，是以特定方式编制和存储的数据资料，提供的是专业化的信息服务，其信息经过严格筛选、组织和整理，数据质量高、使用方便、可靠性强。网络信息资源是指以电子资源数据的形式，将文字、图像、声音、动画等多种形式的信息储存在光、磁等非印刷质的介质中，利用计算机通过网络进行发布、传递、储存的各类信息资源的总和。

数字信息资源在生产制作方式、信息符号、载体材料、载体形态等方面与传统的纸质文献完全不同，因此也具有与传统纸质文献完全不同的特点。

1. 高度的共享性　数字信息可以进行大量的无差别复制，其复制品不存在任何质量和功能上的缺陷，同时传递不受时间和空间的限制，这就使数字信息资源具有高度的共享性。

2. 类型的多样性　数字信息资源包含的信息类型多种多样，并且各种类型的数据又可借助计算机实现任意的组合编辑，具有打印输出及磁盘输出等多种输出方式。

3. 检索的便利性　数字信息资源是通过将文字、图像、声音等变成磁性介质上的电磁信号或光介质上的光信息来进行信息的储存和传递。因此，具有超强的检索功能，检索信息的速度快、途径多，不受时间、地点的限制。

4. 信息的时效性　由于数字信息从根本上改变了信息的创造、交流和获取的方式，大大缩短了文献的编辑出版时间，从而使信息的时效性大大增强。

二、文献信息源类型

（一）不同载体的中医药文献

两千多年来，中医药文献在记录手段上经历了从刀刻、手写、雕版印刷、活字排版，到现在的激光排版、电脑编排等；在载体形态上经历了甲骨、金属、玉石、竹简、丝绸、纸张，到现在的高科技材料，已经形成了如同其他学科一样的纸质、缩微、磁盘、光盘等载体类型，它们有着不同的使用功能与作用。

1. 纸质文献　是以纸张为主要载体，以手写、雕版或各种印刷技术为记录手段而形成的一种文献形式。如古代的刻本书与抄写书，现代各种印刷文献与笔记、手稿、书信、会议记录等。由于中医药文献的特殊性，古代中医药文献仍是以纸质文献为主，纸质文献便于阅读，利用方便，成本较低，缺点是知识信息记录密度低，因体积大而占用空间多，且易受自然环境影响而不易保管和传世。

2. 缩微文献　一般以印刷型文献为母本，采用光学摄影技术，把文献的体积缩小，固化到感光材料或其他载体上，常见的有缩微胶卷、缩微平片和缩微卡片。为了抢救中医药古代文献，目前我国各大图书馆大多将珍本中医古籍进行缩微复制，为珍贵文献提供了安全的储存形式。

3. 磁盘文献和光盘文献　都是以字节为基本存储单位，存储密度高、存取速度快、识别和提取易于实现自动化。光盘文献是电子出版物的主体。

（二）不同记录方式的中医药文献

1. 手写型文献　指古代各种非印刷型文献（如甲骨、简策、帛书等）以及还没有正式付印的手稿。

2. 印刷型文献　是传统的文献形式，主要以纸张为载体，通过印刷手段（油印、铅印、胶印、石印等）把负载知识的文字固化在纸张上。

3. 电子型文献　又称机读型文献，通过计算机对数据的存储与处理，完成文献信息的数字化，形成电子型文献及形形色色的电子出版物，包括电子图书、电子报刊、电子新闻、电子会议录以及各种类型的数据库。

4. 声像型文献　又称视听资料，是一种非文字形式文献，由声音和图像传递知识，给人一种直观感觉，并能发挥文字型文献不能起到的独特作用。

5. 网络型文献　是借助信息技术而存在于因特网上形式比较特殊的文献。随着科学技术的进步，网络文献作为一种新的信息载体，能够跨越时空的阻隔，使其所负载的信息内容既可世世代代地传递下去，也可在不同国家、不同民族、不同地区之间进行传递，成为信息时代联系世界和沟通全人类思想的纽带。

（三）不同级别的中医药文献

按照文献级别，可分为零次文献、一次文献、二次文献、三次文献。

1. 零次文献　主要包括两个方面的内容，一是形成一次文献之前的知识信息，即未经记录、未形成文字材料的口头交谈和行为表现，是直接作用于人的感觉器官的情报信息；二是未经正式发表的原始文献或未正式出版的各种书刊资料，如书信、论文手稿、笔记、实验记录、会议记录和包括一些内部使用（通过公开正式的订购途径所不能获得）的书刊资料。零次文献一般是通过口头交谈、行为表现、参观展览、参加报告会等途径获取，不仅在内容上有一定的价值，而且能弥补一般公开文献从信息的客观形成到公开传播之间费时甚多的不足。由于中医药学知识具有较强的个性经验和言传、身教、意会的特点，故对中医药学零次文献的收集与利用十分重要。

2. 一次文献　又称原始文献，它是人类社会实践活动中直接产生或得到的各种数据、概念、知识、经验及其总结。人们直接以自己的生产、科研和社会活动等实践经验为依据生产出来的文献，其所记载的知识、信息比较新颖、具体、详尽。一次文献在整个文献中是数量最大、种类最多、所包括的新鲜内容最多、使用最广、影响最大的文献，如期刊论文、专利文献、科技报告、会议录、学位论文等，这些文献具有创造性、原始性和多样性等明显特征，是文献检索利用的主要对象。

3. 二次文献　又称检索工具，是对一次文献进行加工整理后的产物。即根据实际需要，按照一定的科学方法，对无序的一次文献的外部特征如题名、作者、出处等进行著录，或将其内容压缩，并按照一定的学科或专业加以有序化而形成的文献形式。其主要类型有目录、索引、文摘等用以查找一次文献的工具，如《全国报刊索引》《中国中医古籍总目》等。

二次文献具有检索与通报一次文献的双重功能，因此又称通报性文献或检索性文献。它的主要作用在于系统反映原始文献信息，帮助读者用较少的时间浏览较多的文献信息，提供检索所需要的文献线索。

但近年来，有些文献在全文发表之前先以文摘的形式预先报道其内容，甚至只发表文摘而不发表原文，以致一次文献与二次文献的界限也就很难截然分开。

4. 三次文献　又称综述文献，是指根据二次文献所提供的线索，对某一范围的一次文献加以集中、浓缩、系统整理并概括论述而形成的文献。三次文献可分为综述研究类和参考工具类两大类型。综述研究类文献是在大量原始文献成果基础上对科学技术的发展趋势进行分析、综合评述的产物，诸如专题述评、总结报告、动态综述、进展通信、信息预测等；参考工具类文献是在大量的原始文献内容反映的原理、定律、事实、方法、公式、数据及统计资料的基础上，筛选出稳定、可靠而有用的知识，编写成供查阅参考的工具书文献，诸如手册、大全、年鉴、指南等。

总之，从零次文献、一次文献、二次文献到三次文献，是一个由分散到集中，由无序到有序，对知识信息进行不同层次加工的过程。它们所含的信息是不同的，对于改善人们的知识结构所起到的作用也不同。零次文献和一次文献是最基本的信息源，是文献信息检索的最终对象；二次文献是在一次文献基础上汇集而成的检索工具，带有浓缩性；三次文献是在一次文献及二次文献基础上分析概括出的成果，带有综合性。

（四）不同出版形式的中医药文献

从战国到秦汉时期，《黄帝内经》《难经》《神农本草经》《伤寒论》四部经典著作的出现标志了中医学术体系已经建立。清乾隆中叶，出现了具有期刊性质的中医药文献形式的《吴医汇讲》，从不同角度反映了乾嘉时期中医学理论与实践的实况，对中医学术的繁荣发挥了积极作用。清末民初，中医药的报纸与期刊不断涌现。目前，中医药文献的生产、存储、传递及整理与研究手段伴随着现代信息技术的发展发生了根本性变化。记录手段与出版技术日益先进，载体形式不断创新，出版形式丰富多样，可以分为常见文献（图书、期刊、报纸）和特种文献（学位论文、会议文献、专利文献、标准文献、科技报告、政府出版物、技术档案、产品资料）。

1. 图书　在我国新闻出版行业标准《图书、音像制品、电子出版物营销分类法》（CY/T 51－2008）中将图书定义为："用文字或图画、符号记录知识于纸张等载体，并具有相当篇幅的非连续性出版物。"图书的特点是内容比较系统、全面、理论性强、成熟可靠，尤其是教科书，其知识和理论具有权威性，是了解学科知识的主要文献依据。缺点是编辑出版周期长，知识的新颖性不够，传递信息速度慢，故一般不宜作为获取学科发展最新信息的来源，现代的电子图书的出版发行可弥补这一缺陷。

图书按其用途可分为三种类型。① 阅读图书：包括教科书、专著、文集等；② 检索用书：是以图书形式刊行的书目、题录、文摘等，供人们查找一定范围内信息线索的出版物；③ 参考工具书：包括字典、词典、百科全书、年鉴、手册、名录、图录、年表、历表等，是供人们释疑解难、翻检查考的出版物。

识别图书的主要依据有：书名、著者、出版地、出版社、出版时间、总页数、国际标准书号和中国标准书号等。

国际标准书号（International Standard Book Number，ISBN）是国际上通用的出版物标识编码，是国际标准化组织于 1972 年公布的一项国际通用的出版物统一编号方法，由 10 位数字组成。2007 年 1 月 1 日起，实行新版 ISBN，由 13 位数字组成，分为 5 段，各段依次是前缀、组号（代表地区语种）、出版者号、书名号及校验位。前缀即在原来的 10 位数字前加上 3 位 EAN（欧洲商品编号）图书产品代码"978 或 979"，同时把修订后的 ISBN 纳入国际标准产品编码（EAN－UCC－13）的编码系统中，使其与国际标准产品编码统一起来，这样就可以把国际标准书号直接改变成 EAN，使 ISBN 与 EAN 统一起来。

如 2017 年上海科学技术出版社出版的《中医药文献检索》一书的 ISBN 号为 978－7－5478－3400－8。第一段为前缀，由国际物品编码（EAN）组织提供；第二段代表国家、地区或语种，如 0－美语，1－英语，2－法语，3－德语，4－日语，5－俄语，7－汉语等；第三段为出版者号，由国家或地区 ISBN 中心分配；第四段为书名号，出版者按出版顺序给所出版的每种图书的编号；第五段为校验位，用以校验前面 12 位数字在转录中有无错误。

正式出版的图书均有 ISBN，它是每一种正式出版图书的唯一代码标识。这是一种国际通用的出版物代码，代表某种特定图书的某一版本，具有唯一性和专指性，读者可借此通过某些文献信息系统查询某种特定图书。

2002 年 1 月，我国对《中国标准书号》（GB/T 5795－1986）进行了修订，删除了图书分类/种次号部分，采用国际标准书号结构。2006 年 10 月 18 日，中国国家标准化管理委员会正式批准颁布了《中国标准书号》（GB/T 5795－2006）国家标准，并于 2007 年 1 月 1 日起实施。

2. 期刊和报纸　期刊是指有固定名称、版式和连续编号，定期或不定期出版的连续性出版物。医学期刊汇集了医学工作者的医药经验和工作成果，反映了医药学的进展及水平，是医药学研究的重要情报来源。据不完全统计，目前全世界出版的科技期刊约 12 万种，年发行近 30 亿册，其中 25％为生物、医学期刊，发行量在 7 亿册左右。期刊上刊载的论文大多数是一次文献，特点是出版周期短、报道文献速度快、内容新颖、学科广、数量大、种类多和发行及影响面广，是进行科学研究、交流学术思想经常利用的文献信息源。

期刊是随着近代科学的发展而产生的，自 1665 年 1 月在法国巴黎创刊的《学者杂志》

和 1665 年 3 月英国皇家学会创办的《哲学汇刊》问世以来，其发展十分迅速，在科技活动中起着十分重要的作用。期刊是科技人员进行信息交流的正式、公开而有秩序的工具，被称为整个科学史上最成功的、无处不在的科学信息载体。

我国中医药期刊可分为中医类、中药类和中西医结合类三大类。清代吴门医派唐大烈主编的《吴医汇讲》，共 11 卷，内容包括 41 位作者（加整理作者有 58 位）的 94 篇文稿；所叙有内、外、妇、儿各科及历代医家论述、经义诠释、随诊笔记、读书方法、药物真伪鉴别等。从编例及内容而言，《吴医汇讲》可说是近代中医药期刊的雏形，也可说是我国最早的中医药期刊。在 2000—2019 年间中医药期刊总计创刊超过 52 种，种类丰富，呈现出蓬勃发展的态势，较全面地反映了我国中医药发展水平，立足于行业前沿，关注相关政策动态，跟踪中医药重大课题，及时分析中医药的新政策、新技术、新发明、新成果和新疗法，充分体现中医药发展水平，为中医药研究提供一流的信息服务。

识别期刊的主要依据有：期刊名称，期刊出版的年、卷、期，国际标准刊号（ISSN）、国内统一刊号（CN）等。

公开发行的期刊都有 ISSN 号，即国际标准连续出版物编号，以实现对全世界期刊文献的管理。国际标准连续出版物号由 8 位数字组成。8 位数字分为两段，每段 4 位数字，中间用“-”隔开，前 7 位是刊名代号，末位是计算机校验码。如 ISSN 0256 - 7415（《新中医》）。

我国正式出版的期刊都有 CN 号，它由地区号、报刊登记号和《中国图书馆分类法》分类号组成，如 CN44 - 1231/R（《新中医》）。

报纸是一种特殊形态的期刊，以新闻报道和时事评论为主，也登载学术论文和科普文章。报纸有固定名称，面向公众，定期、连续发行。其基本特点是内容新、涉及面广，是读者最多、影响最广的知识信息源。

及时性是报纸区别于其他文献的最主要特征，因而传递信息更快。科学技术的新发现、新发明和新成果，往往作为一条消息先在报纸上披露出来，故报纸尤其是专业报纸也是科技工作者不可忽视的重要情报源。目前我国医药卫生方面公开出版的报纸有《健康报》《中国中医药报》《中国医药报》等 10 余种。

3. 专利文献　专利文献是指各国专利主管机构以及国际性专利组织，在审批专利过程中产生的官方文件及其出版物的总称。专利文献包含已经申请或被确认为发现、发明、实用新型和工业品外观设计的研究、设计、开发和试验成果的有关资料，以及保护发明人、专利所有人及工业品外观设计和实用新型注册证书持有人权利的有关资料的已出版或未出版的文件（或其摘要）。广义上专利文献包括专利说明书、专利公报、专利分类表、专利检索工具以及与其相关的法律性文件；狭义上专利文献仅指各国（地区）专利主管机构公布的专利说明书和权利要求书。

目前，世界上绝大部分国家和地区建立了专利制度，并由许多国家和组织用官方文字出版专利文献。据世界知识产权组织统计，世界上 90%～95%的发明能在专利文献中查到，并且许多发明只能在专利文献中查到。可以说，专利文献几乎记载了人类取得的每一个新技术成果，是最具权威性的世界技术的百科全书。因而专利文献对科学技术有极大的促进作用，这是其他类型文献无法替代的。

识别专利文献的主要依据有：授权公告号、专利号、申请号、申请日、授权公告日、专利权人、专利名称和专利代理机构等。

4. 标准文献　指由技术标准、管理标准、经济标准及其他具有标准性质的类似文件所组成的一种特种文献，有狭义、广义之分。狭义标准文献是指按规定程序制定，经公认权威机构（主管机关）批准的一整套在特定范围（领域）内必须执行的规格、规则、技术要求等规范性文献，简称标准。广义标准文献是指与标准化工作有关的一切文献，包括标准形成过程中的各种档案、宣传推广标准的手册及其他出版物，以及揭示报道标准文献信息的目录、索引等。

标准文献对标准化对象描述详细、完整，内容可靠和实用，有法律约束力，其时效性强，适用范围明确，是从事生产、设计、管理、产品检验、商品流通和科学研究的共同依据，也是执行技术政策所必需的工具。利用标准文献可了解各国经济政策、技术政策、生产水平、资源状况和标准水平，对引进、研制产品及设备，提高产品质量和生产水平，进行科学管理等，有重要的参考价值。

识别标准文献的主要依据有：标准级别、分类号、标准号、标准名称、标准提出单位、审批单位、批准年月、实施日期和具体内容项目。

5. 学位论文　这是伴随着世界上学位制度的实施而产生的，是作者在从事科学研究中取得创造性结果或有了新的见解后，以此为内容撰写的，作为申请授予相应的学位时所提交评审的学术论文。一般有比较严格的字数和格式要求，内容较为丰富，具有文献分析面广、数据与图表量大、理论分析充分、参考文献多等特点，是不可忽视的信息源。学位论文需要导师审核，并通过专家答辩。只能是个人撰写，不能与他人合作，属于自己的专署文章。通常情况下，学位论文包括学士、硕士和博士论文。

学位论文是非卖品，也不公开发行，通常只在学位授予单位和按国家规定接受呈缴本的图书馆保存有副本，故学位论文的收集与利用不如其他类型的文献方便。各国学位论文的保管与报道方式不尽相同，通常在各国的国家图书馆收藏有大量的本国学位论文。国内收藏硕士、博士学位论文的指定单位是中国科学技术信息研究所和国家图书馆。

识别学位论文的主要依据有：学位名称、导师姓名和学位授予机构等。

6. 会议文献　指在各类学术会议上形成的资料和出版物，包括会议前参会者预先提交的论文文摘、在会议上宣读或散发的论文、会上讨论的问题、交流的经验和情况等经整理编辑加工后而成的正式出版物（会议录）。会议论文的特点是传递情报比较及时、内容新颖、专业性和针对性强、种类繁多和出版形式多样，它是科技文献的重要组成部分，一般是经过挑选的，质量较高，能及时反映科学技术中的新发现、新成果、新成就以及学科发展趋向，是一种重要的情报源。由于许多科学领域的新进展、新发现、新成就以及新设想都是最先在学术会议上披露的，因此学术会议本身就是获取学术信息的重要渠道。

会议文献有不同的划分形式。按出版时间的先后可分为会前、会中和会后三种类型。① 会前文献包括征文启事、会议通知书、会议日程表、预印本和会前论文摘要等，其中预印本是在会前几个月内发至与会者或公开出售的会议资料，比会后正式出版的会议录要早 1～2 年，但内容完备性和准确性不及会议录，有些会议因不再出版会议录，故预印本就显得更加重要；② 会议期间的会议文献有开幕词、讲话或报告、讨论记录、会议决议和闭幕词等；③ 会后文献有会议录、汇编、论文集、报告、学术讨论会报告、会议专刊等，其中会议录是会后将论文、报告及讨论记录整理汇编而公开出版或发表的文献。按组织形式和规模可分为国际性、地区性、全国性、学会或协会性、同行业联合性会议五大类。

识别会议文献的主要依据有：会议名称、会址、会期、主办单位和会议录的出版单位等。

7. 科技报告 这是在科研活动的各个阶段，由科技人员按照有关规定和格式撰写的，以积累、传播和交流为目的，能完整而真实地反映其所从事科研活动的技术内容和经验的特种文献，又称研究报告、报告文献。科技报告的种类很多，按科技报告反映的研究阶段，大致可分为两大类：一类是研究过程中的报告，如现状报告、预备报告、中间报告、进展报告和非正式报告等；另一类是研究工作结束时的报告，如总结报告、终结报告、试验结果报告、竣工报告、正式报告和公开报告等。按报告的使用范围可划分为：绝密报告、机密报告、秘密报告、非密限制发行报告、非密报告和解密报告等。

科技报告具有内容广泛、翔实、具体、完整，技术含量高，实用意义大，且便于交流、时效性好等其他文献类型所无法相比的特点和优势。做好科技报告工作可以提高科研起点，大量减少科研工作的重复劳动，节省科研投入，加速科学技术转化为生产力。科技报告是继图书、期刊、档案等类型文献之后出现的一种文献，它是人类科技发展和信息文化发展的产物，在人类的知识信息传播和利用中起着越来越重要的作用，世界各国在科技文献信息交流中都将它列于首位。在我国，国家图书馆、上海图书馆、中国科技信息研究所和国防科技信息研究所等收藏有较全面的科技报告。

8. 政府出版物 指各国政府部门及其所属机构根据国家的命令出版的文献资料，具有官方性质，又称官方出版物，分为行政性和科技性两类。行政性文献（包括立法、司法文献）主要有政府法令、方针政策、规章制度、决议、指示、统计资料等，涉及政治、法律、经济等方面；科技性文献主要是政府部门的研究报告、标准、专利文献、科技政策文件、公开后的科技档案等。在各种政府出版物中，有的在未列入政府出版物前已经发表过，有的是初次发表，故可能与其他类型的文献有重复。政府出版物是政府用以发布政令和体现其思想、意志、行为的物质载体，同时也是政府的思想、意志、行为产生社会效应的主要传播媒介，故对了解国家的方针政策、经济状况及科技水平，有较高的参考价值，一般不公开出售。

9. 技术档案 指在自然科学研究、生产技术、基本建设等活动中所形成的应归档保存的科技文件，如课题任务书、计划、大纲、合同、试验记录、研究总结、工艺规程、工程设计图纸、施工记录、交接验收文件等。其内容真实、详尽、具体、准确可靠，保密性强，保存期长久，是科研和生产建设工作的重要依据，具有很大参考价值，通常保存在各类档案部门。技术档案一般为内部使用，不公开出版发行，有些有密级限制，因此在参考文献和检索工具中极少引用。

10. 产品资料 一般是指产品说明书，是各厂商为推销产品而印发的一种宣传性出版物。好的产品说明书含有丰富的内容，包括产品规格、性能、特点、产品专利号、构造原理、用途、使用方法、操作规程等。

三、文献评价

文献评价是情报报道工作中对科学技术文献的学术价值的评估，是情报刊物编辑工作的重要内容。其目的在于通过对文献的鉴别和研究，评价其内在质量，借以选定具有报道价值的文献和确定其报道的方式。

评价的标准是文献的科学性和重要性。科学性表现在先进性和真实性两个方面，先进性是指文献中包含有新颖的独创的科学内容；真实性是指文献的内容真实可靠，无虚假和浮夸之处。重要性则是指其内容对有关学术领域产生的影响大小以及其论述的详尽程度和所包含情报的完整性。

（一）期刊质量评价指标

能反映文献质量和水平的指标有很多，无非都是从量化和质化两个方面来评价，或者从论文和期刊的角度来评价，单一评价的科学性不高。但它们能从不同角度反映文献的特征，多种不同性质的评价指标能优势互补，更科学客观地展现评价效果。

1. 被引频次（citation frequency）　论文被引频次是指自论文公开发表以来被其他论文引用的次数，包括他引和自引。科学论文的价值在于被他人使用，他引频次越高，说明论文的使用价值越大。一篇好的原创论文对后续研究能起到参考和推动作用，甚至能孕育出一个新的学科，并且每年都有一定的被引次数。

期刊被引频次是由单篇论文被引频次构成的，期刊上的论文被引频次越多，则期刊的影响力就越大。例如，在科学引文索引（Science Citation Index，SCI）诞生 50 周年时，期刊 *Nature* 官方网站上公布了一份统计数据，统计了当时所有科研论文的引用次数数据，有 3 篇论文的引用次数超过了 100 000，遥遥领先。这 3 篇论文涵盖的领域属于生物技术，该领域也占了被引用最多文章的大部分名额，说明生物技术是当时研究的一个热点，同时也体现了该期刊在学术界的影响力。在统计期刊被引频次时，可以根据需要加上一些条件限制，如时域、学科和统计源。时域是指统计的年限，年限的长短可根据需要灵活选定，一般最低年限为 1 年，这也是最常用的年限，亦可做若干年的累积统计；以学科范围为统计条件，实际上就是在时域条件的基础上再加以学科范围的限制，同一个统计对象，有学科限制的统计结果必然要小于无学科限制的统计结果；以统计源范围作为先决条件，一般是特殊用户出于特殊需要专门指定统计源范围而附加的条件，统计源数量的多少直接影响到期刊被引频次的大小，同一种期刊在统计源相同、统计条件不同时，其被引频次是不同的。

2. 影响因子（impact factor，IF）　这是美国科学信息研究所（Institute for Scientific Information，ISI）的期刊引证报告（Journal Citation Reports，JCR）中的一项数据，指的是某一期刊的文章在特定年份或时期被引用的频率。它是国际上通用的期刊评价指标，不仅是一种测度期刊有用性和显示度的指标，而且也是测度期刊的学术水平乃至论文质量的重要指标。它由 ISI 创始人尤金·加菲得（Eugene Garfield）在 1960 年代创立，其后为文献计量学的发展带来了一系列重大革新。1998 年，尤金·加菲得又在《科学家》（*The Scientists*）杂志中叙述了影响因子的产生过程，说明他最初提出影响因子的目的是为现刊目次（Current Contents）评估和挑选期刊。人们所说的影响因子一般是指从 1975 年开始，JCR 每年提供上一年度世界范围期刊的引用数据，给出该数据库收录的每种期刊的影响因子。

影响因子的计算方法：影响因子是以年为单位进行计算的。以 2023 年的某一期刊影响因子为例，IF（2023 年）＝A/B（A＝该期刊 2021—2022 年所有文章在 2023 年中被引用的次数；B＝该期刊 2021—2022 年所有文章数）。

一般而言，期刊的影响因子越大，就表明其被引用的程度越高，它的影响力和学术水平也就越高。例如，期刊 *Nature* 2023 年的影响因子是 50.5，医学研究与实验方面影响因子较低的期刊 *Asian Biomedicine* 只有 0.4。它反映的是期刊的近期情况，故在一定程度上消除了因期刊刊龄等因素而引起的引文次数上的偏差。在 JCR 中还会提供一项指标，被称为期刊即时指数（immediacy index），这个指标的计算是以年为单位的，如某一期刊的即时指数是利用当年期刊文章获得的总引用数量除以当年发表文章的总量。这个指数可以衡量一个期刊中文章在年内被引用的速度，通常来说对于比较活跃的前沿领域更有意义。

3. h 指数(h-index)　由美国加利福尼亚大学圣地亚哥分校的物理学家乔治·希尔施(Jorge Hirsch)于 2005 年提出，用于量化科研人员作为独立个体的研究成果。该指数兼顾了研究人员的文献产出量和文献被引量，是对个人学术水平的综合评价指标。例如，著名免疫学专家理查德·弗拉维尔(Richard Flavell)发表的 900 篇文章中，有 107 篇文献分别被引用了 107 次以上，那么他的 h 指数就是 107。

h 指数最大的优势在于其对“质”与“量”的兼顾，能对学者进行较为公正的评价。除此之外，h 指数的计算容易实现，仅仅通过简单的测量就能用单一的指标来描述学者的生产率及影响力。h 指数的评价方式可以有效避免学者片面地追求论文数量而忽略了论文的质量，又能有效激发学者对深层次问题进行探讨的热情。

4. 期刊被引半衰期(cited half-life)　指某一期刊的论文在某年被引用的全部次数中，较新的一半被引论文发表的时间跨度，是测量期刊老化速度的一种指标，它不是针对个别文献或某一组文献，而是对某一学科或专业领域的文献的总和而言。一般来说，比较稳定的学科，其期刊被引半衰期要比发展较快、较活跃学科的期刊被引半衰期长；基础理论学科的期刊被引半衰期要比技术学科的期刊被引半衰期长；历史悠久的学科期刊被引半衰期要比新兴学科的期刊被引半衰期长。期刊被引半衰期受多种因素的影响，包括期刊领域、文章类型、作者数量、引用文献数量等。

期刊被引半衰期不仅可以是测量期刊老化速度的一种指标，还可以用于评估学术界中某个领域的发展趋势。较短的被引半衰期通常意味着该领域正在迅速发展，而较长的被引半衰期则意味着该领域已经逐渐稳定。此外，某些领域领先的期刊的被引半衰期相对较长，这表明这些期刊对于领域学术研究的影响力很大。因此，期刊被引半衰期是一项综合性指标，可以用来评估期刊的学术价值和影响力。

(二) 核心期刊

在 1931 年，著名的文献学家布拉德福(Samuel Clement Bradford)首次揭示了文献的集中与分散规律，并由此衍生了“核心期刊”的概念。核心期刊是学术界通过一整套科学的方法，对期刊质量进行跟踪评价，并以情报学理论为基础，将期刊进行分类定级，把最为重要的一级期刊称为核心期刊。核心期刊刊载水平较高的某一学科(专业)的文献，能反映该学科(专业)最新成果以及新理论、新技术、新方法的发展水平和动态，旨在揭示一定时期中期刊的发展概貌，为图书情报界、出版界及学术界提供一种参考工具。目前核心期刊评价标准包括期刊的论文质量、学术影响力、被引用次数、作者的学术声誉等因素。通常情况下核心期刊的被引频次、影响因子、h 指数都较高。

1. 国内核心期刊(或来源期刊)遴选体系　核心期刊与非核心期刊是相对的、动态变化的。自 20 世纪 80 年代以来，我国学者在核心期刊评价方法研究方面，主要涉及引文法、文摘法、累计百分比法、流通率法、综合评价法等。目前，国内较著名的核心期刊(或来源期刊)遴选体系有：北京大学图书馆“中文核心期刊”、南京大学“中文社会科学引文索引(CSSCI)来源期刊”、中国科学技术信息研究所“中国科技论文统计源期刊”(又称“中国科技核心期刊”)、中国社会科学院文献信息中心“中国人文社会科学核心期刊”、中国科学院文献情报中心“中国科学引文数据库(CSCD)来源期刊”、中国人文社会科学学报学会“中国人文社科学报核心期刊”、万方数据股份有限公司的“中国核心期刊遴选数据库”，也是常说的“七大核心”。

(1)《中文核心期刊要目总览》：研制项目组由北京大学图书馆牵头，几十家高校图书馆和合作单位共同参研。在2008年之前每4年更新研究和编制出版一次，2008年之后，改为每3年更新研究和编制出版一次，每版都会根据当时的实际情况在研制方法上不断调整和完善，以求研究成果能更科学合理地反映客观实际。《中文核心期刊要目总览》(2023版)由北京大学出版社在2024年3月底正式出版发行。此前已经出版了1992、1996、2000、2004、2008、2011、2014、2017、2020年版共10版，主要为图书情报部门对中文学术期刊的评估与订购、为读者导读提供参考依据。2023版研究方法是定量和定性相结合的分学科评价方法，核心期刊定量评价采用被摘量(全文、摘要)、被摘率(全文、摘要)、被引量、他引量、影响因子、他引影响因子、5年影响因子、5年他引影响因子、特征因子、论文影响分值、论文被引指数、互引指数、获奖或被重要检索工具收录、基金论文比(国家级、省部级)、Web下载量、Web下载率等评价指标；在定量评价的基础上，再进行专家定性评审。经过定量筛选和专家定性评审，从我国正式出版的中文期刊中评选出核心期刊。

(2) 中国科学引文数据库(Chinese Science Citation Database, CSCD)：创建于1989年，是我国第一个引文数据库，被誉为"中国的SCI"。CSCD来源期刊每两年遴选一次，分为核心库和扩展库两部分。

(3) 中文社会科学引文索引(Chinese Social Sciences Citation Index, CSSCI)：由南京大学中国社会科学研究评价中心开发研制，是国家、教育部重点课题攻关项目，2000年《中文社会科学引文索引》光盘版正式发布。

(4) 中国科技核心期刊(The key magazine of China technology)：是选入中国科技论文与引文数据库的期刊，学科范畴主要为自然科学领域，是国内比较公认的科技统计源期刊目录。

2. 核心期刊的意义　首先，在于指导读者阅读，使读者通过阅读少量的核心期刊就能获得较大的情报量，并能了解本学科研究的最新进展，达到事半功倍的效果。其次，在于指导图书情报单位进行有针对性的收藏，以提高文献的完整性和较高的文献保障率。最后，发表在核心期刊的研究成果，更能获得学术界的认可，从而扩大学术影响力。

(三) 引文数据库

引文数据库就是将各种参考文献的内容按照一定规则记录下来，集成为一个规范的数据集。通过这个数据库，可以建立著者、关键词、机构、文献名称等检索点，满足作者论著被引、专题文献被引、期刊和专著等文献被引、机构论著被引、个人和机构发表论文等情况的检索。在国际科学界，如何正确评价科学研究成果已引起越来越广泛的关注，而被知名引文数据库收录的科技论文的多寡则被看作衡量一个国家的科学研究水平、科技实力和科技论文水平高低的重要评价指标。目前，国内的主要引文数据库有中国科学引文数据库、中文社会科学引文索引、中国科技论文与引文数据库、中国引文数据库、中文科技期刊数据库(引文版)等；国外主要引文数据库有Web of Science、Scopus等。

第三节　信息检索概述

检索的英文是retrieval或search，其含义是查找。将信息按一定的方式和规律排列存储，并针对用户特定需求查找出所需信息的过程，称为信息检索。信息检索的作用就是充当信息用户与信息源之间的媒介。

一、信息检索工作原理

信息检索是指将信息按照一定方式收集、组织和存储起来，并根据信息用户的需求找出所需信息的过程。信息检索包括存储和检索两个方面。存储是指将大量无序的信息，根据信息源的外部特征和内容特征，经过分类、标引等处理，使其系统化、有序化，并按一定的技术要求编制检索工具或建立检索系统，供人们检索和利用；检索则指检索者根据文献信息需求，确定检索标识（如主题词、关键词、分类号、著者姓名等）或检索式，利用编制好的检索工具或检索系统查找所需的信息。

信息存储与信息检索是密不可分的两个过程，存储是为了检索，而检索必须先要存储。检索者在检索时，务必使自己的检索特征标识与检索系统中的文献特征标识达到一致或基本一致，方能检出所需要的文献（图 1－1）。

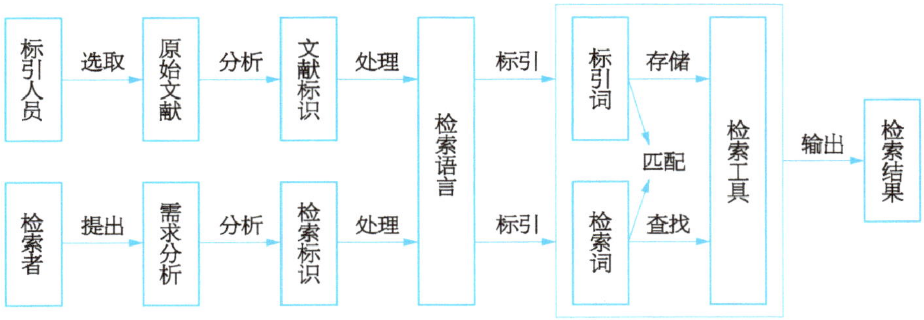

图 1－1　信息检索原理

二、信息检索方法

信息检索的方法很多，分别适用于不同的检索目的和检索要求，常用的有直接法、追溯法和综合法。

（一）直接法

直接法是指直接利用检索系统（工具）查找信息的方法，是最常用的一种检索方法。根据检索信息的时间顺序，又分为顺查法、倒查法和抽查法。

1. 顺查法　这是一种根据检索课题的起始年代，利用选定的检索工具，按照从旧到新、由远到近、由过去到现在的顺序逐年查找，直到满足课题要求的检索方法，通过这种方法可以掌握某课题全面发展的情况。顺查法由于是逐年查找，漏检较少，查全率高，在检索过程中可不断筛选，剔除参考价值较小的文献。由于此方法的查全率高，适用于围绕某一主题检索一定时期内的全部文献信息，或者适用于那些主题较复杂、研究范围较大、研究时间较久的科研课题。

2. 倒查法　与顺查法相反，倒查法是指利用检索工具，按照由新到旧、由近到远、由现在到过去的逆时序查找，直到满足课题要求的检索方法。这种方法多用于新课题、新观点、新理论、新技术的检索，查找的重点在近期信息上，目的在于获得某学科或研究课题最新或近期一定时间内发表的文献或研究进展情况。此方法省时，查得的信息新颖性高，但查全率不高，只需要查到基本满足检索者需求为止。

3. 抽查法　这是一种针对某学科的发展特点，抓住该学科发展较快、文献信息发表较多的年代，拟出一定时间范围，进行重点抽查的检索方法。任何学科的发展都要经历高峰期和低谷期，高峰期所发表的文献数量远高于低谷期的文献数量，抽查法就是重点检索学科高峰期的文献。这种方法的检索效果较好、检索效率较高，但漏检的可能性也比较大，因此检索者必须熟悉某学科的发展轨迹。

（二）追溯法

追溯法又称回溯法、引文法、引证法，是指不利用检索工具，而是利用文献所列的参考文献为线索进行追溯查找的方法，也是扩大信息来源最简捷的方法。通过追溯法所获得的文献，有助于对课题的立题背景和立论依据等内容有更深的理解。追溯法的优点是简单方便，通过滚雪球式的追踪检索获取所需的信息；缺点是检索到的信息不够全面，查全率较低，且追溯的年代越远，所获得的信息越旧。一般是在缺少信息检索工具的情况下，作为一种辅助方法使用。

（三）综合法

综合法又称循环法、交替法、分段法，它是把上述两种方法加以综合运用的方法。首先利用直接法检索出一批相关文献信息，然后精选出与检索课题针对性较强的文献，再利用文献后所附的参考文献进行追溯查找，扩大检索范围，获得更多的相关信息。如此循环使用直接法和追溯法，直到检索到的信息满足检索要求为止。综合法吸取了直接法和追溯法的优点，既可获得特定时期的文献，又可节约检索时间，检索效率较高，是实际检索中采用较多的方法。

总之，在实际检索中究竟采用哪种检索方法最合适，应根据检索要求和检索目的等因素确定。

三、信息检索语言及途径

检索语言是信息检索中用来描述文献特征和表达检索提问内容的一种人工语言。检索语言是文献标引者和文献检索者之间的纽带，检索语言的合理使用能尽量避免信息的误检和漏检，直接影响检索结果质量。

（一）检索语言的作用

检索语言在信息检索中起着极其重要的作用，它是沟通信息存储与信息检索两个过程的桥梁。在信息存储过程中，用它来描述信息的内容和外部特征，从而形成检索标识；在信息检索过程中，用它来描述检索提问，从而形成提问标识。当检索标识与提问标识完全匹配或部分匹配时，结果即为命中文献。

检索语言的主要作用：① 标引文献信息内容及其外表特征，保证不同标引人员表征文献的一致性；② 对内容相同及相关的文献信息加以集中或揭示其相关性；③ 使文献信息的存储集中化、系统化、组织化，便于检索者按一定的排列次序进行有序化检索；④ 便于将标引用语和检索用语进行相符性比较，保证不同检索人员表述相同文献内容的一致性，以及检索人员与标引人员表述相同文献内容的一致性；⑤ 保证检索者按不同需要检索文献时，都能获得较高查全率和查准率。

（二）检索语言的类型

检索语言依其划分方法的不同，其类型也不一样。它们各有利弊，又能取长补短，在实际应用中往往多种并用，相辅相成。

按规范化程度，可分为规范化语言（受控语言）和非规范化语言（自然语言）两类。规范化语言是指对文献检索用语的概念加以人工控制和规范，把检索语言中各种同义词、多义词、近义词、同形异义词等进行规范化处理，使每个检索词只能表达一个概念，如主题词语言；反之，没有进行人工控制和加工的语言则称为非规范语言，也称自然语言，如关键词语言。

按照描述文献的特征，可分为描述文献外部特征的检索语言和描述文献内容特征的检索语言。表达文献外部特征的检索语言主要是指依据文献的题名、著者、文献序号（如专利号、标准号、报告号等）等外表特征作为文献存储和检索标识而形成的语言；描述文献内容特征的检索语言主要是依据文献所属学科、论述的主题、观点等内容特征作为文献的存储和检索标识而形成的语言，主要有分类语言和主题语言两种（图1-2）。

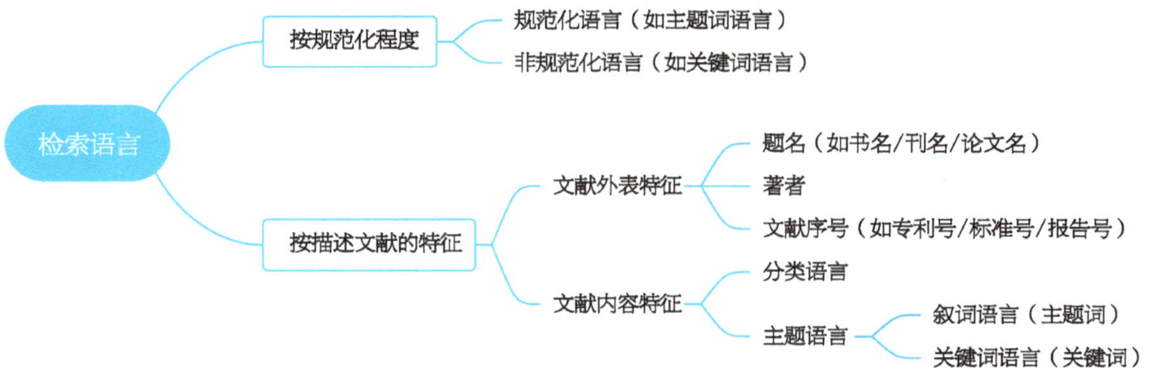

图1-2　检索语言分类

1. 分类语言　这是以学科的分类为基础，运用概念划分的方法，按知识门类的逻辑次序，从总到分、从一般到具体、从简单到复杂，进行层层划分，从而产生许多不同级别的类目，层层隶属，形成一个严格按学科门类划分和排列的等级制体系，广泛用于图书、资料的分类和检索，是普遍使用的一种检索语言。分类语言能较好地体现学科的系统性，反映事物之间的联系，把内容性质相近的事物聚集在一起，较好地满足了按学科检索的需要，检索文献具有较高的查全率，便于扩大和缩小检索范围。

(1) 分类语言的优点：具有严密性和系统性，最适用于系统检索与浏览查询。

(2) 分类语言的不足：不熟悉分类检索语言的人使用起来较为困难，可能会出现漏检；新学科、边缘学科等不能及时反映，不易反映学科交叉、渗透的情况，也不易准确标引或检索主题概念复杂的文献。

2. 主题语言　这是直接运用词语作为表达主题概念的标识，并按字顺排列标识和参照系统等方法来间接表达各种概念之间相互关系的检索语言。以主题语言来描述和表达信息内容的处理方法称为主题法。主题语言又分为叙词语言、关键词语言、标题词语言和单元词语言，以下主要介绍叙词语言和关键词语言。

(1) 叙词语言：叙词在我国习惯称为主题词，是以概念为基础，经过规范化处理，具有组配功能，显示词间语义关系和动态的词或词组。

一般来讲，叙词具有概念性、描述性、组配性。经过规范化处理后，还具有语义的关联性、动态性、直观性。叙词法综合了多种信息检索语言的原理和方法，具有多种优越性，适用于计算机和手工检索系统，是目前应用较广泛的一种语言。

叙词是以叙词表作为词汇规范化的工具。叙词表亦称主题词表，是按照主题词语义关系的规律排列而成的词典，为文献标引和检索提供规范化词语的词汇表，是主题法的具体表现形式。它从自然语言中选择、汇集了相关的、具有检索意义的词语，加以词类、词形、词义的规范，并显示其相互之间的语义关系，是文献标引、检索时进行主题词查询的工具。在医学文献检索领域，最具代表性的主题词表是美国国家医学图书馆（The United States National Library of Medicine，NLM）编制的《医学主题词表》（Medical Subject Headings，MeSH），以及中国中医科学院中医药信息研究所编制的《中国中医药学主题词表》。

(2) 关键词语言：关键词是指出现在文献标题、文摘、正文中，对表征文献主题内容具有实质意义、揭示和描述文献主题内容关键性的词语。关键词法主要用于计算机信息加工抽词编制索引，因而称这种索引为关键词索引。

关键词语言的优点是易标引、快速、直观，缺点是词语不规范，误检率和漏检率都很高。因此，关键词语言适合于随意性较大的浏览性查找或是对查准率要求不高的检索。

（三）《中国图书馆分类法》

分类检索语言能较好地体现学科的系统性，以学科、专业集中文献，从知识分类角度揭示文献在内容上的区别和联系，提供从学科为出发点的检索途径。比较有影响的分类法有《国际十进分类法》《杜威分类法》《中国图书馆分类法》等。

《中国图书馆分类法》（简称《中图法》）是以科学分类和知识分类为基础，并结合文献内容特点及形式特征进行逻辑划分和系统排列的类目表，是类分文献、组织文献分类排架、编制分类检索系统的工具。《中图法》初版于 1975 年，2010 年出版了第 5 版，是目前我国影响最大、使用最广泛的一部综合性分类法，其结构由基本大类、简表、详表和复分表等组成。

1. 基本大类　《中图法》首先以科学分类为基础，结合图书资料的内容和特点，将知识门类分为哲学、社会科学、自然科学三大部类；马克思主义、列宁主义、毛泽东思想、邓小平理论作为一个基本部类列于首位。此外，考虑到文献本身的特点，对于一些内容庞杂、类无专属，无法按某一学科内容性质分类的图书，概括为“综合性图书”，作为一个基本部类，置于最后。在五大部类的基础上，将社会科学和自然科学再进行扩展，共分为 22 个基本大类（一级类目）（表 1－1），如“医药、卫生”类号标识为 R。每个大类下面再加以细分。

表 1－1　《中图法》一级类目表

A　马克思主义、列宁主义、毛泽东思想、邓小平理论	N　自然科学总论
B　哲学、宗教	O　数理科学和化学
C　社会科学总论	P　天文学、地球科学
D　政治、法律	Q　生物科学
E　军事	R　医药、卫生
F　经济	S　农业科学
G　文化、科学、教育、体育	T　工业技术
H　语言、文字	U　交通运输
I　文学	V　航空、航天
J　艺术	X　环境科学、安全科学
K　历史、地理	Z　综合性图书

《中图法》用分类号表示相应的学科类目，分类号采用字母与阿拉伯数字相结合的混合号码，用一个字母代表一个大类，以字母顺序反映大类的次序，在字母后用数字作标记。

2. 简表 这是《中图法》中一级类目下进一步划分出来的二级类目，基本为独立科目。如“R 医药、卫生”下设 17 个二级类目，其类号分别以 R 和阿拉伯数字组成，其中 R2 为中国医学的分类标识。

3. 详表 由各级类目组成，是分类法的主体，也是文献标引和分类检索的依据。它是简表内容和结构的扩展，类目的排列严格按照概念之间逻辑隶属关系逐级展开，划分出更专指、更具体的类目。《中图法》整个类目表以基本大类为起点，依次逐级细分为二级、三级、四级……直到不宜再细分为止。如“R2 中国医学”下设 18 个三级类目，“R24 中医临床学”下设 9 个四级类目，“R241 中医诊断学”下设 9 个五级类目，“R241.2 四诊”下设 4 个六级类目(图 1-3)。详表的类目之间呈现倒树状的线性排列，排列的原则是从整体到部分、从大概念到小概念、从抽象到具体、从上位到下位，层层划分到最小类目，各类目之间表示的是并列、属分或相关关系。

例如，“R241.25 舌诊”的分类号从上而下的查找顺序是，R 医药卫生→R2 中国医学→R24 中医临床学→R241 中医诊断学→R241.2 四诊→R241.25 舌诊。

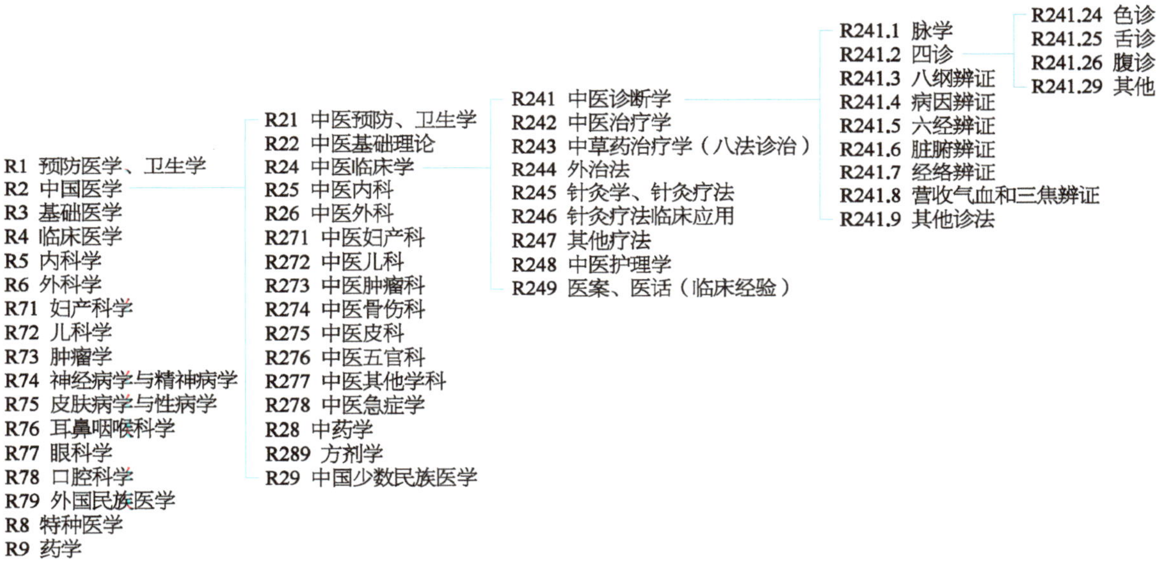

图 1-3 《中图法》的分类体系

4. 复分表 复分是增强类目的细分化程度，提高类目专指程度的分类措施，复分表是《中图法》的重要组成部分。《中图法》的复分表主要有通用复分表和专类复分表两种，这些复分表的号码不能单独使用，只能加在主分类号后面作为共性区分的标识。《中图法》复分表有 8 个，分别是总论复分表、世界地区表、中国地区表、国际时代表、中国时代表、世界种族与民族表、中国民族表、通用时间、地点表。其中，总论复分表中描述图书的外部特征如教材、工具书等的复分号如下。

-43 教材、课本

-44 习题、试题及解答

-53 论文集

-54 年鉴、年刊

-55　连续性出版物
-56　政府出版物、团体出版物
-6　参考工具书
-61　名词术语、词典、百科全书（类书）
-62　手册、名录、指南、一览表、年表
-629　年鉴
-64　表解、图解、图册、谱录、数据、公式、地图
-65　条例、规程、标准
-66　统计资料
-7　文献检索工具

（四）主题词表

1. 主题词表概述　主题词表是信息检索中用以标引主题的检索工具，以利于人们对主题词的选用和查核。医学文献普遍使用的 MeSH，具有概念性、规范化、组配性和动态性等特点。

（1）概念性：任何事物都具有一定的概念，概念是对事物本质属性的概括。文献的信息内容代表的也是概念，如中风、糖尿病等词汇，所表达的都是一些反映特定信息内容的概念，故主题语言首先必须具有概念性。

（2）规范化：自然语言中的词汇普遍存在多义、同义、同形异义、同义异形等情况，如先天性心脏病就包括先天性心脏病、先天性心脏缺损、心脏畸形、先天性心脏异常、异位心等多种表达，大大影响了文献标引的一致性，在检索时如只用一个词或其中若干词检索势必会造成大量的漏检，若所有的词都检索一遍，检索效率低下。因此，必须对自然词语进行规范，使同一概念的事物只能用一个规范词汇来表达，即产生了主题词。

（3）组配性：一篇文献往往涉及多个主题，因此对一篇文献的正确描述需要多个概念组配方能完成，这就是主题词与副主题词的组配。副主题词是用来修饰和限定主题词使用范围的规范化名词，使主题词具有更高的专指性和灵活性，如诊断、药物疗法、治疗应用等。副主题词本身无独立检索意义，通常用组配符"/"与主题词一起使用。如"红霉素治疗链球菌感染"的主题标引为"红霉素/治疗应用　链球菌感染/药物疗法"，其中"红霉素""链球菌感染"是主题词，"治疗应用""药物疗法"是副主题词。

（4）动态性：指主题词表的词是随着医学文献内容的变化而不断更新变化的，每年对词表内容进行更新，MeSH 词表每年更新。

2. 医学主题词表　MeSH 是目前最权威、最常用的医学主题词表，MEDLINE/PubMed、中国生物医学文献服务系统（SinoMed）和很多医学图书情报单位用它编制馆藏图书和期刊的主题目录。该词表不仅收词丰富、注释详尽，而且动态性强，伴随生物医学的发展和进步，NLM 每年都要对其进行增删修订。从 2004 年开始，NLM 每年更新网络版 MeSH Browser（《医学主题词表》浏览器），是因特网上利用电子版 MeSH 来确定主题词、副主题词，以便检索 MEDLINE 及其相关数据库的必备工具（图 1-4），它包括注释字顺表、树形结构表、轮排表及补充的化学记录等内容。

（1）使用方法：MeSH Browser 提供"输入检索词"（Enter Term or the Beginning of Any Root Fragments）与"树形结构表浏览"（Tree View）的方式来确定所需的主题词、副主题词。

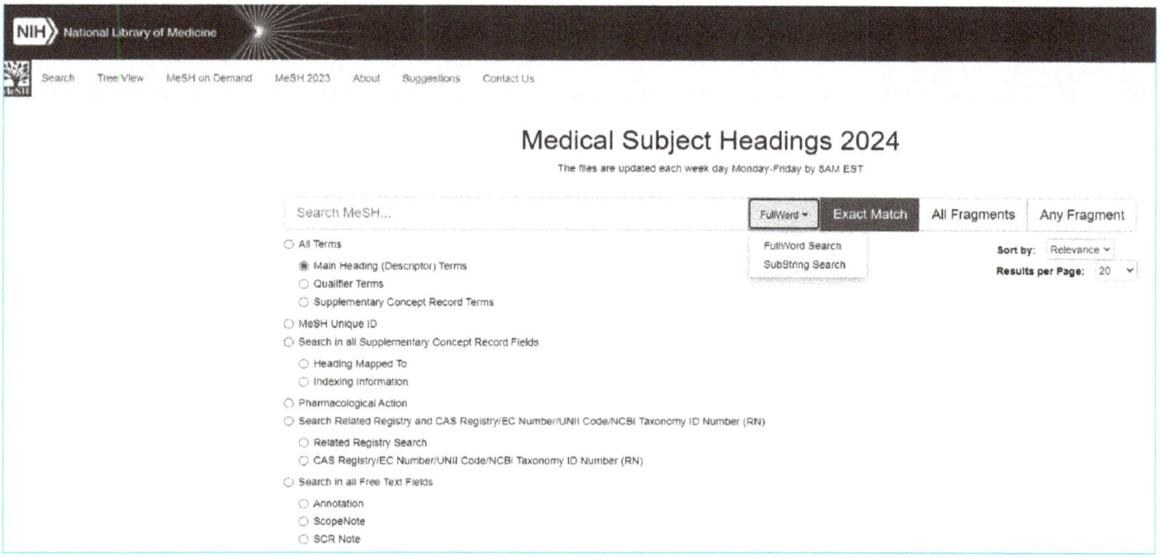

图 1-4　MeSH Browser 主页

1）输入检索词：在输入框中，输入检索词或词根，选择目标词类型，点击检索词与目标词匹配模式，选择排序方式和每页显示的条数，即可获得包括检索词在内的目标词列表。

2）目标词类型限制：所检索的目标词可在相应类型作选择。所有选项（All Terms）类型包括主题词[Main Headings (Descriptor) Terms]、副主题词（Qualifiers Terms）、补充概念词（Supplementary Concept Record Terms），主题词 ID 号（MeSH Unique ID）、在所有补充概念词字段检索（Search in all Supplementary Concepts Record Fields）、药理作用（Pharmacological Action）和相关注册表搜索（Related Registry Search）、化学物质登记号/酶学委员会编号/独特的成分标识符编码/NCBI 分类 ID 编号搜索[Search Related Registry and CAS Registry/EC Number/UNII Code/NCBI Taxonomy ID Number (RN)]、在所有自由文本字段中搜索（Search in all Free Text Fields）。

3）检索词与目标词匹配模式：输入的检索词或词根与目标词之间有精确匹配（Exact Match）、全部检索词（All Fragments）或任一检索词（Any Fragment）三种匹配模式。其中，精确匹配要求检索到的目标词与输入的检索词之间完全一致，如输入检索词“Acupuncture”，限定“Exact Match”，只能检索到“Acupuncture”一个主题词。全部检索词会以任何特定顺序查找包含搜索字符串的所有片段的术语，检索到的目标词包括输入的全部检索词或词根的词，检索词或词根之间是逻辑“与”的关系。如输入检索词“Blood Pressure”，限定“Main Heading (Descriptor) Terms”，点击“All Fragments”，可以检索到包含“Blood Pressure”在内的所有主题词，如“Blood Pressure Determination”等共 10 条检索结果。任一检索词会查找包含搜索字符串的至少一个片段的术语，多数主题词由两个以上的词构成，只要输入的检索词或词根，无论其位置在开始或中间，都可以检索到，检索词或词根之间是逻辑“或”的关系。如输入检索词“Blood Pressure”，限定“Main Heading (Descriptor) Terms”，点击“Any Fragment”，可以检索到包含“Blood”或“Pressure”的所有主题词，共 205 条检索结果。

（2）主题词注释表：主题词注释表显示该主题词及其注释。通过注释、参照系统与树形结构号，表达主题词的历史变迁、主题词的族性类别、揭示主题词之间语义关系，其作用是选择规范化主题词和扩大检索范围。如输入检索词“Asthma”时显示该主题词的详细信息（图 1-5）。

图 1-5　主题词注释字顺表

（3）树形结构表：点击“Tree View”，就会显示树形结构表的 16 个一级类目（图 1-6）。

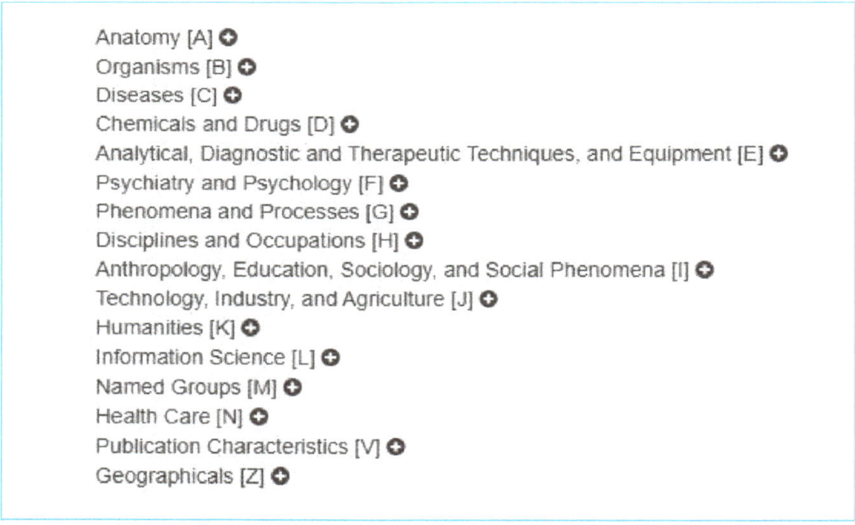

图 1-6　树形结构表

选择类目可以逐级浏览并选择所需主题词，若树形结构号后面有“+”，则表明该主题词还有下位主题词。树形结构表中主题词共分为 16 个类别，每一个大类用一个字母来表示，大类可分为若干个小类，以此类推，最多可细分成 11 级，树形结构号由代表该类的字母与数字组成，每级的数字以小数点隔开。如：

Disease[C]

　Neoplasms [C04]

```
Cysts [C04.182]
  Bone Cysts [C04.182.089]
    Jaw Cysts [C04.182.089.530]
      Odontogenic Cysts [C04.182.089.530.690]
        Periodontal Cyst [C04.182.089.530.690.790]
          Radicular Cyst [C04.182.089.530.690.790.820]
```

通过树形结构表可以了解主题词在主题词表中的位置及隶属关系，可以从学科体系中查找主题词。检索时若找不到适当的主题词，可根据检索课题的学科范围，在结构表中找到满意的主题词。在检索中如果需要扩大或缩小检索范围，可根据树形结构表中主题词的上下位等级关系选择主题词，需扩大检索范围时就选择其上位概念的主题词，需要缩小检索时则选择其下位概念的主题词。

（4）副主题词（subheading）：这是限定主题概念的规范化词汇，对主题词起细分作用或揭示多个主题词之间的关系。副主题词单独检索无实际意义，其作用是对主题词进行限定，以提高主题词的专指度，从而提高查准率。在 MeSH Browser 主页，目标词类型选择“Qualifiers Terms”即可进行副主题词的查询，查询方法同主题词检索，如输入“diagnosis”，即可得到该副主题词的详细结果页面（图 1－7）。

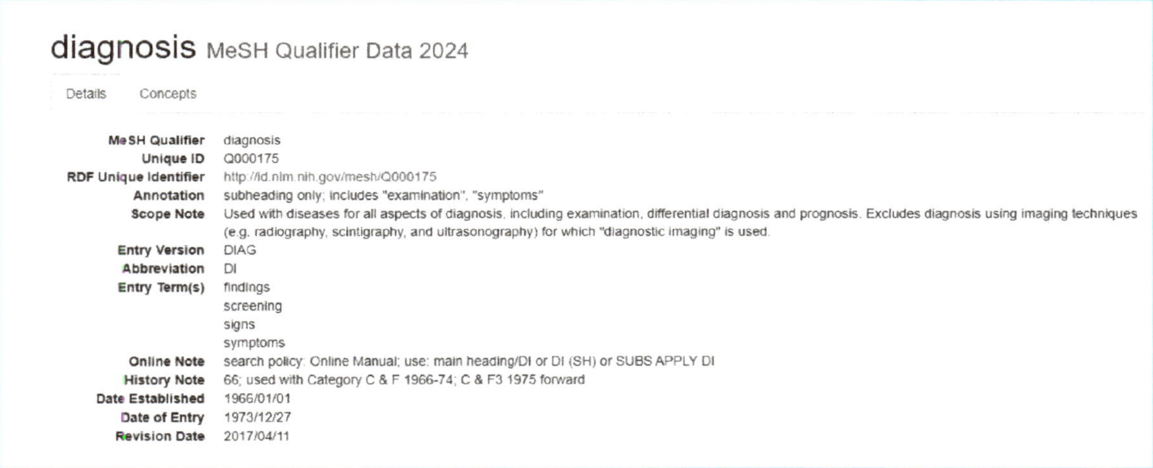

图 1－7　副主题词检索结果页面

3.《中国中医药学主题词表》　这是将中医药学科领域自然语言转换成规范化中医药名词术语的一种术语控制工具，是由语义相关、族性相关的中医药学术语组成的规范化动态词典。1987 年正式出版《中医药学主题词表》，1996 年修订后更名为《中国中医药学主题词表》，2008 年第三次修订，2015 年网络版发布。《中国中医药学主题词表》能够完整表达中医药概念，且收录众多入口词，可为课题研究、数据库构建等工作中的术语规范、词典构建等提供数据来源。

（1）主题词检索：用户登录后，默认为主题词检索，检索入口处提供“主题词和入口词、注释、可组配副主题词”选项，可选择模糊或精确查询。如选择“主题词和入口词”，输入“肝经”，即可得在主题词或入口词中包含“肝经”一词的所有结果（图 1－8）。

图 1-8 《中国中医药学主题词表》主题词检索页面

查看主题词详细信息：在检索结果列表中，单击一条主题词，它的详细信息会在一个新的页面中显示，包括主题词的汉语拼音、英文主题词、入口词、树形结构号、标引注释、历史注释、检索注释和可组配的副主题词等，可同时打开多个主题词的详细信息页面。在主题词详细信息页面，相关主题词和主题词树都是超链接，单击可以打开相关主题词和主题树中主题词的详细信息页面。主题词可组配的副主题词中列举了本主题词可以组配的副主题词，单击副主题词蓝色的字母缩写，可显示副主题词的定义，以便于用户正确的使用副主题词(图 1-9)。

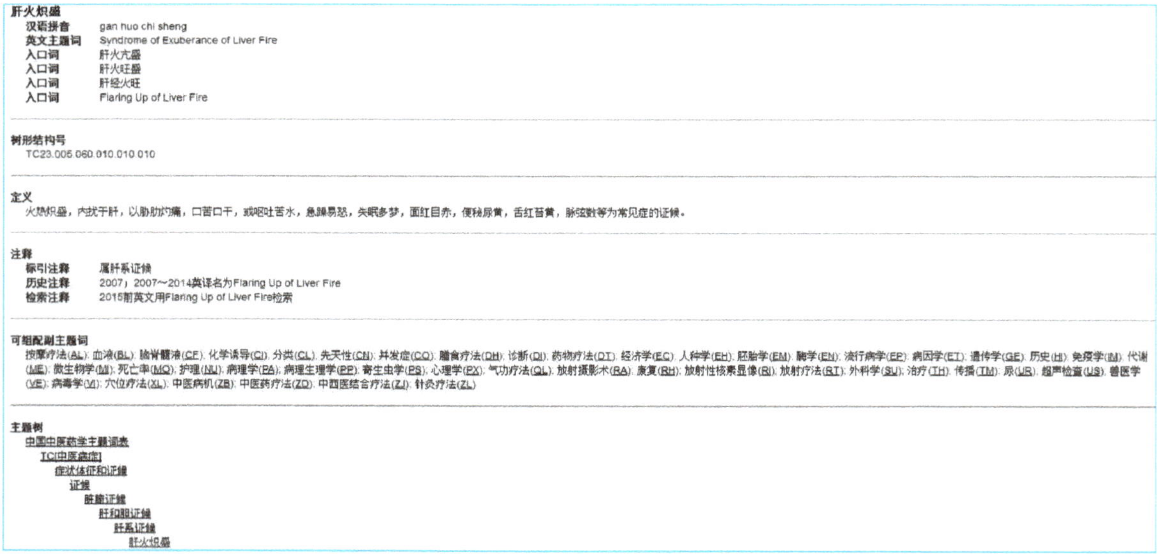

图 1-9 《中国中医药学主题词表》主题词详细信息页面

(2) 主题词树浏览：此页面中的树形结构表又称范畴表，是将主题词按中医药学学科理论体系及学科范畴划分为 15 个子类及二级子类目，在子类下显示出隶属于该类目的主题词，按属分关系逐级展开呈树型结构，每个主题词均有字母数字标识以显示主题词的级别；范畴划分做到了与 MeSH 的范畴兼容。点击主题词树中主题词前的加号图标，可以将主题树逐级展开(目前只允许展开顶部两层主题词)。单击某个主题词,可以打开其详细信息页面(图1-10)。

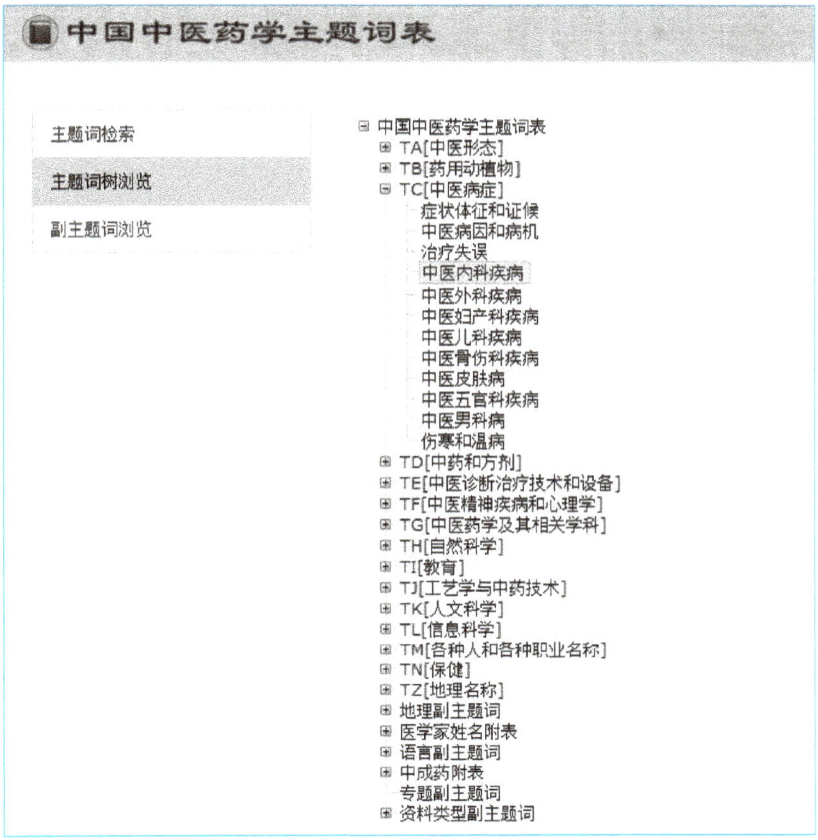

图1-10　《中国中医药学主题词表》主题树浏览页面

(3) 副主题词浏览:此页面可以查看到全部副主题词列表,一共有93个副主题。副主题词列表默认按副主题词的编码排序,也可以通过列表右上方的排序选项,使副主题词列表按中文名称或英文名称排序(图1-11)。副主题词浏览可以方便理解副主题词含义。

93个副主题词中包含了10个有关中医药副主题词。

1) 中医药疗法:与疾病、症状、证候等主题词组配,是指以中医基础理论为指导,投予中药或正骨、刮搓、割治等治疗疾病。如系投予口服药物,可不加组配用法主题词,否则应组配投药途径,如外治法、熏洗疗法、投药、直肠(保留灌肠法)等。中西药合并治疗时,不用此副主题词,而用"中西医结合疗法"。以气功、推拿、按摩等非药物疗法治疗疾病时,用相应的副主题词。

2) 中西医结合疗法:与疾病、症状与证候主题词组配,是指同时采用中西医两法或综合应用中西药物治疗疾病。

3) 针灸疗法:与疾病、症状、证候主题词组配,是指按照中医理论及经络学说,用针刺、灸法(包括电针、耳针、头针、艾卷灸、艾炷灸等)治疗疾病。但穴位埋藏、激光、微波、穴位按压等非针的穴位疗法及药物穴位贴敷、穴位注射等,用"穴位疗法"。除了体针疗法外,其他需组配专指的针灸疗法主题。

序号	编码	中文名称	英文名称
1	AA	类似物和衍生物	alogs& derivatives
2	AB	畸形	abnormalities
3	AD	投药和剂量	administration& dosage
4	AE	副作用	adverseeffects
5	AG	激动剂	agonists
6	AH	解剖学和组织学	anatomy& histology
7	AI	拮抗剂和抑制剂	antagonists& inhibitors
8	AL	按摩疗法	MasssgeTherapy
9	AN	分析	analysis
10	BI	生物合成	biosynthesis
11	BL	血液	blood
12	BS	血液供给	bloodsupply
13	CF	脑脊髓液	cerebrospinalfluid
14	CH	化学	chemistry
15	CI	化学诱导	chemicallyinduced

图 1－11　副主题词浏览页面

4）按摩疗法：与疾病、症状与证候主题词组配，是指用按摩、推拿、捏脊等手法治疗疾病。但穴位按压用“穴位疗法”。

5）穴位疗法：与疾病、症状与证候主题词组配，是指在穴位上施用各种刺激，如激光、红外线、指压或穴位敷药、穴位注射、穴位埋线、穴位埋药、穴位磁疗等的物理、化学刺激方法以治疗疾病。针刺及灸法用“针灸疗法”。

6）气功疗法：与疾病、症状与证候主题词组配，是指运用气功（如外气）或指导患者练功，以达到治疗疾病的目的。

7）气功效应：与器官、组织、内源性物质、生理或心理过程主题词组配，是指气功对其产生的效应。

8）针灸效应：与器官、组织、内源性物质、生理或心理过程主题词组配，是指针灸对其产生的效应。

9）中医病机：与脏腑、器官、疾病、症状及证候主题词组配，是指按照中医基础理论对疾病、脏腑、器官、组织、气血等病理生理过程及其机制的认识。

10）生产和设备：与中草药、中成药、剂型等主题词组配，是指其中药生产、加工、炮制与制备。如为中草药的炮制，应再组配主题词“炮制”。

（五）检索途径

检索者的检索需求不外乎两种：一是要根据已知文献外表特征查找指定的文献，如由题名、作者名等查找；二是要查出具有所需内容特征的文献，如根据学科或围绕某一课题收集有关资料。为了满足检索者这两种检索需求，大多数检索工具均提供了按照文献的外表特征和内容特征进行信息检索的两条途径（图 1－12）。

检索途径是信息检索工具的检索入口，即信息检索工具提供的、用以查询获取资源的各种标识，在计算机检索中表现为字段检索。不同的信息检索工具，因编制方法不同，检索方法和检索途径也不尽相同，但各种检索工具都是根据信息的外部特征和内部特征来编排，形成了特定的检索途径。检索信息时，也要以这些特征或检索工具提供的检索标识作为检索入口。

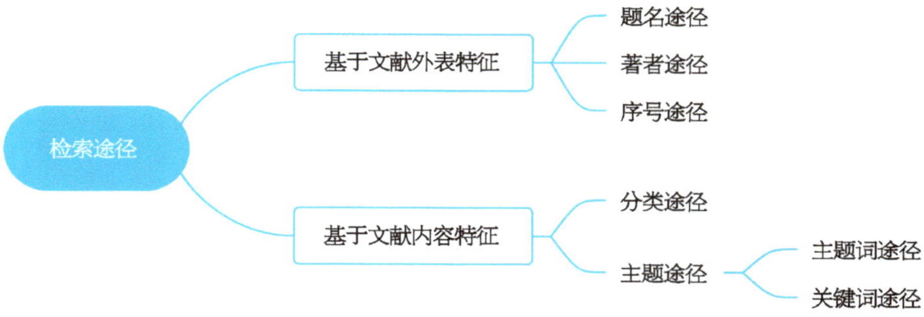

图 1-12　检索途径示意图

1. 基于文献外表特征的检索途径　文献外部特征是文献检索对象外表标识上可见的特征，如题名、序号。它们直接来源于文献本身，与文献存在一一对应的关系，查准率高。

(1) 题名途径：利用图书、期刊、论文等名称中的名词术语进行检索的途径，如书名、刊名、篇名，是信息检索中最常用的途径，题名途径多用于查找图书、期刊、单篇文献。由于文献题名一般能反映文献的主要内容，故利用题名中名词术语可以比较准确地查找到所需文献。

(2) 著者途径：指根据已知文献的作者查找文献的途径。文献的作者包括作者、编者、译者、团体作者、专利人、学术会议主办单位等。著者途径可以查到同一著者的多种著作，能够比较全面地了解某一著者或团体的研究成果。外文检索工具中，一般采取个人著者姓用全称，名用缩写的格式。同时，要根据著者的专业及其他特征进一步鉴别，以免误检。由于专业研究人员一般各有所长，尤其是某些领域的知名学者、专家，他们发表的文献具有相当的水平或代表该领域发展的方向，通过著者检索，可以系统地发现和掌握他们研究的发展状况。

(3) 序号途径：指利用文献特有的序号作为检索入口来检索信息的一种途径，如专利号、标准号、ISBN、ISSN、报告号等。序号途径最大的优点是它的检索方法以数字为准，具有明确、简短、唯一性的特点，不易错检或漏检，是一种很实用的信息检索途径，但必须以事先知道文献的序号为前提。

2. 基于文献内容特征的检索途径　文献内容特征是指文献表达的主题概念、观点等，反映文献的实质内容，这些内容往往隐含在文献所记载的知识信息中。以文献的外部特征作为检索途径适用于查找已知文献题名、著者姓名或序号的文献，而以文献内容特征作为检索途径更适用于检索未知线索的信息，主要有分类途径、主题途径。

(1) 分类途径：指按照信息内容在特定学科分类体系中的位置(类目名称或分类号)作为检索入口进行检索的途径，可满足从学科、专业等角度获取信息的需要。检索标识就是类目名称或分类号码。

(2) 主题途径：指通过文献的主题内容进行检索的途径，主要有主题词途径和关键词途径。

1) 主题词途径：指通过揭示文献内容、经过规范化处理的主题词进行检索的途径。主题词途径可以将分散在各个学科中的有关文献集中于同一主题之下，便于分析选择。利用主题词途径进行信息检索，必须准确选择主题词和副主题词的合理组配，如果主题词选择不准或组配不当，检索效果就会大大下降。

2) 关键词途径：指以文献的篇名、文摘或全文中抽出来的能表达文献实质内容、起关键作用的名词术语作为检索标识进行信息检索的途径。关键词与主题词不同，它不需要经过规范化处理，完全取自原文。优点在于简单、方便，一些新兴的名词术语，即使未经过规范化处理，也能及时进入检索系统。但由于关键词没有经过规范处理，同一概念可能用不同的关键词来表述，不易控制，检索时必须充分考虑与使用的关键词内容相关的同义词、近义词，否则容易造成漏检。

四、信息检索系统

（一）信息检索系统的定义

信息检索系统是指根据特定的信息需求而建立的一种有关信息收集、加工和传送的技术设备，以及提供一定的存储技术、检索方法与检索服务功能的程序化系统。信息的存储是检索的基础，检索则是存储的目的，两者有机结合，构成一个完整的信息检索系统。信息检索系统既是一类基于计算机和网络的人机交互信息系统，又是连接信息用户和信息资源的必要中介。因此，信息技术的每次更新与变革，都会有力地推动信息检索方式的改变，有利于信息检索系统的发展与完善。随着科技的发展、文献量的激增、用户需求的增长，信息检索系统越来越复杂，功能越来越强大。

（二）信息检索系统的类型

信息检索系统种类繁多，根据不同的标准，可以划分为许多不同的类型，目前常用的类型有手工检索系统和计算机检索系统。

1. 手工检索系统　这是以手工方式存储和检索信息的系统。检索时，使用各种纸质检索工具，用人工来处理和查找所需信息，全凭手工操作，依靠检索者手翻、眼看、大脑判断进行。手工检索的优点是直观、方便、灵活，可随时修改检索策略，查准率较高；缺点是检索入口少、速度慢、效率较低、不便于进行复杂概念课题的检索。手工检索是计算机应用还没普及之前信息检索的主要形式，现已很少用了，但有时也是对计算机检索的有益补充。

2. 计算机检索系统　这是 20 世纪 50 年代以后发展起来的。它是一个在计算机网络的工作环境下，为实现信息检索目标而建立的，拥有一定的检索设备，存储经过加工的各种信息资源，并能提供检索服务的工作系统；借助计算机技术、数据库技术和通信技术，通过人机对话的方式从主机上获取所需信息。检索时可以同时进行多途径的复合检索，可以同时对多种数据库进行操作，并能提供远程检索。其优点是检索灵活、检索入口多、速度快且效率高。随着计算机网络的迅速发展，计算机检索系统已经成为人们在工作、生活、学习中获取信息的主要手段。

计算机检索系统的发展经历了脱机检索系统、联机检索系统、光盘检索系统和网络检索系统四个阶段。

(1) 脱机检索系统(1954—1964 年)：最早的脱机检索系统是 1954 年美国海军兵器中心图书馆建成的。用户不直接与计算机对话，而是将检索需求交给信息检索人员，由检索人员将检索提问集中起来，定期、成批上机检索，然后集中将检索结果提供给用户，又称脱机成批检索。第一台计算机诞生于 1946 年美国的宾夕法尼亚州。

(2) 联机检索系统(1965—1972 年)：1963—1964 年，美国洛克德导弹与空间公司的情报实验室建立了“人机对话”的联机情报检索系统(DIALOG 系统的前身)，20 世纪 60 年代末到 70 年代初，联机检索系统得以快速发展，国际著名的 DIALOG 系统、ORBIT 系统、

MEDLINE 系统都是这个时期发展起来的。联机检索系统是指通过通信网络连接远程多个计算机终端的联机信息检索系统，因此多个远程终端用户能同时与主机进行“对话”，并进行实时联机检索。由于这个阶段的计算机网络主要通过电话线连接，联机检索受到地区限制。

(3) 光盘检索系统(1985 年—20 世纪 90 年代)：这是利用光盘数据库作为信息资源数据建立起来的计算机检索系统，分为单机版和网络版。光盘是用激光束把信息记录在光介质上并能读出信息的一种高密度存储载体，根据存取信息方式的不同，可分为只读型光盘、一次写入光盘、可擦重写型光盘。光盘具有存储密度高、容量大、易保存、读取迅速、操作简便、成本低等优点。光盘检索提高了检索效率，降低了检索费用。

(4) 网络检索系统(20 世纪 90 年代至今)：这是指将物理位置相对分散的计算机及其外围设备利用通信媒介互联起来，在网络软件的支持下，构成资源共享和数据交互的检索系统。网络检索系统的特点是信息资料丰富、检索方便、不受时空限制、费用低廉，是目前发展最快、最受欢迎的信息检索系统。

五、信息检索评价

信息检索评价就是利用检索工具(或系统)开展检索服务时，对检索的效果进行评价。衡量检索结果对用户需求的满足程度，是检索系统性能的直接反映。

(一) 传统信息检索的评价指标

对传统的信息检索系统进行评价时，主要的性能评价指标通常以查全率和查准率这两个指标来衡量。

1. 查全率(recall ratio，R) 这是系统在进行某一检索时，检出的相关文献量与系统文献库中相关文献总量的比率，是衡量信息检索系统检出相关文献能力的尺度，反映该系统中实有的相关文献量在多大程度上被检索出来。可用下面的公式表示：

查全率 R=(检出的相关文献量/系统文献库中相关文献总量)×100%=a/(a+c)×100%

式中，a 代表检出的相关文献量，c 代表未检出的相关文献量。

例如，利用某个检索系统进行检索，假设在该检索系统中共有相关文献为 100 篇，而只检索出来 80 篇，那么查全率就只有 80%。

在查全率的基础上，又衍生了一个指标，即漏检率，是指没有被检出的相关文献数量与系统文献库中相关文献总量的比率，漏检率与查全率是一对互逆的检索指标，查全率高，漏检率必然低。

2. 查准率(precision ratio，P) 这是检出的相关文献量与检出文献总量的比率，是衡量信息检索系统精确度的尺度，它反映每次从该系统文献库中实际检出的全部文献中有多少是相关的，反映了检索的准确性，有人也称查准率为“相关率”。可用下面的公式表示：

查准率 P=(检出的相关文献数量/检出的文献总量)×100%=a/(a+b)×100%

式中，a 代表检出的相关文献量，b 代表检出的不相关文献量。

例如，检出的文献总篇数为 100 篇，经分析确定其中相关的只有 80 篇，另外 20 篇与该课题无关。那么，这次检索的查准率就只有 80%。

在查准率的基础上，又衍生了一个指标，即误检率，是指检出的不相关文献数量与检出的文献总量的比率，误检率与查准率是一对互逆的检索指标，查准率高，误检率必然低。

查全率反映所需文献被检出的程度，查准率则反映系统拒绝非相关文献的能力，两者结合起来反映检索系统的检索效果。查全率和查准率之间存在着相互制约的现象，在一个特定的检索系统中，在查全率不断提高的同时，查准率就会降低；反之，在查准率提高的同时，查全率又会降低。查全率和查准率这种互逆的关系，使得在检索中很难实现查全率和查准率均逼近 100%。因此，在实际检索过程中，必须同时兼顾查全和查准，不可片面追求某一方面，要根据课题的实际需求，确定是以查准为主还是以查全为主，或是寻求查准与查全之间的平衡。

现实中影响检索效果的因素有很多，如检索系统（或工具）的收录范围、标引质量、检索人员的自身素质以及所制定的检索策略，都与查全率、查准率存在非常密切的关系。要达到最佳的检索效果，一方面，应当深入了解各种检索工具的覆盖面、索引方式、标引质量，从中选择最恰当的高质量检索工具，必要时可综合使用多种检索工具；另一方面，应当结合各种信息检索技术，灵活运用各种检索方法，优化检索策略，从而最大限度地发挥检索系统的功能。

（二）网络环境下信息检索的评价指标

在网络环境下，信息检索的评价指标体系主要包括对数据库自有的评价、信息检索数据库的评价、信息检索结果的评价、检索功能的评价和用户负担的评价。

1. 数据库自有的评价指标 目前大多数的数据库可以通过自有的检索功能或指标帮助检索者对检索结果进行质量评价，可通过来源出版物是否被权威数据库收录、期刊影响因子与分区、是否是核心期刊等信息的呈现对检索结果进行质量评价；通过将检索结果按被引频次的高低进行排序，筛选出高被引的文献；通过聚类分析对某一主题中领先的机构、作者以及资助基金的级别等进行筛选，找出某一主题中权威机构、专家、高基金级别的检索结果。

2. 信息检索数据库的评价指标 主要包括对数据库收录范围、更新频率、更新周期、权威性的评价。收录范围是评价一个数据库（检索工具）的最基本的指标，在传统的计算机信息检索系统中，数据库的覆盖率是影响其检索性能的重要指标，它直接影响系统的查全率。更新频率是网络信息检索性能评价的另一个重要指标，在不考虑成本的情况下，检索工具数据更新频率当然是越快越好。如果更新频率太慢，跟不上网上信息的更新速度，就会出现死链。更新周期是指网络信息源的更新频度、时效性，一个好的信息检索工具，除了内容丰富、查找迅速外，还应该对数据库中已有内容进行审核、更新，及时删除死链接、坏链接。权威性主要体现在出版者、审查制度和收录文献三个方面，主要是指数据库中包含的出版物的学术情况，用于评估数据库的学术性、科学性和可靠性。但数据库内容的权威性，是一个有争议的指标。

3. 信息检索结果的评价指标 主要包括查全率、查准率、响应时间、链接可靠性的评价。查全率和查准率前文已叙述。响应时间是指从发出检索指令到检索结果返回需要的时间。在网络信息检索中，响应时间在相当大的程度上取决于用户使用的通信设备和网络的拥挤程度等外部因素。链接的可靠性是网络信息检索性能评价特有的评价指标，与数据更新频率有关。显而易见，如果链接的可靠性很差，断链、死链太多，就会出现找不到原始文献的情况，那么命中记录再多也没有用。

4. 信息检索功能的评价指标 包括基本检索和高级检索。基本检索功能包含布尔检索、截词检索、邻近检索和字段检索等，高级检索由加权检索、精确和模糊检索、相关信息反馈检索、概念检索、自然语言检索等组成，目前采用的一些检索功能主要有以下 10 种。① 布尔逻辑检索，有的用 AND，OR，NOT（或者小写），有的以符号（*，+，-）代替，还有的直接把布尔逻辑算符隐含在菜单中；② 短语检索，又称精确检索，检索出与“”内形式完全相同的短语；③ 截词检索，允许在检索标识中保留相同的部分，用相应的截词代替可变化部分，以扩大检索范围；④ 邻近检索，又称位置检索，用一些特定的位置算符表达检索词与检索词之间的位置关系；⑤ 区分大小写检索；⑥ 全文检索，对网页全文中的每个词进行检索；⑦ 模糊检索，又称概念检索，检索系统不仅反馈包含了关键词的信息，而且也发来与关键词意义相近的内容；⑧ 自然语言检索，又称智能检索，直接采用自然语言中的字、词、句作提问式检索；⑨ 多语种检索，提供多种语言的检索环境供用户选择，系统按用户选定的语种进行检索并反馈结果；⑩ 限制检索，使用户在某一范围中进行检索，包括类别范围、地域范围、时间范围、语言范围、网站类型、文件类型、域名、位置等。限制检索实现的方法各不相同，有些是通过在关键词后加特殊的字符，有些是通过下拉菜单。

以上检索功能并不是要求每个检索系统都必须同时具备上述功能，但至少应该支持布尔逻辑等基本检索，而大型的网络信息检索系统则功能更多些。

5. 用户负担的评价指标　主要包括输出格式的灵活性、显示的内容、显示数量、检索结果的排序、对检索结果的处理、检索结果输出等。

第四节　信息检索技术

信息检索技术是指利用信息检索系统或者信息检索工具检索有关信息而采用的一系列技术。由于计算机检索系统的普及和手工检索系统的边缘化，现在的信息检索技术主要是指基于计算机检索系统的检索技术。计算机检索技术是用户信息需求和文献信息集合之间的匹配比较技术。而在信息检索过程中，为了保证检索结果的快、全、准，仅靠一个检索词组成的检索式进行检索，难以满足检索的需要，有时需要用各种运算符将若干个检索词（关键词、主题词）组成检索表达式进行检索。所以，检索式就是用户需求与信息集合之间匹配的依据，信息检索技术的实质就是检索式的构造技术。

根据信息的内容不同，信息检索技术可以分为文本检索技术、图像检索技术、音频检索技术、视频检索技术等。其中，文本检索技术是目前比较成熟、广泛使用的技术，包括布尔逻辑检索、截词检索、限制检索、位置检索、加权检索、聚类检索、精确检索与模糊检索、全文检索、向量空间检索、基于概率检索、基于逻辑模型检索等，本节主要介绍前五种检索技术。

一、布尔逻辑检索

布尔逻辑检索（Boolean searching）是一种比较成熟的、较为流行的检索技术，被很多搜索引擎和数据库采用。检索信息时，利用布尔逻辑算符进行检索词的逻辑组配，是常用的一种检索技术，由英国数学家布尔（George Boole，1815—1864 年）提出，故称布尔逻辑算符。在实际检索中，检索提问涉及的概念往往不止一个，而同一个概念又往往涉及多个同义词或相关词。为了正确地表达检索提问，采用布尔逻辑算符将不同的检索词组配起来，把一些具有简单概念的检索单元组配成一个具有复杂概念的检索式，更加准确地表达用户的信息需求。基本的布尔逻辑有逻辑与、逻辑或、逻辑非三种。它们的用法和意义可用示意图表示（图 1-13）。

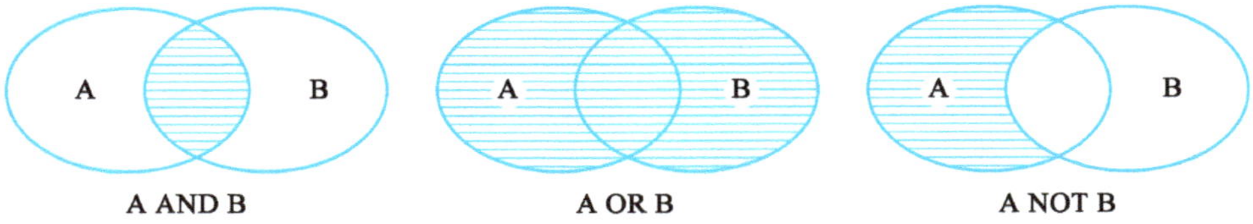

图 1-13　布尔逻辑组配示意图

（一）布尔逻辑

1. 逻辑与　这是反映概念之间交叉和限定关系的一种组配，常用 AND 或“＊”来表示。A AND B 或 A＊B，表示一篇文献中 A、B 必须同时包含。其作用是缩小检索的范围，提高查准率。如查找有关“青蒿素治疗疟疾”方面的文献，布尔逻辑表达式为：青蒿素 AND 疟疾，检索结果：内容中既含有检索词“青蒿素”又含有检索词“疟疾”的文献，为命中记录。

2. 逻辑或　这是反映概念之间并列关系的一种组配，常用“OR”或“＋”表示。A OR B 或 A＋B，表示一篇文献中 A、B 两者有一即可，也包括两者同时存在。其作用是扩大检索范围，提高查全率。通常可以运用在以下两个方面：第一，查找多个方面的文献，如查找“甲型肝炎或乙型肝炎”方面的文献，布尔逻辑表达式为：甲型肝炎 OR 乙型肝炎，检索结果：内容中含有检索词“甲型肝炎”或含有检索词“乙型肝炎”以及两词都包含的文献，为命中记录。第二，考虑检索词的同义词、近义词，如查找有关“糖尿病”的文献，由于消渴、糖尿病两者是同一种病中医和西医的不同名称，属于并列关系，为防止漏检，布尔逻辑表达式应为：消渴 OR 糖尿病。

3. 逻辑非　这是表示不含某种概念关系的一种组配，即从检出的文献中剔除部分文献。常用“NOT”或“－”表示。A NOT B 或 A－B，表示一篇文献中包含 A 但不包含 B。逻辑非也是一种缩小检索范围的概念组配，用来增强专指性，或减少文献数量。逻辑非运算是一种排除性运算，用来排除指定的某类信息，以提高查准率，但使用时要谨慎，否则会造成漏检。如查找“哮喘”但不包含“小儿”的文献，布尔逻辑表达式为：哮喘 NOT 小儿，检索结果：内容中含有检索词“哮喘”而不含有检索词“小儿”的文献，为命中记录。

（二）运算次序

对于同一个逻辑，检索系统的处理是从左至右，现行所有检索系统在这一点上基本是一致的。而当多个布尔逻辑算符在一个检索式中出现时，它们的运算“级别”是不同的，且在各个检索系统中也可能不一致，通常在检索系统的帮助文件中都会有说明。在一个检索式中，如果含有两个以上的布尔逻辑符，大部分系统的运算次序是：“NOT”优先级最高，“AND”次之，“OR”最低。在有括号的情况下，先执行括号内的逻辑运算；有多层括号时，先执行最内层括号中的运算，即：()＞NOT＞AND＞OR。如检索中药或饮食疗法治疗高血压的文献，但不要实验研究方面的文献，检索式可表达为：

[(中药疗法 OR 饮食疗法) AND 高血压]NOT 实验

使用布尔逻辑算符的各种组合虽能满足用户多样化的检索需求，但要灵活运用。当检索结果太多，超过数百篇时，不太可能一一阅读，这时可以用 AND 增加一些检索词，或者用 NOT 去除一些不相关的概念；当检索结果太少或者为 0 时，可能是检索式不太正确，可以用 OR 增加一些同义词、近义词。此外，在不同的检索系统中，对布尔逻辑算符的写法有具体的规定，在检索前需要细读规则。例如，使用搜索引擎检索“青蒿素 疟疾”，中间的空格就是系统默认执行了AND(逻辑与)的运算。

二、截词检索

利用检索词的词干或不完整词形进行查找的过程称为截词检索。截词检索可以扩大检索范围，提高查全率，减少检索词的输入量，节省检索时间。尤其在英文检索系统中检索时，若遇到名词的单复数形式、词的不同拼写法、词的后缀变化时，均可采用此方法。

不同的检索系统所用的截词符可能不同，常用的有?、$、*、%等。截词检索按截断的位置分，有前截断、中截断和后截断三种；按截断的字符数量分，有无限截断和有限截断两种，两者的区别在于对被截断部分的字符是否有限制。无限截断通常用“*”表示，即一个截词符可代表0～无限个字符；有限截断通常用“?”表示，即一个截词符只代表一个字符，N个截词符代表截断0～N个字符。

（一）前截断

前截断即截去某个词的前部，使词的后方一致，也称后方一致检索。例如，输入*magnetic，能够检出含有magnetic、electromagnetic、paramagnetic、thermomagnetic等词的记录。

（二）中截断

中截断即截去某个词的中间部分，使词的两边一致，也称两边一致检索。例如，输入organi?ation，可以检出organisation、organization。其中，截词符“?”既表示中截断，又是有限截词符。

（三）后截断

后截断即截去某个词的尾部，使词的前方一致，也称前方一致检索。例如，输入biolog*，将会把含有biological、biologic、biologist、biologize、biology等词的记录检索出来。其中，截词符“*”既表示后截断，又是无限截词符。

任何一种截词检索，都隐含着布尔逻辑检索的“或”运算。采用截词检索时，既要灵活，又要谨慎，截词的部位要恰当，截词符前面的词干不能太短，否则可能造成大量误检。另外，不同检索系统使用的截词符可能不同，在实际检索中应加以注意。

三、限制检索

在检索系统中，限制检索是计算机数据库系统中最常用的检索方法，为了提高或保证检索的准确率，常常提供一些缩小或约束检索结果的检索技术，称为限制检索，主要包括限定字段检索和二次检索。

（一）限定字段检索

最主要的限制检索技术是通过限制检索词在命中记录中的出现位置(主要指文本数据库记录的不同字段位置)来实现，这种限制检索也称限定字段检索，是指限定检索词在数据库记录中的一个或几个字段范围内查找的一种检索方法。数据库的每条记录通常由多个代表不同信息内容的字段组成，检索字段又称检索入口，包括基本检索字段和辅助检索字段。基本检索字段是反映信息内容特征的字段，如题名、摘要、关键词、主题等；辅助检索字段是指反映信息外部特征的字段，如来源出版物、出版年、出版地等(表1-2)。一般情况下，系统在默认的若干基本字段或全部字段中检索，检索含有这些检索词的信息记录。几乎所有数据库检索系统中均设置了限定字段检索功能。使用限定字段检索可以缩减检索结果,提高信息检索的查准率和检索效率。

表 1-2 常用的中英文检索字段

字段名称(中文)	字段名称(英文)	简称	字段名称(中文)	字段名称(英文)	简称
题名、篇名	Title	TI	作者单位	Author Affiliation	AA
摘要	Abstract	AB	文献类型	Document Type	DT
关键词	Keywords	KY	出版年	Publication Year	PY
主题词	Subject	SU	DOI 号	DOI	DOI
全文	Full text	FT	著者、作者	Author	AU
刊名	Journal Name	JN	所有字段	All fields	ALL

上述 DOI 全称为 Digital Objects Identifier,即数字对象标识符,是由一系列数字、字母或其他符号组成的字符串,目前被广泛应用在数字资源的标识。DOI 号由前缀和后缀两部分组成,之间用"/"分开,并且前缀以"."再分为两部分。目前,世界上很多知名学术出版机构都使用 DOI 作为数字资源的标识符,并通过 DOI 相关系统提交出版刊物的元数据、下载链接、文摘信息等,DOI 官网链接为 https://www.doi.org/。因此,用户借助 DOI 可以获取该文献对应的元数据、下载链接,进而获取文摘信息、全文。例如,已知文献的 DOI 号是 10.3390/s20082176,进入官网输入 DOI 号进行查找,很快就可检索出文献题名为"Coherent Integration Method Based on Radon-NUFFT for Moving Target Detection Using Frequency Agile Radar"的原文链接。

1. 限定字段检索方式　限定字段检索的方式有两种。

(1) 检索命令方式:命令方式使用系统规定的字段检索符号及字段代码,如"AU=Smith",表示检索词"Smith"限定在作者字段;如"题名:白血病",表示检索词"白血病"限定在题名字段。又如在 PubMed 数据库中查找题名含有"hypertension"的文献,可在检索框中输入检索提问表达式:hypertension[TI]或 hypertension[title]。

(2) 菜单选择方式:这是在检索界面字段列表的下拉菜单中进行选择。大多数的数据库都会使用下拉菜单的方式将检索字段提供给检索者选择,而检索界面上默认的检索字段一般是篇关摘、主题或者全字段,目的是为了保证查全率。

2. 使用字段检索的注意事项

(1) 检索时,为达到较好的检索效果,一般综合多个字段进行。如同时限定检索"主题"字段、"出版年"字段、"来源出版物"字段、"作者单位"字段等。

(2) 在使用"全文"和"所有字段"这两个字段进行检索时要慎重,检索出来的结果较为分散,不利于专题研究。

(3) 不同的检索系统会根据其特点增加一些特殊的检索字段,如 Web of Science 核心合集中的入藏号(WOS),入藏号是与 WOS 产品中每条记录相关联的唯一标识号,是该数据库特有的字段。

（二）二次检索

除了限定字段检索外，进行限制检索的另一种常见形式是“二次检索”，即在提供给检索者的检索结果中进行再次检索。二次检索是在一次检索的检索结果中运用“与、或、非”进行再限制检索，以得到理想的检索结果，“在结果中检索”即为二次检索。不管是快速检索还是高级检索界面，只要检索结果的篇数允许，就可以反复进行二次检索，直到满足检索要求为止。二次检索可以减少重复输入，节省检索时间。

四、位置检索

位置检索反映两个检索词在文献中的位置邻近关系，又称邻近检索，是逻辑算符“AND”的延伸，适用于两个检索词在同一篇文献中需要指定间隔距离或出现顺序的检索表达式。常用的位置逻辑运算符有(W)与(nW)、(N)与(nN)等。

（一）(W)与(nW)运算符

W是with的缩写，两词之间使用(W)，表示其相邻关系，即词与词之间不允许有其他词或字母插入，但允许有一空格或标点符号，且词序不能颠倒。使用(W)运算符连接的检索词，已构成一个固定的词组，显然(W)运算符具有较强的严密性。例如，“Gas (W) Chromatograph”表示检索结果包含Gas Chromatograph和Gas-Chromatograph形式的词才为命中记录。(nW)是由(W)衍生而来的，如在两词之间使用(nW)，表示两词之间可插入n(n=1，2，3…)个词，但词序不能颠倒。它与(W)的唯一区别是，允许在两词之间插入n个词，因而严密性略逊于(W)。例如，“Laser (1W)Printer”表示检索结果包含“Laser Colour Printer”和“Laser and Printer”形式的词均为命中记录。

（二）(N)与(nN)运算符

N是near的缩写，表示该算符两侧的检索词同时出现在记录中，两词次序可以颠倒，两词之间不允许有任何字母或词语。例如，“traditional (N) chinese”表示检索结果为“traditional chinese”和“chinese traditional”均为命中记录。(nN)除了具备(N)运算符的功能外，还允许两词之间插入0～n个词，且不论次序。例如，cancer (2N) cells，表示检索结果包含“cancer cells”“cells of cancer”“cells of lung cancer”形式的词均为命中记录。

（三）(S)算符

S是sub-field的缩写，(S)算符用于限定算符两侧的检索词必须出现在记录的同一个句子中，两个检索词之间间隔的单词数不限，词序不限。例如，“hypertension (S) diagnosis”在摘要中进行检索，表示只要在摘要中的同一个句子中检索出含有“hypertension”和“diagnosis”的均为命中记录。

（四）(F)算符

F是field的缩写，(F)算符用于限定两个检索词出现在数据库记录中的同一个字段，具体字段不限，词序不限。例如，“hypertension (F) diagnosis”表示hypertension和diagnosis这两个检索词必须出现在命中记录的同一字段中。

使用位置检索时应注意，当检索式中同时出现布尔逻辑算符和位置算符时，系统会先执行位置算符，可以通过括号来改变检索的优先顺序；在不同的检索系统中，位置检索的语法命令不尽相同，在使用之前务必先查阅使用规则。

五、加权检索

加权检索是某些检索系统中提供的一种定量检索技术，根据检索词对检索课题的重要程度，事先指定不同的权值。数据库对每个检索词赋予一个数值表示其重要程度，这个数值就是“权”。权值的大小可以表示为被检出文献的切题程度，权值越大，检出的文献命中程度越高。运用加权检索可以命中核心概念文献，因此它是一种缩小检索范围而提高检准率的有效方法。例如，在中国生物医学文献数据库(China Biology Medicine，CBM)中，对某个主题词进行加权检索，就表示只检索把该主题词作为主要主题词的文献。应该注意，并不是所有系统都能提供加权检索这种检索技术，而能提供加权检索的系统，在权的定义、加权方式、权值计算和检索结果的判定等方面又有不同的技术规范。

第五节　信息检索策略

信息检索策略是针对检索提问、运用检索方法和技术而设计的信息检索方案，其目的是要达到一定的查全率和查准率。对于一个具体的检索课题来说，要达到什么目标、要求什么限制范围、选择什么检索系统、通过什么检索途径、选择什么检索标识和逻辑组配方法，以及需要哪些反馈调整措施和在检索过程中能否根据实际情况修改原来的策略，使其更加切题等，这一系列问题的考虑和具体查询步骤的安排，都应属于检索策略关注的内容。信息检索策略制定就是要确定每一个步骤中的具体问题，并选择优化的方案，以取得优良的检索效果。在数据库和系统功能相同的前提下，检索策略是否考虑周全，都会影响检索文献的查全率和查准率。所以，检索策略的构建与调整在检索过程中极为重要。

一、分析检索需求

首先对检索课题进行具体的信息需求分析，是实施检索中最重要的一步，是保证检索效率的关键。面对一个课题，需要明确它的研究范围、研究现状以及将要达到的检索目的。

(一) 明确检索要求

明确检索要求主要是弄清课题涉及的学科范围、时间范围、信息类型、语种、数量、研究对象的性别及年龄、期望文献数量等。

1. 学科范围　分析所需信息涉及的学科，确定检索的学科范围。其一可以选择适合的检索工具；其二提供了从分类语言的角度进行检索。

2. 时间范围　每一项研究的理论和技术都有其发生、形成和发展的过程，为提高检索效率，检索时应根据研究课题的背景，即有关知识发展的形成期、高峰期和稳定期来确定检索的时间范围。

3. 信息类型　明确检索课题是侧重基础研究、临床研究还是实验研究，需要何种文献信息类型，如图书、期刊、专利文献、会议文献、学位论文、标准文献等。不同检索系统收录的文献类型不同，因此明确文献类型有助于选择合适的检索系统。

(二) 明确检索目的

不同检索需求其检索目的不同，检索目的一般有查全、查准、查新三种。如要撰写综述、述评或专著等，就要了解课题、事件的前因后果、历史和发展，则要检索全面、系统、详尽的文献信息，强调“全”字；如要解决研究中的某具体问题，找出技术方案，则要检索有针对性、能解决实际问题的文献信息，强调“准”字；如要了解科技的最新动态、学科的进展及前沿、则要检索最近的文献信息，强调“新”字。

二、选择检索系统

明确具体的检索需求，下一步就是选择合适的检索系统（工具）。在选择检索系统时，需要考虑下列因素。

（一）检索系统的收录资源范围

不同的检索工具，其收录的学科类别、文献类型、文献收录的时间跨度、覆盖的地理范围、文献记录的详略程度、是否提供全文等方面都会存在差异，要根据检索课题的需要，加以选取。一般来讲，学科范围是考察检索系统是否适用的首要因素。其次，应考虑所选检索系统在该学科领域的权威性。

（二）检索系统的功能和特色

不同的检索系统有不同的检索功能和特色，系统提供的这些检索功能关系到相关检索技术的应用。选择检索系统时，充分考虑这些检索功能、特色及其布尔逻辑检索、截词检索、限制检索、位置检索、加权检索等检索技术能否满足检索需要。

（三）检索系统的检索界面和方式

检索系统提供不同功能的检索界面，其检索精准度、灵活度和全面性不同。检索者可以根据检索系统提供的功能设置和界面，选择不同的检索方式，最常见的检索方式包括快速检索、高级检索和专业检索。

三、设置检索条件

选定检索系统后，要根据不同的信息需求设置不同的检索条件实施检索。设置检索条件包括确定检索词、构造检索表达式、限定检索条件。

（一）确定检索词

检索词即检索标识，是指能表达检索课题主题概念和信息需求的名词术语、分类号、名称及代码等的总称，包括主题词、关键词、名称、分类号、分子式、专利号及各种代码等。检索词选择正确与否，将直接影响到检索结果。

1. 基本原则

（1）优先选用主题词：当所选检索系统具有主题词途径时，优先选用主题词作为检索词，以获得最佳的检索效果。

（2）考虑同义词、近义词、隐性概念：选择检索词要考虑同义词、近义词、隐性概念，提升查全率。如“艾滋病”的同义词“爱滋病、获得性免疫缺陷综合征、AIDS”等；又如检索“突发公共卫生事件的应急管理现状与对策”相关信息，其中“突发公共卫生事件”是显性概念，还应该考虑其隐性概念如“新型冠状病毒感染”。

（3）排除无实际检索意义的词：尽量不使用没有实际检索意义的词汇做检索词，如展望、趋势、现状、近况、概况、动态、发展、研究、应用、作用、利用、用途、用法、治疗、疗效、观察、成就等。

（4）简洁原则：检索词的选择应尽量简短、主题明确，少用短语或语句。如检索“中医药治疗肥胖症”,不要直接用“中医药治疗肥胖症”作为检索词,而是用“中医药”和“肥胖”两个检索词进行检索。

2. 提炼检索词的步骤　包括切分、删除、补充等步骤。

(1) 切分：对检索课题名称进行切分,以自由词为单位划分句子或词组,对选中的词进行限定、还原,或补充同义词、相关词。如“国内医教协同背景下中医学人才培养的研究与进展”,可以切分为“国内|医教协同|背景下|中医学|人才培养|的|研究|与|进展”。应该注意,词语切分后要保持本来的意义,如切分后将失去原来的意思,则不能进行切分,如“医教协同”不能切分为“医|教|协同”。

(2) 删除：删除不具有检索意义的虚词、其他非关键词及过于宽泛的限定词,只保留明确反映课题实质内容的核心词。如上例中“下”“的”“与”是不具检索意义的虚词,首先删除;“研究”“进展”过于宽泛,也应删除。

(3) 补充：应补充还原词组、同义词和近义词,但还要考虑上下位概念的扩展检索。许多名词是由词组缩略而成,可以采用与之相反的操作——补充还原,如“医教协同”可以还原为“医院与学校教育协同”。最常用的补充检索词的方法是补充同义词和近义词,如“国内”可以补充“我国”或“中国”等。

(二) 构造检索表达式

构造检索式就是用一定的逻辑关系把各个检索标识连接起来组成检索提问式,并表达各种复杂的概念关系,以准确地表达信息需求,需要明确三点。第一,检索式要能全面且准确地反映信息需求的内容。第二,要结合具体检索系统的索引体系、用词和匹配规则。第三,要熟悉检索运算符的运用,主要包括逻辑算符(AND、OR、NOT)、截词算符(*、?)等。例如,“与”运算用得过多,就可能出现检索结果为零的情况;无限截词运用过多,检出文献的相关性低。此外,检索词性质、词语之间的相对位置及词形的变化等,都直接影响检索结果。

(三) 限定检索条件

1. 限定字段　为提高检索的准确率可以把检索词限定在一定的字段中执行检索。这些字段来源于信息记录,如题名、作者、关键词、机构、分类号、主题词、时间范围、语种等,字段限定有助于提高查准率。

2. 限定文献类型　有些检索系统收录多种文献类型,如期刊论文、会议论文、学位论文、专利等,检索者可以根据文献类型选择检索结果。

3. 限定文献内容　检索系统收录的文献可以反映各种内容,如综述、临床试验、实验研究、Meta 分析等,检索者可以根据需求进行内容限定。

四、调整检索策略

信息检索是一个动态调整的过程,应根据检索结果进行重构和优化。

(一) 缩小检索范围,提高查准率

检索出的文献量太多时,应考虑缩小检索范围,提高查准率。

1. 提高检索词的专指度　可增加或换用下位词或借助专指性较强的检索词进行检索,也可以选择合适的限定词进行组配检索。

2. 增加更多的限定条件　这有利于适当缩小检索范围,如限制检索的文献类型、出版年代、语种、第一作者等,输入检索词时采用精确检索。

3. 重新选择检索途径　例如，利用“全文”途径检出文献太多时，可选用篇名、主题词等检索途径进行限定。

4. 重新构建检索表达式　运用逻辑运算符“AND”或“NOT”重新构建检索表达式，以缩小检索范围。

（二）扩大检索范围，提高查全率

检索出的文献量太少时，应考虑扩大检索范围，提高查全率。

1. 拓展检索词　可扩展检索词的同义词、近义词、相关词、缩写词、学名、别名、俗名、商品名、缩略语、元素符号等，以扩大检索范围。

2. 选择更多的检索系统　应尽可能多选用一些检索工具或访问多个数据库进行检索。

3. 放宽限制条件　可取消字段限定检索，增加查找的文献类型、检索年限等，输入检索词时采用模糊检索。

4. 重新选择检索途径　如果选择关键词途径检出结果较少时，可选择全文、全部字段、篇关摘等检索途径；或取消某些限制过于严格的字符，以获取更多的检索结果。

5. 重新建构检索表达式　运用逻辑运算符“OR”或减少“AND”组配，重新构建检索表达式，以扩大检索范围。

采取上述方法调整时，应注意考虑检索系统的功能和客观实际并结合检索课题的具体要求综合分析，灵活应用。

[检索实例]

请检索六味地黄丸治疗消渴的研究文献，写出检索策略，并实施检索。

参考答案：

1. 分析检索需求

(1) 检索范围：包括专业、时间、语种范围。

(2) 文献类型：如图书、期刊、专利文献、学位论文、会议论文、标准文献等。

(3) 检索目的：不同的检索需求其检索目的不同，一般有“查准”“查全”“查新”三种。本题主要目的是背景调研或资料收集，往往要求检索若干年的文献，检索时以查全率为首要考虑因素。

2. 选择检索系统　根据收录文献的专业范围、文献类型及检索功能来选择检索系统，如检索图书可选择读秀学术搜索，检索期刊论文可选择中国知网数据库、维普中文期刊服务平台、万方数据知识服务平台等。

3. 设置检索条件　以中国知网数据库高级检索为例设置检索条件。① 确定检索词，“六味地黄丸”“消渴”“糖尿病”；② 确定检索途径，“主题”；③ 构造检索表达式，主题＝六味地黄丸 AND（消渴 OR 糖尿病）。

4. 调整检索策略　根据实际的检索结果，进行检索词、检索途径和布尔逻辑运算符等的调整。

本书配套数字教学资源

第二章
中医药图书检索

导学

图书是文献中最为古老的，至今仍被频繁使用着的一种文献类型，也是传统图书馆最主要的馆藏内容。图书记载的知识系统十分成熟，而记载历代医家理、法、方、药经验与技术的中医药古籍，是传承中医药学术渊源与特色、提高中医临床水平的重要文献知识信息，是学习与研究中医药学专业学科必须检索与利用的主要文献。

本章主要介绍中医药古籍、专题资料等中医药古代文献检索工具书和数据库，以及现代书目、馆藏 OPAC 系统、电子图书等中医药现代图书检索工具和数据库。

学习目标

掌握主要中医书目的特点、古代中医药专题资料检索和电子图书检索的常用数据库。

熟悉中医古籍数据库的收录范围和使用方法以及馆藏图书借阅信息查询。

了解检索中医药现代图书的其他方法。

课程思政

通过中医药图书检索的学习，体会中医药文献的重要价值，引导学生增强中医药文化自信和民族自豪感，强化新时代中医药接班人传承精华、守正创新的责任与担当。

第一节　中医药古籍检索

中医药学有着数千年的历史，在长期的发展过程中形成了异彩纷呈的医学流派，留下了浩如烟海的医学文献。中医药学的主要理论和丰富的临床经验，都保存在这些文献之中。中医药学是中华民族传统文化的重要组成部分，与古代其他学科有着相互交融的密切关系，许多中医药学知识还散布在古代非医学文献之中。这些珍贵文化遗产是中医药学存在和发展的重要基础，也是当代中医药学继承和创新工作的主要资源。因此，古代中医药学文献的检索和充分利用至关重要。

一、概述

中医药古籍产生于秦汉之际，发展于宋金元三代，鼎盛于明清时期，记载了历代医家研究总结中医药学的成果，是中医药学传承发展的文献保障，是当代医家学习与研究中医药学的文献宝库。纸本文献在长期流传过程中存在许多复杂现象，如散佚、伪托、讹误以及内容增删、书名变化等。据不完全统计，存世的中医药古籍超过1万种，若包括不同版本在内可达数万种。近年来中医药文献整理力度加大，影印和排印了一定数量的中医古籍，丰富了中医古籍资源。由于历史的原因，中医药古籍散存在全国各地，有的甚至流失在境外，同一种中医药古籍的不同刻本也可能存放在不同地点，还有相当数量的中医药知识散存于非医文献中，给人们的利用带来不便。检索中医药古籍主要利用各种书目，还可利用诸如辞典、医史著作、年鉴和百科全书等工具书。

同时，在学习和研究中医药学的过程中，需要对相关的中医药图书和事实进行检索。中医药图书汗牛充栋，如何全面迅速准确地了解中医药图书的信息，就需要利用有关的检索工具。而一些专题资料的检索，如某一中医术语的解释、病因病机的阐释和历代医家对于某一疾病的诊疗方法、临证经验、传记资料等，都需要使用中医药事实和数据检索的工具书。

二、中医药古籍检索

中医药古籍卷帙浩繁，如何全面迅速准确地了解中医药图书的出版、存佚、收藏以及学术内容、学术价值等情况，就需要利用有关的书目来检索。书目是治学的重要工具，在我国有悠久的历史，在整个学术发展史上始终占有重要的地位，并在长期的实践中形成了“辨章学术，考镜源流”的优良传统。书目的基本职能是揭示与报道图书，但它又反映了一定时期科学文化发展的概况。历代学者对书目的编制和利用都十分重视，所编制的书目不仅类型多样，而且体例严谨。

（一）书目的作用

1. 揭示刊行情况，提供流传线索　书籍是一定历史时期科技文化的记录，因此，透过书目，还可以了解各个时期科学文化发展的概貌，尤其是专科书目，更是学科发展史的一个缩影。各个历史时期的著述，基本上反映在各个历史时期的各类书目之中。通过书目，可以从宏观上了解和掌握一定历史时期文献的著述、刊行、流传、存佚等基本情况。据估计我国现存古籍可能在15万种左右，就是根据《四库全书总目》《中国丛书综录》《贩书偶记》等书目加以统计的。

2. 揭示图书特征，提供研究资料　书目著录了所收图书的书名、卷帙、撰者、版本、提要等，使人们得以了解每种书的撰述情况、著者生平、简要内容、书名异同、版本优劣、学术价值，以及进一步研究的线索等。如《三百种医籍录》中指出：《杨敬斋针灸全书》“一说系托名著述，非陈氏编撰”，又指出“书中内容与徐凤《针灸大全》基本相同”，为研究该书提供了指导意见。

3. 评价图书得失，指导读书门径　清代学者王鸣盛在《十七史商榷》中指出：“凡读书最切要者，目录之学。目录明，方可读书，不明，终是乱读。”书目通过对有关文献特征的集中反映，尤其是书目中的说明和提要，关于学术源流、类目条析和书籍内容的评价，对人们了解、选择和利用图书起着重要的指导作用。例如，《四库全书总目提要》子部医家类类序中指出：“儒之门户分于宋，医之门户分于金元。观元好问《伤寒会要・序》，知河间之学与易水之学争；观戴良作朱震亨传，知丹溪之学与宣和局方之学争也。”寥寥数语，揭示了医儒学术思想的关系，并提示了研究金元医学的途径。故清代目录学家张之洞说：“今为诸生指一良师，将《四库全书总目提要》读一遍，即略知学问门径矣。”

（二）书目的类型

书目的种类很多，不同的划分标准构成不同的书目类型。我国学术界根据编撰方式和时间等方面的特点，一般将书目分成古典书目和现代书目两种。

1. 古典书目　分为官修书目、史志书目、私撰书目和专科书目等。

(1) 官修书目：指历代封建王朝组织编纂的图书目录，由皇帝诏命大臣或知名学者专门修撰。西汉末年，刘向、刘歆父子等编撰了中国最早的综合性官修书目——《别录》《七略》。《别录》《七略》反映了先秦以来的丰富古籍资源，奠定了我国目录学的基础，对两千多年来书目编制的原则、体例和方法产生了深远的影响。清代乾隆年间(1781 年)编撰的《四库全书总目》，是中国历史上规模最大、体例最完善的一部官修书目。

(2) 史志书目：指史书里面记录图书的"艺文志"或"经籍志"，包括史书书目和方志书目。史书书目中最具代表性的是正史书目，正史书目是指正史中记录典籍书目的专门篇章。东汉班固编著《汉书》，依据刘歆《七略》改编而成"艺文志"，开创了根据官修书目编制正史艺文志的先例。《汉书·艺文志》是我国现存最早的一部古典书目。此后，各正史中以例编撰"艺文志"的有《隋书·经籍志》《旧唐书·经籍志》《新唐书·艺文志》《宋史·艺文志》《明史·艺文志》《清史稿·艺文志》。其他没有"艺文志"的史书，清代以来的学者纷纷补编，形成了一个史志书目的流派，连贯起来就成为中国古籍的总目，基本反映从古代至清末的著述情况。

方志书目是指地方志中的图书目录。各省、州、府、县地方志，一般都编有"艺文志"或"经籍志"这一项，主要收录当地历代人士的著作，或内容与本地有关的书籍。方志目录收录图书的数量远远超过正史，一般以县志记载最为详悉。如《河北医籍考》一书就是根据河北省 91 种地方志辑成，其中医籍大多数为历来公私书目所未载。

(3) 私撰书目：主要指个人编纂的目录和私人的藏书目录。这类书目大多出自藏书名家之手，有较高学术研究价值。现存最早、最负盛名的是宋代晁公武编的《郡斋读书志》，而清代钱曾的《读书敏求记》则是中国第一部研究版本目录的专著。

(4) 专科书目：指围绕某一学科系统全面地收集文献而编制的书目。汉武帝时军政杨仆编制的《兵录》是我国第一部有文献记载的专科书目，明末殷仲春的《医藏书目》是现存最早的医学书目。

2. 现代书目　分为国家书目、综合性书目、馆藏目录、联合目录、个人著述书目、书目之书目、专题书目(专科目录)。

(1) 国家书目：揭示与报道一个国家在一定时期内出版的所有图书及其他出版物的目录，包括报道最近出版物的现行国家书目和反映一定时期内出版物的回溯性国家书目。如《中国国家书目》《全国总书目》等。

(2) 综合性书目：是将各个学科门类的图书汇总编成的一种图书目录。其内容广博、包罗万象，既有哲学、社会科学方面的书，又包括自然科学和应用技术；层次也不同，既有普及性读物，也有学术性著作。国家书目也属于综合性书目。

(3) 馆藏目录：反映某个图书馆收藏的全部或部分文献的目录，主要供读者了解图书馆图书收藏情况。如《北京图书馆善本书目》《中国中医研究院图书馆馆藏中医线装书目》。

(4) 联合目录：揭示与报道多个文献收藏单位所藏文献的目录。联合目录能扩大读者检索和利用文献的范围，也便于图书馆藏书协调、馆际互借和实现图书馆资源共享。如《中国中医古籍总目》《新编中国中医古籍总目》。

(5) 个人著述书目：又称传记书目，专门收录某一作者的全部著述，并兼收研究该作者资料的目录。如《鲁迅研究资料编目》。

(6) 书目之书目：指收录各种书目、索引等二次文献的目录，又称书目指南。

(7) 专题书目(专科目录)：为收集某一学科有关的图书资料，或为配合某项中心工作、重大纪念活动、大型读书活动及其他特定的需要而编印的书目。

（三）书目的体例

一部完整的书目，主要由前言与凡例、目次、正文和辅助资料四个部分组成。

1. 前言与凡例　前言又称序言、引言、编辑说明、编者的话等；凡例又称序例、编例、编写条例等。前言与凡例是任何一部书目都不可缺少的组成部分，其内容大致包括介绍书目编制的目的和过程，书目的性质、用途、结构，以及收录的范围、编排和使用方法等。这些说明有助于读者了解和利用书目。

2. 目次　这是反映书目内容的大纲。通过目次，可以直接、迅速地了解书目的内容、结构及其体例。目次也是从学科类别检索图书的途径。

3. 正文　这是书目的主体，是利用书目的主要对象，由著录、提要和小序三个部分组成的。书目著录项主要包括书名、版本、真伪、亡佚、著者等项。

4. 辅助资料　指附在书目正文后面的各种有关资料，一般包括各种辅助索引，如书名索引、作者索引等，还有收入单位名录及引用文献等。个人著述目录还附有作者生平、著译年表等。

（四）中医药专科书目

常用的中医药专科书目有《中国分省医籍考》《中国医籍通考》《历代史志书目著录医籍汇考》等。

1.《中国分省医籍考》　郭霭春主编，1984—1987 年天津科学技术出版社出版。上、下册。

上册包括河北、河南、山东、江苏、浙江、江西六省，下册包括除了上述省外的全部省、自治区(其中，包括台湾省在内，北京、天津属于河北省，上海市隶属江苏省)及全书的人名、书名索引。全书收录医籍的时间范围上始先秦，下至清末，著录了全国近 3 000 种地方志中的医籍 8 000 余种。各省医籍，按类编排。每类之下，按历史朝代及作者生存年代的先后次序排列。每种书目标明卷数、著作朝代、作者姓名及作者小传。该书目不仅收罗丰富，而且在编排体例首创分省著录，各省卷首有该省医学文献综述，是一部很有价值的现代中医古籍书目。

2.《中国医籍通考》　严世芸主编，1990—1994 年上海中医学院出版社出版。4 册，索引 1 册。

该书目收辑上溯先秦，下迄清末，旁及日本、朝鲜的中医药古籍 9 000 余种。全书分 4 卷，按类及成书时间顺序编排。第 1 卷为医经、伤寒、金匮、藏象、诊法、本草、运气、养生；第 2、第 3 卷为温病、针灸、推拿、方论；第 4 卷为方论、医案医话、丛书、全书、史传、书目、法医、房中、祝由、补编。每书大体按书名、作者、卷帙、存佚、序跋、作者传略、载录资料、现存版本等项著录，阙项付如。部分书还附有编者所作考证的按语。

该书目广征博引，资料丰富，是目前规模较大的一部辑录体中医药古籍目录，为检索和研究我国古代医学文献提供了很大的方便。

3.《历代史志书目著录医籍汇考》　李茂如等编著，1994 年人民卫生出版社出版。

该书目是考溯历代医籍流传存佚的工具书，汇采历代史志、公私书目以及诸家文集、札记、论说等文献 183 种，按其类属析为史志、书目、广录 3 篇。各篇所统各种文献，按所属时代之先后，排次标目与著录。凡有出之辑佚、补编、续编或考证、注释等书，则一律著录于初目之后。

各篇所举各种文献，均分别著录，首述撰人生平、书旨大要、篇目卷次，以及其中有关医书之著录概况，间附按语说明。次则辑录其中有关医学诸书之著录原文，务求详备无遗。该书辑录医书原文，除了全采医门诸书外，亦广采法家、农家、谱录诸门中有关法医、兽医、食养诸书。

该书的资料排列以所属时代之先后为序，故对我们从总体上考察历代医籍的流传演变情况有较大帮助。

4.《中国医籍提要》 该书编写组编，1984—1988 年吉林人民出版社出版。上、下册。

上册收录医籍 504 部，主要是清代以前的著作，兼采日本、朝鲜比较著名的中医药著作。下册收录医籍 402 部，主要是清代至近现代(1960 年以前)的中医药著作。上、下册均分为基础理论、临床各科、综合、医史、法医、养生六大类，大类下分若干子目。每种书的著录项为书名、成书年代、撰作者、内容提要和版本。其中，内容提要按原著卷目、章节、内容简介、学术成就、学术思想、学术源流及对后世的影响、作者生平传略等层次分段撰写。书后附书名、人名笔画索引。

（五）综合性书目

常用的综合性书目主要有《四库全书总目提要》《中国丛书综录》《中国丛书广录》。

1.《四库全书总目提要》 清代纪昀等编纂，1965 年中华书局出版校定断句影印本。200 卷。

《四库全书总目提要》(简称《四库全书总目》)是清乾隆年间所编大型丛书《四库全书》的总目录，收录书籍 3 461 种，另有存目书(有名无书者)6 793 种。其中，子部医家类提要著录医书 97 部，存目医书 94 部。全书采用四部分类法，即分为经、史、子、集四部。经部收儒家经典及其研究著作；史部收历史地理方面的图书；子部收诸子百家及释道方面的图书；集部收历代作家的作品集。四部之下分 44 个小类，各小类又分 67 个子目。在四部之首，各有“总序”一篇。小类之首也各有“小序”一篇。在某些子目或提要后面，有的也附有按语，用来阐明各种学术思想的渊源、流派、相互关系，以及划分类目的理由。

该书目对所收每一种书的作者生平、著述渊源以及书的内容、性质、版本、文字以及其他方面的优缺点都做了简要的介绍、考证和述评。

影印本附有四库撤毁书提要、四库未收书提要、书名及著者姓名索引。

2.《中国丛书综录》 上海图书馆编，1959—1962 年上海中华书局出版。3 册。

该书目是我国目前最完备的一部丛书联合目录，收录了全国 41 个主要图书馆馆藏的历代丛书 2 797 种，古籍 38 891 种。其规模之宏大，体例之严谨，都是前所未有。

第 1 册是总目分类目录，也就是丛书目录。将 2 797 部丛书分类编排，每种丛书详列书名、种数、编者、刻印年代及馆藏。全册分汇编和类编两个部分，汇编分杂纂、辑佚、郡邑、氏族、独撰 5 类；类编分经、史、子、集 4 部，各部之下再分若干细目。子部医家类中，共收医学丛书 139 种。书后附全国主要图书馆收藏情况表，又附丛书书名索引。第 2 册是子目分类目录，收录子目 7 万多条，以子目为单位，分经、史、子、集 4 部，部下又分细类。每书著录书名、卷数、著者及所属丛书。医家类在子部，下分 22 类，内科、外科、五官科等加以细分，载录医书 1 357 种。第 3 册是为第 2 册服务的工具，包括子目书名索引、子目著者索引。

1982 年南京大学图书馆编印的《中国丛书目录及子目索引汇编》，收录《中国丛书综录》未收丛书 977 种，可视作该书的续编。

3.《中国丛书广录》 阳海清编撰，1999 年湖北人民出版社出版。上、下册。

该书目是继《中国丛书综录》之后又一部规模宏大、体例完备的中国古籍丛书目录。共收录古籍丛书 3 279 种(子目 40 227 种),其中医学丛书 176 种。

该目录收书广泛,不仅收录目前实存的丛书,亦收录历史上曾经有过而今仅存目之丛书;不仅收录原刻本和影印本,也收录近几十年出版之整理本,并包括中国港、澳、台地区及国外印行本;著录详尽,对一书之多种版本及多种异名都一一录出。尤其是各条目下之按注,对所收丛书从内容、学术价值、版本流传情况及编撰者生平等多方面进行了揭示。该目录与《中国丛书综录》参照使用,可全面了解中国古籍丛书之概貌。

(六)联合目录、馆藏目录

常用的联合目录有《中国中医古籍总目》《新编中国中医古籍总目》。

1.《中国中医古籍总目》(《全国中医图书联合目录》) 薛清录主编,2007 年上海辞书出版社出版。

该书目共收录全国 150 个图书馆(博物馆)1949 年以前出版的中医图书 13 455 种,其中不乏明代以前珍稀善本医籍。

全书由四部分组成:① 凡例、参加馆代号表、类表;② 书目正文;③ 附录;④ 书名索引、著者索引。正文采用分类编年体例排序,以体现中医学术的发展源流和传承轨迹。每书著录内容包括:类号、序号、书名、卷帙、成书年代、著者、版本、馆藏代号等。其分类体系以学科为主,兼顾到中医药古籍的体裁特征,划分为医经、医史、综合性著作等 12 大类。

该书目全面、系统、准确反映了中医药古籍的最新存世状况和在全国各地图书馆的收藏分布情况,其前身为《全国中医图书联合目录》,1991 年由中医古籍出版社出版。

2.《新编中国中医古籍总目》 李鸿涛主编,2023 年中医古籍出版社出版。上、下册。

该书目收录全国 379 个藏书机构收藏的 1912 年以前写印的中医古籍 8 650 种,书目信息 2.6 万条。上册正文中按学科分类著录了古籍书目信息,下册主体为索引。这一书目对原有中医古籍分类做了较大幅度调整和完善,拓展了收录范围,考订并厘清了中医古籍与近代中医文献,其款目组织体系展示了中医古籍文献的传承发展和分类布局,为中医古籍文献的保护整理等工作提供了目录学储备和支撑。

三、古代中医药专题资料检索

(一)医理和临证资料检索

综合检索中医理论和临证资料,如阴阳五行、藏象经络、气血津液、病因病机、论治原则、五运六气、四诊、脉学等理论,以及内外妇儿各科疾病的证治、方药、针灸、推拿等方面的内容,除了利用有关专著外,主要是利用中医药类书。

所谓类书,就是采摭群书,辑录各门类或某一门类的资料,随类相从而加以编排,以便于寻检、征引的一种工具书。中医药类书一般都汇编了多种古医籍的内容,特别是综合性中医药类书,内容丰富,门类齐全,包括医学理论、诊断、辨证、各种疾病、药物、针灸、气功、医案、医家等多方面的内容,并按类编排,便于检索,是查考古代专题资料的首选工具书。常用的有《古今医统大全》《六科证治准绳》《古今图书集成医部全录》等。

1.《古今医统大全》 明代徐春甫辑,又名《古今医统》,成书于 1556 年。100 卷。

该书辑录明代以前医籍及有关文献 282 种,包括历代医家传略(明初以前历代医家,共 270 人)、《黄帝内经》要旨、各家医论、脉候、运气、针灸、经穴、各科病证诊治、医案、验方、本草、救荒本草、制药、通用诸方及养生等内容。各科病证诊治包括中风、伤寒、暑证、湿证、内伤证、瘟疫、皮肤与妇、儿科疾病及老年保养等，每一病证基本上按病机、脉候、治法、方药等依次论述。

该书详征博引，所辑资料既引录古籍，也有徐氏自己对医学理论的阐发。有些病证还附有验案，有助于领会全文。全书分类编排，所采用的古代医书及有关经史古籍，均附有简介，引录文献均注明出处，方便查考。

2.《六科证治准绳》 明代王肯堂编撰，又名《证治准绳》，成书于1602年。44卷。

该书以证论治，故总称《证治准绳》，该书内容包括杂病、杂病类方、伤寒、疡医、幼科、女科六个部分。论及的科目和病种广泛，每一证先综述历代医家治验，后阐明己见，条理分明，且立论平正，不偏执于一家，故广为流传，多为后人所习用。

该书以“列证最详、论治最精”而著称。书中“医家五戒”“医家十要”为医生制定守则，提出医德、医术等方面的行为准则，在中国医德史上颇有影响。其内容广博宏丰，理法方药齐备，体例井然有序，不仅有“医家圭臬”之称，还可使“不知医不能脉者，因证检书而得治法”。

3.《古今图书集成医部全录》 清代陈梦雷等编，成书于1726年。520卷。

该书是《古今图书集成》的抽印本（原隶属于“博物汇编艺术典医部下”），全书约950万字，收录文献上自《黄帝内经》，下迄清初，共120多种，是我国历史上最大的一部医学类书。全书包括医经注释、脉法外诊法、脏腑身形、诸疾、外科、妇科、儿科及总论、医术名流列传、艺文、纪事、杂录、外编8个部分。

该书的编辑在纵向的方面，按一般中医书的体例，从基础理论到临床各科，使该书成为包括内、外、妇、儿各科的实用医书；在横向的方面，以各科疾病为主，引录有关历代医学文献（凡引用文献，都标明出处），前为医论，后为方药，眉目清晰，条理分明，查考方便。

4.《中国医药汇海》 民国蔡陆仙编辑，1937年中华书局出版，1985年北京中国书店据中华书局版影印出版。

该书采集上自炎黄、下迄民国，包括历代医家数百人的医学论著，摘其精要，汇集成24册出版。内容分为经部、史部、论说部、药物部、方剂部、医案部和针灸部7编，其中药物部附于经部《神农本草经》之后。每部又细分若干类，层次清晰。经部详列原文，广搜博引，互相引证，以辨其真伪。论说部取各家学说中理旨纯正、切合初学者，去其芜杂，撷其精要，熔各家学说于一炉。医案部以病分类，精选各家医案，相互校勘，取其有效者而录之。凡引用文献，都注明出处，方便查考。

5.《永乐大典医药集》 萧源等辑，1986年人民卫生出版社出版。

《永乐大典》是我国明代永乐六年（1408年），由明政府指定解缙、姚广孝等2 000余人编纂的一部大型类书。全书22 877卷，清初时略有残缺，到清代中叶以后，屡遭盗窃和劫掠，几乎丧失殆尽。新中国成立以后，经多方搜集共得795卷，其中72卷列载有关医药内容。

《永乐大典》残本中有关医药方面的内容，淹没在其他内容之中，零章碎简，极难查找。为便于查阅和利用，萧源等将其辑集出来，按原书卷次顺序编成《永乐大典医药集》，书中辑录的均为宋元时期医籍，涉及范围包括医经、著名医籍、临床各科证治、法医学、中药、养生、保健、名医传记、医疗掌故等。特别是《永乐大典》的监修和编修者，多为当时的大儒名医，因而取材严谨，所取医籍的版本多为善本，且标明出处，便于查考核对。

6.《十部医经类编》 任应秋等主编，2001年学苑出版社出版。上、下编。

该书上编系将《素问》《灵枢》《难经》《针灸甲乙经》《伤寒论》《金匮要略》《脉经》《中藏经》

《诸病源候论》《神农本草经》10 部医经原有的篇章结构打散，按中医学的理论体系进行综合分类，共分为阴阳五行、五运六气、人与自然、藏象、病因、病机、疾病、诊法、辨证、论治、本草、方剂、针灸、预防、护理等 16 大类，其下再分二级类目 78 个，三级类目 568 个，四级类目 480 个，五级类目 328 个。其下编为上述 10 部医经原文，为了便于分类和检索，将各书原文按篇分为若干小段，并按次第编号，与上编相辅而行，以便前后核查。

检索医理和临证专题资料，还可查阅下列参考书：《备急千金要方》30 卷、《千金翼方》30 卷，唐代孙思邈著，分别成书于 652 年、682 年。《医学纲目》40 卷，明代楼英辑，成书于 1565 年。《类经》32 卷，明代张介宾编，成书于 1624 年。《杂病源流犀烛》30 卷，清代沈金鳌编著，成书于 1775 年。《医钞类编》24 卷，清代翁藻编，成书于 1830 年。

（二）本草和方剂资料检索

1. 本草资料检索 常用的综合性本草著作和有关的专题性本草及中药学参考工具书有《经史证类备急本草》《本草纲目》《中华本草》。

(1)《经史证类备急本草》：简称《证类本草》，宋代唐慎微撰，成书于 1082 年。32 卷。

该书是在北宋官修本草的基础上，又参考了 247 种医药文献和经史子集各部古籍中的相关资料编撰而成。卷 1、卷 2 为序例，主要收载前代重要本草著作的序文、凡例、药物炮炙、药性理论、方剂组成、诸病通用药以及药物的配伍禁忌等药物总论方面的内容。卷 3～29 为各论，共收药物 1 748 种，按其属性分为玉石、草、木、人、兽、禽、虫鱼、果、米谷、菜 10 类，每类又按上、中、下三品排列；每药首列该药图形，次引历代文献中有关该药的记载，内容包括正名、别名、性味、毒性、药效、主治、产地、形态、采制方法以及临床有效方剂、医案等。其中，所附方剂达 3 000 余首。卷 30 为有名未用类，系将《神农本草经》《名医别录》等书中的 194 种药物，后世已不详其用途者辑录出原文，以供参考。卷 31 收录了《(嘉祐)本草图经》中增入的 98 种植物药的原文及图形。卷 32 由南宋王继先等再次校订增补，名《绍兴校定经史证类备急本草》(简称《绍兴本草》)。

该书囊括了北宋及以前本草学之精华，资料丰富，体例完备，是检索古代本草资料的重要参考书。

(2)《本草纲目》：明代李时珍撰，成书于 1578 年。52 卷。

该书是一部系统总结明代以前医药经验的医药学巨著。全书引据历代本草凡 84 家，古今医家书目 277 种，经史子集各部著作 800 余种，收载药物 1 892 种(其中 347 种为李氏所增)，收录方剂 11 096 首，插图 1 109 幅。

该书以《证类本草》为蓝本，采用“物以类从，目随纲举”的编撰体例，将各种资料加以分类。其中，卷 1、卷 2 辑录各家本草序例，内容为引用书目和药性理论。卷 3、卷 4 为百病主治药，列病证 110 多种。卷 5～52 为药物各论，按药物自然属性分为水、火、土、金石、草、谷、菜、果、木、服器、虫、鳞、介、禽、兽、人 16 部，每部又分小类，共 60 类。每药则按释名、集解、正讹、修治、气味、主治、发明、附方等项详细论述。

该书内容广博，收罗繁富，分类准确。1954 年商务印书馆根据万有文库本重印此书时，附编有《本草纲目索引》。这个索引系将《本草纲目》所收药品的正名，以及释名项下所列各种异名用四角号码法编排。每种药名均列出其卷数及商务印书馆版的页码，检索方便。

(3)《中华本草》：国家中医药管理局主持编纂，宋立人总编，1999 年上海科学技术出版社出版。35 卷。

该书全面总结了中华民族两千多年来的传统药学成就，并集中反映20世纪中药学科发展水平。前30卷为传统中药，包括总论1卷，药物各论26卷，附编1卷，索引2卷，共计载药8 980味，插图8 542幅；后5卷为民族药专卷，藏药、蒙药、维吾尔药、傣药、苗药各1卷。前30卷应用古今文献1万余种，内容涉及中药品种、栽培、药材、化学、药理、炮制、制剂、临床应用等中医药学科的各个方面。总论分14专题，系统论述中药学各分支学科的主要学术内容。各论药物分为植物药、动物药、矿物药三大类别，药物分列正名、异名、释名、品种考证、来源、原植(动、矿)物、栽培(养殖)要点、采收加工(制法)、药材及产销、药材鉴别、化学成分、药理、炮制、药性、功能与主治、应用与配伍、用法与用量、使用注意、附方、制剂、现代临床研究、药论、集解23个项目依次阐述，资料不全者项目从略。附编部分，编辑备考药物、本草序例、历代本草要籍解题和历代本草书目。

该书内容之丰富，体例之严密，篇幅之浩瀚，以及采用文献之广博，均远远超过了迄今任何一部本草著作。

检索本草专题资料，还可查阅下列参考书：《本草品汇精要》42卷，明代刘文泰等编撰，成书于1505年。《本经疏证》26卷，清代邹澍撰，成书于1832—1840年。《古今图书集成》(禽虫典、草木典)，清代陈梦雷等编。《群芳谱》，明代王象晋编。

2. 方剂资料检索　常用的大型综合性方书和有关的方剂学参考工具书有《外台秘要》《太平圣惠方》《圣济总录》等。

(1)《外台秘要》：唐代王焘撰，成书于752年。40卷。

该书广泛汇集唐代以前医著及民间单方、验方6 000首，分为1 104门，是集我国唐代以前医学大成的综合性方书。每篇首列有关病候、次叙各家方药，内容包括内、外、妇、儿、五官等各科病证。所引录的大量医学著作均一一注明出处，为医学著作中最早标明资料来源的著述。该书所集资料皆属于唐代以前被视为“秘密枢要”的秘方，许多古医籍，如《范汪方》《小品方》均赖以保存下来。

(2)《太平圣惠方》：宋代王怀隐等编，成书于992年。100卷。

该书是我国第一部由政府编修的大型综合性方书。全书分1 670门，收方16 834首。首列为医之道，次详诊脉辨阴阳虚实法，再叙处方用药之法则。然后，以《备急千金要方》和《外台秘要》为蓝本，采用脏腑病证的分类方法，按类分叙各科病证的病因、病机以及方剂的适应证、药物、用量。方随证设，药随方施，以说明病因、病机、症候与方剂药物的关系。所论病因、病机多出自《诸病源候论》，并引录了《黄帝内经》《伤寒论》等诸家论述。该书虽为方书，但包括了中医理、法、方、药四个方面的基本内容。该书对研究宋代以前医学，特别是方剂研究有很大的参考价值。

(3)《圣济总录》：宋代赵佶撰，成书于1117年。200卷。

该书是在广泛收集历代方书及民间方药的基础上，连同“内府”所藏的医方整理编撰而成。全书分为66门，载方20 000余首，分为三部分。其中卷1～4论运气、治法等；卷5～184为临床各科病证的病因、病机以及方药治疗；卷185～200为补益、食治、针灸、符禁、神仙服饵等。全书分类方法和体例与《太平圣惠方》相同，但内容更加全面，补充了许多前代方书中未载的方剂。其论病部分虽大抵依《黄帝内经》《诸病源候论》等书，但都经过重新组织，使内容融会贯通，文体简洁统一，重点突出。

(4)《普济方》：明代朱橚等编，成书于1390年。168卷。

该书是我国现存最大的一部综合性方书。全书共1 960论，2 175类，载方61 739首，分为七部分。第一部分为方脉总论、运气、脏腑；第二部分为身形，分头、面、耳、鼻、口、舌、咽喉、牙齿、眼目等9门；第三部分为诸疾，包括诸风、伤寒、时气、热病以及杂治等39门；第四部分为诸疮肿，分疮肿、痈疽、瘰疬、瘿瘤、痔漏、折伤、膏药等13门；第五部分为妇人，分妇人诸疾、妊娠诸疾、产后诸疾、产难等4门；第六部分为婴孩，先载儿科诊断法，次为新生儿护理法及新生儿常见疾病，后列各种儿科病候；第七部分为针灸，分总论、经络腧穴、各种病候针灸疗法。此外，还附有本草药品畏恶和药性异名2卷。

该书博引历代各家方书，并兼收其他传记、杂说以及道藏、佛书等有关资料，采摭繁富，编次详析，所引资料大多注明出处，为古代方书最为完备者。

(5)《医方类聚》：朝鲜金礼蒙等编集，成书于1445年。266卷。

该书据我国明代以前153种医籍中的方剂分类整理而成，共分92门，收载方剂50 000余首，包括医学总论、藏象、诊法、临床各科证治等内容。分类详细，有论有方，诸方以朝代先后，分门编入，不分细目，每方悉载出处。每门除了收录论治方药外，并附食治、禁忌、导引等。书中除了博引历代各家方书外，亦兼收其他传记、杂说及道藏、佛书中有关医药的内容。其辑录的多为原文，有二三十种医籍在我国已经失传，而部分内容在该书中保留下来。

检索方剂专题资料，还可查阅下列参考书：《备急千金要方》30卷、《千金翼方》30卷，唐代孙思邈撰，分别成书于651年、682年。《太平惠民和剂局方》10卷，宋代太平惠民和剂局编，成书于1078—1085年。《奇效良方》69卷，明代董宿撰，成书于1449年。《古今名医中药汤剂临床应用》，刘云芳、刘典功主编，2003年人民军医出版社出版。《中国名方全书》，程如海、李家庚主编，2003年科学技术出版社出版。

（三）针灸和养生资料检索

在中医历代文献中，针灸类、中医养生学文献数量很多，既有专著，也有散见于其他医学著作中的有关资料。检索历代有关针灸、养生学等资料常用的专著有《针灸甲乙经》《针灸大全》《针灸大成》等。

1.《针灸甲乙经》 晋代皇甫谧编撰，成书于256—259年。12卷。

该书是我国现存最早的综合性针灸著作，其内容可分为两大类：卷1～6为中医基本理论和针灸基本知识，卷7～12为各科病证的针灸治疗，列腧穴主治800余条。该书是皇甫氏在《灵枢》《素问》《明堂孔穴针灸治要》三书的基础上，使“事类相从，删其浮辞，除其重复，论其精要”，分类编撰而成。其内容丰富，系统连贯，在全面总结晋代以前针灸治病经验的基础上多有发挥。

2.《针灸大全》 又名《徐氏针灸大全》，明代徐凤编，成书于1439年。6卷。

该书是一部介绍历代针灸文献资料为主的著作。内容包括针灸经穴、针灸宜忌、周身折量法、窦文真公八法流注、八法主治各种疾病及配穴，以及徐氏本人之金针赋和子午流注针法、点穴、艾炷、壮数避忌、灸疮保养、要穴取法及经穴别名等。除此之外，书中还附有治疗歌诀、标幽赋、十二经穴位置七言诗以及插图。

3.《针灸大成》 又名《针灸大全》，明代杨继洲、靳贤撰辑，成书于1601年。10卷。

该书由靳贤选录明代以前的重要医学、针灸学著作中的有关针灸内容，结合杨继洲的诊治经验编辑而成。内容包括针道源流、征引原文、针灸歌赋、针刺补泻理论及方法、经脉及经穴部位与主治、诸证针灸取穴法（内、外、妇、儿等23门）、各家针法及灸法（附杨氏验案）、历代名家针灸医案。书后附录《陈氏小儿按摩经》。

该书以《黄帝内经》《难经》为源，历代诸家之说为流，全面总结了明代以前针灸学的经验与成就，内容丰富，别具特色，是查考历代针灸学资料的重要参考书。

4.《针灸集成》 又名《勉学堂针灸集成》，清代廖润鸿编撰，成书于 1874 年。4 卷。

该书为廖氏收集历代医书中的针灸内容分类编撰而成，其中卷 1、卷 2 为针灸集成，载针法、灸法、点穴、辨穴、针刺补泻等针灸学基本知识，以及各种疾病的针灸疗法；卷 3、卷 4 为经穴详集，详述十四经穴和奇穴的位置、主治及腧穴配伍的治疗作用，并摘要节录历代有关某穴的歌赋作为治疗的验证。

该书博采众长，持论平正，考证审慎，解决了不少前代存疑问题，对学习和研究针灸学具有重要参考价值。

5.《养生类纂》 南宋周守忠编撰，成书于 1222 年。2 卷。

该书系周氏将南宋以前 130 余种古籍中的养生内容进行整理类编而成。全书包括养生总叙、天文、地理、人事、毛兽、鳞介、米谷、果实、菜蔬、草木、服饵等部，涉及养生理论以及导引、适时、起居、食疗、服药等具体方法。

该书资料丰富，繁简得宜，条理清晰，便于实用，而不少亡佚的养生古籍资料亦借此书得以保存。

6.《遵生八笺》 明代高濂撰著，成书于 1591 年。正文 19 卷，目录 1 卷。

全书分为 8 个部分：第一部分为清修妙论笺，载历代各家的养生观点及养性格言。第二部分为四时调摄笺，详述四季吐纳、导引、方药等修养调摄的方法。第三部分为起居安乐笺，分恬适自足、居室安处、晨昏怡养等项，介绍节嗜欲、慎起居、远祸患、得安乐等调养方法。第四部分为延年却病笺，载述导引、按摩、八段锦以及戒色欲、修身心、择饮食等养生之道。第五部分为饮馔服食笺，详述饮茶、汤粥等食疗方法及养生药物，载食品 400 余种，服饵方剂 40 余种。第六部分为燕闲清赏笺，介绍书画鉴赏、文房四宝以及养花赏花等。第七部分为灵秘丹药笺，选录益寿延年的效验方 30 余种，并载各种单方 100 余种。第八部分为尘外遐举笺，介绍历代百余位隐逸名士的事迹。

该书资料辑自历代养生、医学以及文史著作，内容丰富，博而不杂，编排得当，所有引文均注明出处，是集明代以前养生学大成之作，也是查考养生专题资料的重要参考书。

7.《中国养生说辑览》 民国沈宗元编，成书于 1929 年。

全书计 18 篇，以历代著作和人物为纲，前 15 篇辑录《庄子》《吕氏春秋》《素问》《灵枢》以及董仲舒、张仲景、葛洪、孙思邈、苏轼、李杲、汪昂、石成金、曾国藩诸家养生学说与方法。后 3 篇采录、汇集各家养生格言、名言以及历代养生诗歌。该书精选切实可行之说，摒弃虚玄不经之论，理法兼备，儒道兼容。

8.《中华养生大全》 颜德馨、夏翔等主编，2001 年上海科学技术出版社出版。

该书共三篇，上篇为养生基础，主要概述了中医养生学的起源、发展、充实、争鸣，上下五千年的历史，以及各个历史时期著名人物的学术思想和学术贡献；中篇为养生方法，主要从精神调摄、生活起居、运动锻炼、房室、针灸、推拿、药物、食疗、外治法等九个方面，具体介绍了 140 多种有助于修身养性、祛病强身的自我保健方法、养生健身之道；下篇为养生应用，主要按内、外、妇、儿、骨伤、五官等科分类，介绍了 300 多种常见病证和疾病的临床表现、辨证分型、养生及治疗原则、养生及保健方法、注意事项。

检索针灸及养生专题资料，还可查阅下列参考书：《针灸资生经》7 卷，宋代王执中撰，成书于1220年。《针灸聚英》4卷，明代高武纂集，成书于1529年。《针灸逢源》6卷，清代李学川辑，成书于1817年。《中国针灸荟萃》，王雪苔主编，1985年湖南科学技术出版社出版。《养生四要》5卷，明代万全撰，成书于1549年。《中华养生大辞典》，王者悦主编，1990年大连出版社出版。《中华养生实用宝典》上、中、下卷，高宏存主编，1999年中国检察出版社出版。

（四）医案和医话资料检索

1. 医案资料检索　医案是中医诊疗实践的记录，综合体现了中医理法方药的应用。检索医案著作，可以利用书目，一般的中医书目都设有医案、医话类目。检索历代医案资料常用的综合性医案著作（类书）有《名医类案》《续名医类案》《宋元明清名医类案》等。

（1）《名医类案》：明代江瓘父子编集，成书于1549年。12卷。

该书是我国第一部带有总结性质的大型综合性医案类书。全书辑录自《史记》迄明嘉靖前历代医学著作和经、史、子、集所载之验案2 400余则，按病证分类编排为205门。卷1～6为内科案，卷7为五官科案，卷8～10为外科案，卷11为妇科案，卷12为小儿科案。这些医案主要是宋、元、明三代141位著名医家治验案或失误案，案中记录或详于脉，或详于证，或详于因，或详于治，均有依据。江氏父子并常于案前、案中、案后一些紧要处采用出注、按语、圈点等方式以明诊断之精、遣方之妙、治验之所在、失误之因由，指点迷津，方便后学。

（2）《续名医类案》：清代魏之琇编，成书于1770年。36卷。

该书是《名医类案》的续补，编写体例悉依《名医类案》。全书分345门，一方面补辑清代以前历代名医治病的验案，另一方面大量增录当时各家医案，包括伤寒、温病、内科杂病以及外、妇、儿、五官诸科病案5 800多则。其所载医案，往往一病数例，使人更明了各病的辨证以及相应的治疗方法。全书分类清楚，选案广泛，特别是对温热病的医案记载更为详细，反映了各种流派的学术经验。书中所附分析治案尤为精辟，对读者颇有启发。

（3）《宋元明清名医类案》：徐衡之、姚若琴主编，成书于1933年。

该书收辑自宋代许叔微起，迄于近代丁甘仁，共46位名医之医案。全书以人为纲，以证为目，分类清晰。每家医案之前，各冠列传一篇，介绍该医家生平事迹、师承关系、学术特点，供研读医案时了解其学术渊源。书中所收录的医案，多辑自丛书典籍、家藏秘本，十分珍贵，且各具特点，并附有名贤之评注。

（4）《清代名医医案精华》：秦伯未撰辑，成书于1928年。

全书共辑清代名医叶桂、薛雪、吴瑭、尤怡，以迄近人金子久、丁甘仁等20多位医家医案，以内科为主，采其理法并重、案语透辟精警的医案2 069则。以医家为纲，以病证为目，每一医家均冠以小传，明其师承及学术渊源。每家医案均按其特点收集数十种病证，包括常见病及疑难杂证。每医案前又均加按语阐发病理、分析证治要点，颇能启迪后学。该书撷精采华，列案广备，充分反映了清代名医的学术特点和治病经验。

（5）《二续名医类案》：鲁兆麟主编，1996年辽宁科学技术出版社出版。

该书收集了清代中叶至中华人民共和国建国初期已故的名医医案，也收录了部分《续名医类案》成书之前未收之医案，共选录200余部医案专著中近300位名医医案约15 000则，分为上、下册。医案的排列和体例仿《名医类案》和《续名医类案》，按内科、外科、骨伤科、妇科、儿科、眼科、耳鼻喉科、口腔科为序，各科下按病分类，各病之医案按成书年代先后编排，系后人整理的医案按医家卒年排入。为了形成一个完整的医案体系，该书又将《名医类案》《续名医类案》二书简体横排，并予点校，附于书后，为读者全面检索中医医案史料提供了很大方便。

检索医案专题资料，还可查阅下列参考书：《古今医案按》10 卷，清代俞震纂辑，成书于 1778 年。《古今女科医案选粹》4 卷，民国严鸿志纂辑，成书于 1920 年。《全国名医验案类编》14 卷，民国何炳元辑，成书于 1927 年。《医案》，民国蔡陆仙编，成书于 1941 年。《历代针灸名家医案选注》，李复峰编，1985 年黑龙江科学技术出版社出版。《历代儿科医案集成》，何世英等主编，1985 年天津科学技术出版社出版。《伤寒论医案集成》，孙溥泉编著，1986 年陕西科学技术出版社出版。《清宫医案研究》，陈可冀主编，1990 年中医古籍出版社出版。《中医古今医案精粹选评》，彭建中主编，1998 年学苑出版社出版。

2. 医话资料检索　医话（又称医论）是历代医家的随笔记录，内容包括读书体会、临证心得、学术评论等。尤其是以学术评论为主的医话，或阐发经旨，或辨别是非，或提出新论，或质疑旧说，均足以补群经之缺，正先贤之误，发前人未发，开启研究思路。多读医话能增长知识、广开视野，常可得到意外收获。要检索历代医话，尤其是散见于临床各类医著以及文、史、哲等非医学文献中的医话资料，需要借助一些综合性医话著作（如类书）。常用的有《医说》《医说续编》《续医说》等。

（1）《医说》：宋代张杲撰，成书于 1189 年。10 卷。

该书广泛收集南宋以前我国文史著作及医籍中有关医学人物、典故、传说、轶事方药、疗法等资料，并及个人经历或耳闻之医事，是现存最早的综合性医话著作。全书内容丰富，史料翔实，所集资料分类编排，且注明出处，有很高的文献参考价值。《慈云楼藏书志》赞曰："读之足以扩充耳目，增长知识，诚医部中益人神智之书。"

（2）《医说续编》：明代周恭著，成书于 1493 年。16 卷。

该书着重从医书、针灸、脉法、用药、养生等多方面论述了作者的学术见解，同时介绍了 50 多种疾病证治经验。书中医案所占篇幅较多，但在叙述中多插有议论，且较精辟独到，对医者尤多启迪。

（3）《续医说》：明代俞弁撰，成书于 1522 年。10 卷。

该书仿《医说》体例，引录补充历代文献中的医学掌故及本人耳目所及之医事得失辑录而成，是为《医说》续集。全书分 27 门，载历代医话 228 则，内容涉及医德医事、医家医著、诊法辨证、治疗原则、处方用药、临床各科证治及本草性味功用等。全书搜罗广博，内容丰富，叙述简练，编排有序，出处明确，既补《医说》之未备，又多作者之阐发，实为学医者之良师益友。

（4）《医衡》：清代沈时誉述，梅鼎等辑，约成书于 1661 年。4 卷。

该书是一部综合性医论著作，系摘取李南丰、张景岳等 39 人的 81 篇医论编辑而成，分为统论、证论、附论三部分。统论议养生、运气、奇经八脉等内容；证论以风、寒、暑、湿、燥、火、气血、痰积、虚损等为序，列论各种病证；附论述子嗣生育之道。沈氏选辑前人有关病脉证治之精论，删繁补阙，诸篇均附有沈氏及其门人所写按语。该书网罗宏富，抉择精严，所选医论大多立论持平公允，较少偏激之词。

（5）《清代名医医话精华》：民国秦伯未撰辑，成书于 1928 年。

该书是秦氏辑成《医案精华》一书后，嫌其为体例所拘，未能详备，爰择清代名医喻昌、魏之琇、张石顽、徐大椿等医案以笔记体出之者，凡 20 家，编辑成书，名曰《医话精华》。分类体例，前附小传一如前书，与前书允称双璧。

(6)《中医历代医话精选》：王新华、潘秋翔编，1998年江苏科学技术出版社出版。

该书分上下两篇。上篇为理论探讨与学术论辨，内容包括脏腑、经络、气血、津液、病因、病机、诊法、辨证、辨病、治则、治法、本草、方剂、养生、康复、医家、医书；下篇为临证心得与治验记实，包括内、外、妇、儿及五官诸科病证。

检索医话专题资料，还可查阅下列参考书：《冷庐医话》5卷，清代陆以湉撰，成书于1858年。《鲟溪医论选》6卷，陆平一选辑，成书于1922年。

（五）中医药人物传记资料检索

中医药学是一种以个性化治疗为特色的医药学，对个人经验和技艺的高度依赖是其学术承传的重要特征。历代名医的传记资料如别名、字号、籍贯、历史背景、生平经历、师承脉络、学术专长、行医风范、社会交往、重要著作及近人研究成果等对后学具有重要的参考、研究价值。

1. 人名辞典

(1)《中医人物词典》：李经纬主编，1988年上海辞书出版社出版。

该词典收录与中医有关的古今人物词目共6 200余条，介绍有关人物的生卒年(或朝代)、字号、别号、籍贯、主要学历和经历、学术思想及医学成就、著作、授徒门生、学医亲属等。词目释文的详略，主要依人物贡献大小、学术成就及著作多少而定。素材多取自历代医著、经史典籍、文集笔记、簿录方志、佛书道藏等，特别对现存中医药古籍的作者都依据原书做了分析考订，予以介绍。书末附有人名、字号、别名及师徒、后裔索引，中医书名索引。

(2)《中医人名辞典》：李云主编，1988年北京国际文化出版公司出版。

该辞典共收载中医药人物10 500余名，重点介绍清代以前医学家、现代中医界名人，凡在世者未收。扼要介绍人物姓名、生卒年、字、号、时代、籍贯、简历、著作、师承关系等情况。每个条目后均列有资料出处。所录人物按姓氏笔画排列，冠有姓氏首字索引，附有别名索引。

(3)《中国历代医家传录》：何时希编，1991年人民卫生出版社出版。上、中、下三册。

该辞典引据了正史、通志、类书、医书、辞书、地方志、传记等有关文献3 000余种，介绍了自上古至清末民初间20 000多名医家的生活年代、师承脉络、学术专长、道德操行等。所录医家之多，收集资料之丰，均为前所未有。书前编有首字检索及目录，书后附有历代医家师承传受表、医家别名斋号表、历代医书存目。

检索医学人物资料的人名辞典还有：《中国历代名医百家传》，张志远主编，1988年人民卫生出版社出版。《当代名老中医风采》，王琴、朱建平编著，1999年中国古籍出版社出版。《中医人物荟萃》(一卷、二卷)，吴崇其等主编，1991、1993年中国科学技术出版社出版。《中国中医人名辞典》，史宇广主编，1991年中医古籍出版社出版。《中国当代中西名医大辞典》，李庆飞、谷向阳主编，1995年中国中医药出版社出版。

2. 中医药类书　历代出版的中医药类书也辑有医家人物资料，尤以清代陈梦雷等编的《古今图书集成医部全录》最为丰富。该书卷504～517“医术名流列传”中收录史书、地方志及有关医学著作中及清初以前著名医家的传记资料共1 200多则，按朝代先后为序，并注明原文出处。对一些重要医家，则引用大量的资料。例如，介绍后汉医家华佗时，引用了《后汉书·方术传》《三国志·本传》《华佗别传》《魏志》《中藏经·序》《甲乙经·序》《志怪》《襄阳府志》等书中有关的记载。介绍明代医家滑寿时，辑录了《明外史·本传》《仪真县志》《浙江通志》《绍兴府志》《医学入门》等书中有关内容的原文。利用该类书，能够详细地了解某医家生平事迹，学术源流，并通过有关医案，可进一步了解其医疗经验。

3. 史书、方志　我国古代许多著名的医家传记都记载于正史(通常指二十四史,外加《新元史》《清史稿》共二十六史)中。例如《史记》有《扁鹊仓公列传》,《三国志》有《华佗传》,《金史》有《刘完素传》《张元素传》,《元史》有《李杲传》《滑寿传》等。查找正史中有关医学人物的资料,可利用各种史书人名索引,也可通过陈邦贤编撰的《二十六史医学史料汇编》。该书把二十六史中与医学有关的资料(包括医学人物)全部摘录出来,分类排列,汇集成册,为检索历代史书中医家的史料提供了方便。

方志是我国传统的记述地方情况的志书,以地区为中心,内容广泛,遍及各地,有总志、通志,还有州、郡、府、县、乡、镇等不同的地方志,材料比一般正史更为丰富。方志特别重视记载本地人物和与本地有关的人物,所记事项一般都比较翔实,对于研究地方的历史事件、历史人物,常能提供十分珍贵的资料,是检索医学人物资料的重要途径。

4. 书目、索引　要深入了解医家的学术思想及医学成就,必须研读其著作。一般的图书目录都附有著者索引,通过著者索引即可检索到该医家的所有著作。

各种各样的中医报刊发表了大量研究历代名医的有关论文,这些论文提供近现代研究医史人物的新成果。检索这些论文,可利用有关的中医药论文索引。

四、中医药古籍数据库

(一) 中华医典数据库

1. 资源概述　中华医典数据库是一个大型的中医古籍数据库。它收录了从先秦至民国时期的众多重要医学古籍,涵盖内容广泛。收录的历代中医药典籍达两千部,内容涉及医经、本草、针灸、诊法、方书、临证各科、养生及医案、医话、医论等。

该数据库采用了独特的古籍数字再造技术制作,还原式页面左图右文,逐页对照;原书的版式及眉批、夹注、图表、标记等能无障碍录入,并在原位置非嵌入式显示,可全息再现古籍内容。同时,配备有自主研发的检索系统和功能平台,能够进行毫秒级、可导出的海量全文检索,以及校勘、标点、编辑、复制等一站式整理研究作业。

2. 检索途径与方法

(1) 简单检索:在检索框中输入关键词,如书名、作者、病症、方剂名、中药名等相关信息进行检索。可以输入单个关键词,也可使用逻辑运算符(如“与”“或”“非”)进行多个关键词的组合检索。例如,多个检索项之间输入“*”表示“与”,“|”表示“或”,“!”表示“非”。

(2) 高级检索:通过高级检索功能,可以更精确地设置检索条件,如按书名、作者、内容提要、关键词等进行检索,同时支持对检索结果按成书年、书名、作者、分类等进行升序或降序排列。

(3) 二次检索:在上一次检索的基础上,进一步添加条件进行限定,逐步缩小检索范围,以获得更精准的结果。可反复使用该功能。

(4) 后控词检索:基于专业词表的同义词、上位词、下位词、关联词等进行优化检索。在后控词检索中,输入关键词后可查看其相关的后控词,将需要的后控词选择到右侧列表同时检索,以扩大或精确检索范围。

(5) 书内检索:部分数据库提供单本书籍的书内检索功能。进入书籍的阅览界面后,可通过该书的检索框,在该本书籍内查找特定信息。

(6) 分类浏览:按照数据库设定的分类体系(如医经、诊法、本草、方书等)浏览相关类目下的内容。

在检索时，需注意准确输入关键词，灵活运用各种检索方式，并结合实际需求调整检索策略，以提高检索的准确性和效率。

（二）国医典藏中医古籍数据库

1. 资源概述　国医典藏中医古籍数据库是由中国中医科学院中医药信息研究所（图书馆）研发的大型中医古籍全文数据库，精选先秦至清末民国的历代典籍 1 000 种。收录内容精良、不乏世所罕见的珍善本及孤本医籍，具有较高实用价值、文献价值和学术价值。所选书目按《中国中医古籍总目》分类法分类，内容涉及医经、医理、诊断、伤寒金匮、针灸推拿、本草、方书、临证各科、养生、医案医论医话、医史、综合性著作 12 大类、65 个二级类目。数据库能够实现中医古籍的原貌展现和便捷阅览、古籍内容的多途径深度检索、古籍知识内容的精准定位等功能，为用户提供专业化的中医古籍阅读、检索与利用服务。

2. 检索途径与方法　数据库可实现古籍的原图浏览、分类浏览、多途径检索、原图保存下载等功能。多途径检索有以下方面。

（1）书目检索：按书名、作者、内容提要等内容进行快速检索。

（2）关键词检索：基于原图标注信息检索古籍全文内容，支持多个关键词检索。

（3）高级检索：书目信息及关键词的匹配、逻辑检索（支持检索项的多重“与”“或”“非”组合检索）。

（4）后控检索：基于专业词表的同义词、上位词、下位词、关联词优化检索。

（5）二次检索：在检索结果基础上进行二次检索。

（6）书内检索：对正在阅览的书籍进行本书内的检索。

（三）书同文古籍数据库

书同文古籍数据库是由北京书同文数字化技术有限公司开发的一系列古籍资源全文检索数据库。该数据库内容丰富，包含众多子库，涵盖基础古籍文献、中医中药、文博鉴赏、明清研究、典章法规、民国时期研究等多个领域，如《四部丛刊》《大明会典》《大明实录》《历代石刻史料汇编》《十通》《明代史料》《清代史料》《中医中药古籍大系》《韩使燕行录》《金石书画》等。

数据库的内容均为版本较好、使用价值较高的古籍、档案、报刊等，拥有强大的全文检索系统，可通过多条路径、多种方法进行快速海量检索，文献内容字字可查、句句可检。系统提供中日、简繁、异体等汉字关联查询，还具备跨库、单库全文检索、时间检索等多种检索方式。具备联机字典、文字代码页与原书图像页关联对应、复制打印、添加注释、纪年换算以及手写输入等功能。部分数据库还提供在线彩书草书、名人墨宝、精美篆刻等，让用户体验汉字的变化。同时支持用户上传文献，方便其他学者分权限浏览检索。

（四）海外中医古籍数据库

海外中医古籍数据库是在《海外中医珍善本古籍丛刊》基础上，通过数字化加工，打造的专业古籍数据库，共计有 427 种珍善中医古籍。相比纸书有以下特点：根据目录结构对全部图书做了加工，书内篇章名皆可检索；提供了图书的版本对比功能；藏书印鉴检索便于用户分析递藏源流；用户中心功能完备，浏览、检索皆有记录并可在当页进行批注。海外中医古籍数据库提供了更为便捷、高效的查阅方式，支持多种检索功能，满足藏书机构和学者的需要。

数据库平台支持多种检索方式，包括普通检索、高级检索、二次检索等。普通检索可选择按照综合、题名、篇名、藏书印、责任者、版本类别和出版年代不同维度进行检索;其中藏书印检索数据库的特色功能,基于对古籍上的藏书印的数字化标注和处理,实现藏书印检索,对用户理清古籍递藏源流有重要意义。同时,数据库支持繁简字和异体字检索。检索结果根据检索条件,按照全部、图书、文章和藏书印四种结果展示。

第二节　中医药现代图书检索

中医药现代图书泛指 1911 年辛亥革命以来借用现代科学技术编撰或出版的有关中医学和中西医结合方面的图书。据有关书目统计,民国时期出版了千余种中医药图书。新中国建立以来,约出版了上万种中医药图书。这些中医药图书传承了中医学的学术经验,记录了现代中医药学发展的知识信息,是学习与研究中医药学所必须检索与利用的主要文献。

一、现代书目

1.《民国时期总书目》　北京图书馆编,1986—1997 年书目文献出版社出版。20 卷。

该书目收录了从 1911—1949 年 10 月我国出版的中文图书,其中包括 1911 年以前印行、以后陆续出版的多卷本图书,共计 124 000 多种,医药类计 3 863 种,中医药图书占 1/4,基本上反映了这一时期我国出版图书的概貌。按学科分为 20 大类,分册编辑出版。各分册末均有按汉语拼音字母顺序编排书名索引。

馆藏标记分别以 B、S、C 代表国家图书馆、上海图书馆和重庆图书馆。绝大多数图书均有提要附注项。提要或概述图书内容,或摘录原书篇目,或做必要的说明,使书目具备了较高的学术参考价值。

《民国时期总书目》在收录图书的广泛性、著录的准确性、揭示图书内容的深入性及整体学术质量等方面,都远远超越了在它以前出现的书目,具有回溯性国家书目的性质,基本反映了民国时期出版图书的全貌。

2.《中国医学书目大全》　侯家玉主编,1994 年成都出版社出版。

该书含 1950—1989 年 40 年间,中国人著、译的医药卫生著作 11 400 余种,分上下两编。上编包括医药卫生综合类、医史、预防医学、基础医学、临床医学、内科学、外科学、妇产科学、儿科学、肿瘤学、神经病与精神病学、皮肤病学与性病学、五官科学、特种医学;下编包括中医学、中药学、习题、问题解答、图谱、工具书等。共收录中医药图书 3 480 种。书末附著者索引,并于姓名后分别列入其所著图书的号码,以备检索。

3.《全国新书目》　国家新闻出版署信息中心主办,全国新书目杂志社出版。

该书目是中国新闻出版署主管、由新闻出版署信息中心主办的一份书目检索类期刊,该刊创刊于 1951 年 8 月,每月出版两期,为半月刊。全面介绍当月的新书出版信息。设有书业观察、特别推荐、新书评介、书评文摘、畅销书摘、精品书廊和新书书目等栏目。其中"新书书目"使用了国际标准图书分类法,读者可以简便、快捷地检索到所需内容。

该刊将书目内容与非书目内容分开,上、下半月各出一本专刊,上半月的称《新书导读》,全彩印刷,主要面向社会读者,追求可读性;下半月的称《数据大全》,主要面向图书馆及图书出版、发行、销售、配送机构的人员,书目数据"全、准、快",每期发布图书在版编目数据 5 000 条以上，成为国内最全的书目信息渠道。

4.《中国国家书目》　国家图书馆《中国国家书目》编委会主编，《中国国家书目》编辑组编辑出版。

该书目按年度全面、系统地揭示我国的出版物，属于登记型书目。书目不但收录我国大陆出版的文献，而且还收录我国台湾、香港、澳门地区出版的文献和中国与其他国家共同出版的文献。其具体收录的文献类型和范围包括图书、连续出版物、地图、技术标准、博士论文、书刊索引、少数民族语言文献、盲文文献等。因此，它是目前我国收录文献较全的书目，是图书馆必备的一种采选文献的参考工具。年报道量约 30 000 种。

该书目体例分正文和索引两个部分。正文按《中国图书馆分类法》分类编排，每种书按国家标准《普通图书著录规则》(GB 3792.2－2006)著录，主要项目有书名、作者、出版发行地、出版发行者、出版时间、页数、开本、定价、附注、顺序号等，部分书还附有内容简介。索引分题名(书名)索引和著者索引两部分，均按现代汉语拼音编排，使用方便。目前，该书目的出版已实现印刷版与光盘版并行，现行书目数据与回溯书目数据衔接，成为检索新中国成立以来图书(包括重新出版的古籍)出版情况的权威性书目。

5.《中国近代现代丛书目录》　上海图书馆 1979 年编印。

该书目为丛书书名目录，收录馆藏 1902—1949 年各地出版的中文丛书 5 549 种，包括各类图书 30 940 种。全书以从书名首字笔画为序，每一丛书注明主编、出版单位和出版时间，下列丛书子目，书后附丛书出版系年表。为便于查找某部著作收录在哪一种丛书中，1982 年上海图书馆又编辑刊行了《中国近代现代丛书目录索引》，该索引分上、下两册。上册为《子目书名索引》，下册为《子目著者索引》，由此标示所查著作见于《中国近代现代丛书目录》的页码及所属丛书。书后附有中国著者名、字、号、笔名录和外国著者中文译文异名表，检索时应注意利用。

二、馆藏 OPAC 系统

馆藏目录是按照特定的方法组织起来的用于揭示、报道和检索一所或多所图书馆的馆藏文献的工具。随着计算机、网络的普及，以及图书馆工作的自动化程度提高，联机公共检索目录(Online Public Access Catalog, OPAC)即公共联机书目查询系统得到广泛应用。目前，绝大多数图书馆的馆藏目录都可以在网上检索。通过馆藏目录，读者可以了解图书馆是否有所需图书、藏书地址、能否借阅等信息。如果需要了解多所图书馆的馆藏图书信息，还可以查找能反映多所图书馆馆藏的联合目录，如 CALIS 联合目录、OCLC 联机联合目录等。

检索馆藏纸质图书一般先用馆藏书目检索系统进行查询，然后记录索书号到图书存放的地点进行按号索书。

(一) OPAC 书目检索系统

馆藏书目检索系统起源于 20 世纪 70 年代美国大学图书馆和公共图书馆，是读者利用计算机终端来查询基于图书局域网内馆藏数据资源的一种现代化检索方式，通过联机查找为读者提供馆藏文献的线索。OPAC 检索系统除了能够满足馆藏书刊查询，还可以实现读者借阅情况查询、新书通报、购书推荐、读者留言等一系列功能。目前，我国各大公共图书馆和高校图书馆都已经建立了 OPAC 联机检索系统。

(二) 检索途径与方法

OPAC 书目检索系统以提供和确定文献的来源信息为主要内容，从图书的外表特征出发，可以通过书名、丛书名、著者、出版社、ISBN、索书号、分类号等途径来检索图书；从图书的内容特征出发，检索图书主要有分类与主题两种途径。检索功能主要分为简单检索、多字段检索和组合检索。下面以某大学图书馆 OPAC 系统为例，进行馆藏书目的检索。具体的检索方法如下。

1. 分类浏览　登入某大学图书馆主页，点击“馆藏检索”系统进行馆藏纸质图书的查询，进入“馆藏检索”主页，单击“分类浏览”，进入图书分类目录，逐级单击分类进入下级子分类，页面右侧显示该分类下的图书书名、责任者、出版社、索书号、馆藏/可外借等信息，据此可找到需要的图书(图 2-1)。

图 2-1　“馆藏检索”分类浏览界面

2. 简单检索　进入“馆藏检索”主页，默认简单检索状态，并默认在题名中检索，在检索框中输入检索词进行检索。简单检索页面主要提供题名、摘要、责任者、出版社、标准编码(ISSN)、索书号、主题词、全部字段、有随书光盘等字段的检索，其既可以对所有书刊进行检索，也可以对非书资料进行检索(图 2-2)。

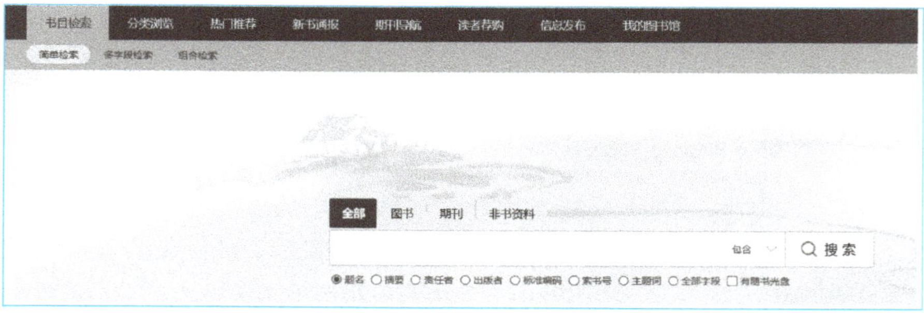

图 2-2　“馆藏检索”简单检索界面

3. 多字段检索　多字段检索同时提供题名、出版社、责任者、标准编码(ISSN)、索书号、主题词、校区/分馆、资源类型、入藏时间等字段的检索，在检索框中可以输入多个关键词进行检索(图 2-3)。

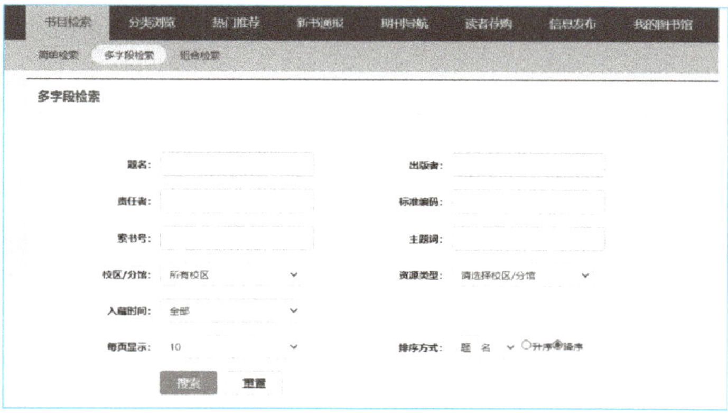

图 2－3　“馆藏检索”多字段检索界面

4. 组合检索　组合检索支持多字段逻辑组合，可自由选择检索项、检索项间的逻辑关系(图 2－4)。

图 2－4　“馆藏检索”组合检索页面

（三）检索结果

如检索题名“神农本草经”的图书，检索结果页面显示题名包含“神农本草经”的所有书目信息，进一步操作可查看借阅图书的书目详细信息、具体馆藏信息及借阅状态(图 2－5、2－6)。

图 2－5　书目信息检索结果页面

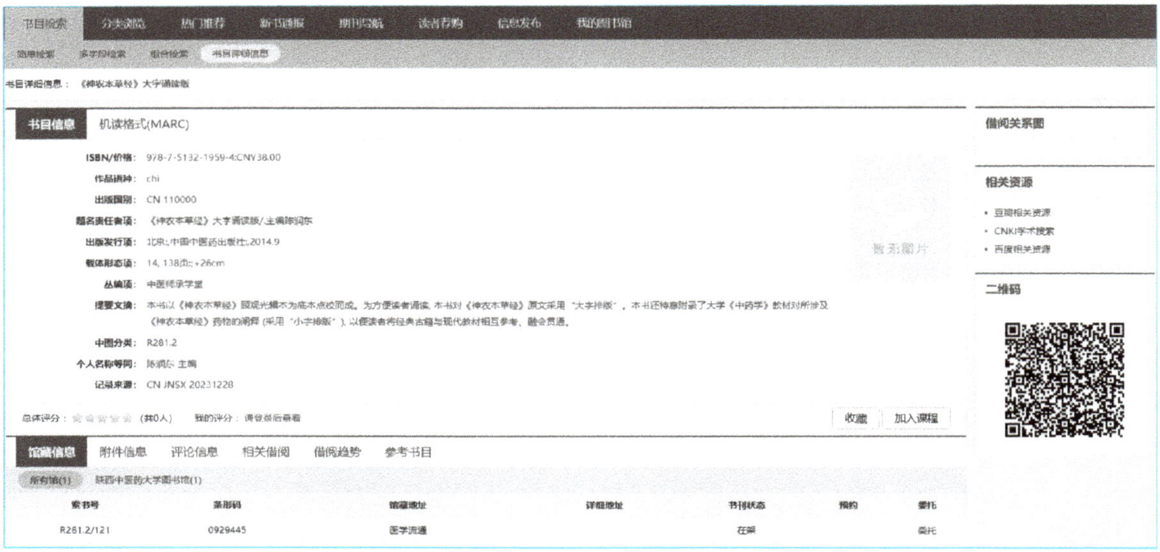

图 2－6　书目详细信息、具体馆藏信息及图书借阅状态

三、电子图书检索

电子图书(e-book)是继纸质印刷出版物之后出现的一种全新的图书类型，它以二进制数字化形式对图书文献进行处理，以光、磁、电等介质为记录载体，以信息的生产、传播和再现的形式代替传统印刷型图书的制作发行和阅读，是一种新型的媒体工具，读者可以利用计算机或类似设备进行检索和阅读。电子图书具有海量存储、节省资源，功能齐全、使用方便，快速传播、便捷流通，价廉物美、资源丰富的特点。

常用中医药相关的电子图书数据库有超星电子图书数据库、读秀学术搜索、中国国家数字图书馆、国家科技数字图书馆、中国高等教育数字图书馆、北大方正 Apabi 数字图书馆、书生之家数字图书馆、爱如生系列古籍数据库、中医经典古籍辞书库等，外文电子图书数据库有 Springer Link、世界数字图书馆(World Digital Library，WDL)、Early English Books Online、Eighteenth Century Collections Online、Encyclopedia Britannica Online、MUSE 电子图书、Myilibrary 电子图书、NetLibrary 电子图书、Oxford English Dictionary。下面主要介绍超星电子图书数据库、读秀学术搜索、SpringerLINK 数据库。

(一) 超星电子图书数据库

1. 资源概述　超星电子图书数据库是目前国内最大的电子图书数据库，开通于 1999 年，是国家“863”计划中国数字图书馆示范工程项目，由北京超星公司投资研发。超星电子图书数据库包含两大格式的电子书：140 多万种高清图像格式超星汇雅电子书(原超星电子书包库)和 10 万种超清 EPUB 格式电子图书(原超星书世界)。其图书涵盖中图法 22 大类的各学科领域，为高校、科研机构的教学和工作提供了大量宝贵的参考资料，向互联网用户提供数十万种中文电子书免费和收费的阅读、下载、打印等服务；同时还向所有用户、作者免费提供原创作品发布平台、读书社区、博客等服务。

目前，超星电子图书的站点有通过 IP 限定的“汇雅电子图书”包库站和个人会员站“超星图书”网两种。高校多采购“汇雅电子图书”。

2. 检索途径与方法　“汇雅电子图书”提供分类浏览和检索两种图书查询方式，检索方式有普通检索和高级检索。

（1）分类浏览：单击“汇雅电子图书”的“图书分类”中任意主题进入图书分类目录，逐级单击分类进入下级子分类，页面右侧显示该分类下的图书封面、书目等信息，据此可找到自己需要的图书。每本书的书目信息下方还显示有“EPUB 阅读”“PDF 阅读”或“图像阅读”等在线阅读方式选择按钮，并提供下载、纠错等相关服务的链接（图 2-7）。

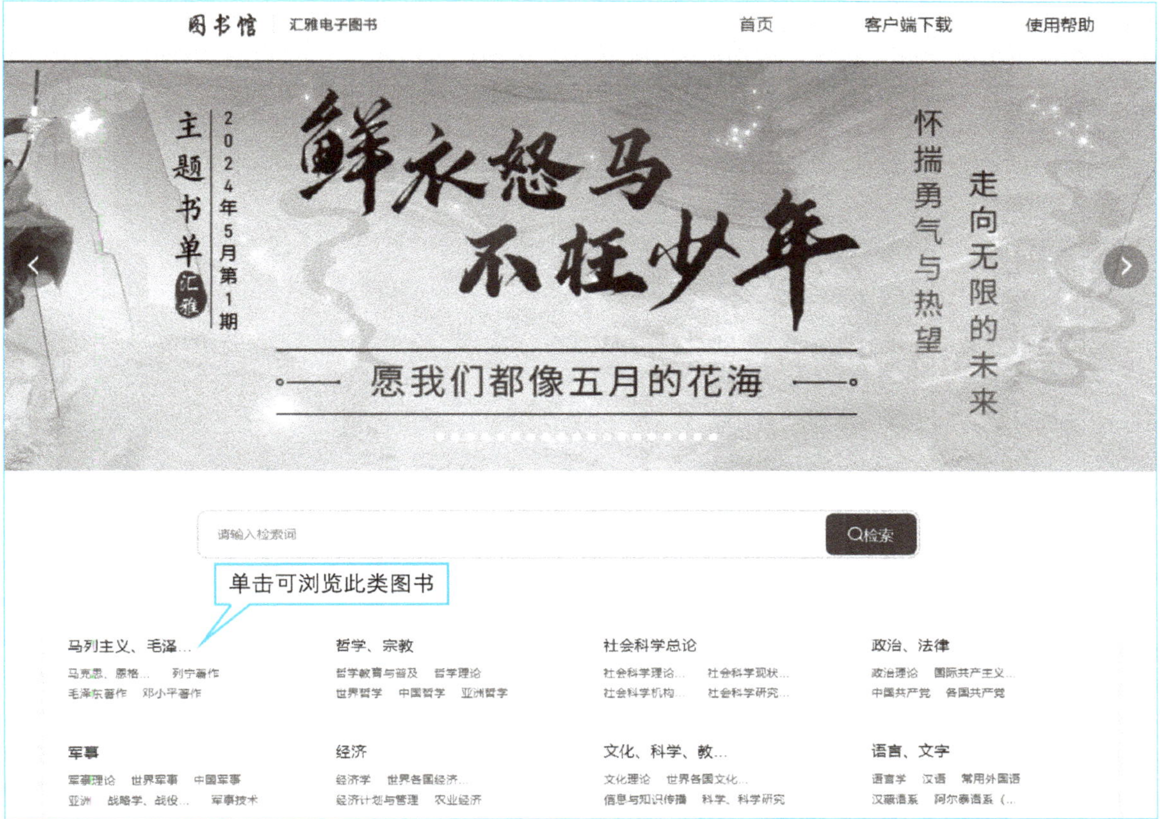

图 2-7　“汇雅电子图书”主页

（2）普通检索：汇雅电子图书数据库首页上方默认提供普通检索功能，通过在输入框中输入检索词（例：神农本草经），点选“检索字段”（默认为“书名”），单击检索按钮，即可检索相关图书。这时，在检索结果上方的普通检索页面增加了“二次检索”选择项。单击某图书的书名或封面，可进入此书的卡片页面，即此书的信息页面，可浏览图书简介和纠错服务链接。单击“EPUB 阅读”“PDF 阅读”“图像阅读”等则可以直接阅读该电子图书。

（3）高级检索：单击二次检索按钮右边的“高级检索”按钮，进入高级检索页面，可输入书名、作者、主题词等多个检索词，并可对图书出版年、分类、中图分类号等条件进行限定检索（图 2-8）。

网址：https://www.sslibrary.com

（二）读秀学术搜索

1. 资源概述　读秀学术搜索（简称“读秀”）是一个海量全文数据及元数据组成的超大型数据库。它集文献搜索、试读、传递为一体，是一个可以对文献资源及其全文内容进行深度检索

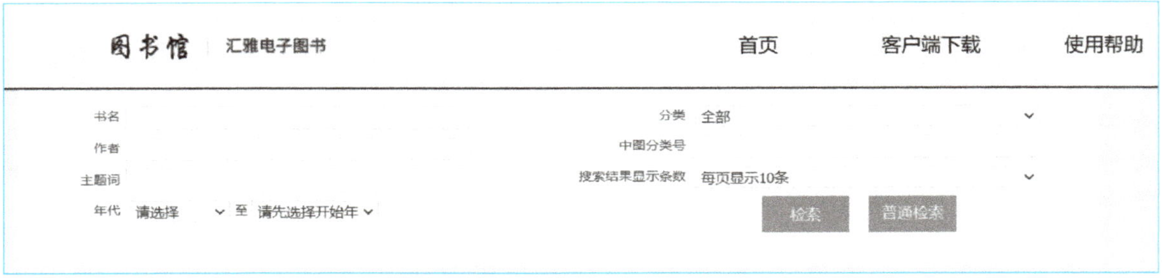

图 2－8　汇雅电子图书的高级检索页面

并提供文献传递服务的平台。

“读秀”的功能特色有书目检索、目录检索、全文检索，并实现文献传递、图书馆纸质书与电子图书同步检索等功能。它能够为用户提供 325 万种图书、17.5 亿页全文资料、12 500 万条期刊元数据、20 000 万条报纸元数据、100 万个人物简介、1 000 万个词条解释等一系列学术资源的检索及使用。

用户检索任何一个知识点，都可以直接获取图书馆内与其相关联的纸质图书、电子图书全文、期刊全文、论文内容等。通过深入到图书目录和全文检索，任何一个检索词句都能迅速准确地定位到该词句出处的当前页。“读秀”提供的参考咨询服务，通过自动文献传递，可直接将 170 万种图书全文等相关学术资料发送到读者邮箱，使读者零距离获取学术资源。

2. 检索途径与方法　进入“读秀”，有三种检索途径：“知识”途径提供所有集成资源深入文本的检索；“图书、期刊、报纸、学位论文……”途径提供单一资源的检索；“多面搜索”途径能实现知识点多角度的搜索。当选择知识、图书、期刊、论文等任意一个频道进行检索时，检索结果页面的右侧都会将与检索词相关的百科、期刊、图书、知识、报纸、学位论文、会议论文等多维信息进行主动推送。

（1）基本检索：“读秀”首页基本检索，默认在全文范围内检索。输入关键词实施检索，系统将在海量中文资料及图书中围绕检索词深入到每一页文献中进行关键词匹配检索。在搜索关键词检索信息的同时，提供关键词相关的近义词与共现词，为用户提供了一个围绕检索点的全面知识描述，扩大了目标的检索范围，使信息查找更为精准。

（2）高级检索：高级搜索提供了书名、作者、主题词、出版社、ISBN 号、分类、中图分类号、年代等多个检索项，用户根据需要完成一个或多个检索项的填写，还可以对检索结果显示的条数进行选择。

3. 检索结果与处理

（1）检索结果页面：如检索书名为“神农本草经”的图书，检索结果页面显示“书名”包含“神农本草经”的条目；在同一页面，右侧还同时有百科、期刊论文、报纸、学位论文、会议论文、标准、专利、音视频等围绕“神农本草经”的扩展信息（图 2－9）。

（2）原文阅读：检索结果页面每本书的数目信息下方显示有汇雅电子书（PUB）、汇雅电子书（PDF）、汇雅电子书（图像）等在线阅读方式选择按钮，汇雅电子书（PUB）、汇雅电子书（PDF）仅提供在线阅览，汇雅电子书（图像）除了提供在线阅览外，还可以在阅读页面做页面的缩放、文字提取、打印、下载、纠错等操作，并提供带目录阅读、双页阅读、全屏连页阅读等阅读模式。

图 2-9　图书检索结果界面

(3) 图书的详细信息：点击图书封面或书名进入图书详细信息页面，呈现图书的封面、作者、出版发行、主题词、内容提要等信息。同一页面还提供中图法分类和作者链接，来查找与分类内容或同名作者相关的其他图书。页面右上方显示图书馆中的纸质图书和电子图书的馆藏信息，可以浏览馆藏信息或者阅读电子图书全文。页面右侧提供了图书网络购买信息，以及其他图书馆馆藏信息(图 2-10)。

图 2-10　图书详细信息界面

4. 获取途径　读秀学术搜索数据库图书全文获取途径有 4 种。

(1) 本馆纸质藏书：点击“馆藏纸本”，进入本校图书馆“书目检索系统”，即可获得馆藏信息，了解借阅情况。

(2) 本馆电子图书：点击“汇雅电子书”，即可链接到本馆电子书获取全文。

(3) 文献传递：点击“图书馆文献传递”，系统自动填写好文献传递表单部分信息，读者只需填写需求范围页数及正确有效的 E-mail 地址，输入验证码，点击“确认提交”，即可实现图书全文的远程传递，申请全文的链接会发送至表单中填写的电子邮箱中。每本图书单次咨询不超过 50 页，同一图书每周的咨询量不超过全书的 20%，咨询内容全文链接有效期为 20 日(图 2-11)。

图 2-11　图书馆文献传递界面

(4) 其他图书馆借阅：点击“其他图书馆借阅”或“本省市图书馆借阅”，了解本书在其他图书馆的馆藏信息，选择合适的图书馆进行借阅。

网址：http://www.duxiu.com/

(三) Springer Link 数据库

1. 资源概述　德国施普林格出版社(Springer-Verlag)是世界上著名的科技出版集团，Springer Link 是施普林格出版社和它的合作公司推出的科学、技术和医学(STM)方面的在线信息资源。Springer Link 数据库收录文献类型包含图书和期刊，收录 1815 年至今的 30 多万种图书，包括 3.3 万种会议论文集，近 7 000 种丛书，1 000 多种参考工具书；图书章节近 500 万篇，会议论文 130 万篇。收录 1832 年至今的 3 700 多种期刊，包括近 3 000 种同行评审期刊；800 多万篇期刊论文。其中，包括诺贝尔奖、费尔兹奖获得者的科研成果。

Springer Link 涵盖学科范围包括科学、技术、医学(STM)，以及人文和社会科学(HSS)的所有学科领域，分为 24 个学科：生物医学(Biomedicine)、商业与管理(Business and Management)、化学(Chemistry)、计算机科学(Computer Science)、地球科学(Earth Sciences)、经济(Economics)、教育(Education)、工程(Engineering)、环境(Environment)、地理(Geography)、历

史(History)、法律(Law)、生命科学(Life Sciences)、文学(Literature)、材料科学(Materials Science)、数学(Mathematics)、医学与公共卫生(Medicine & Public Health)、药学(Pharmacy)、哲学(Philosophy)、物理(Physics)、政治学和国际关系(Political Science and International Relations)、心理学(Psychology)、社会学科(Social Science)、统计数据(Statistics)。

Springer Link 正为全世界 600 家企业客户、超过 35 000 个机构提供服务。自推出以来,已是全球最大的在线学术资源平台。通过 Springer Link 的 IP 网关,用户可以快速地获取重要的在线研究资料。Springer Link 更提供多种远端存取方式,包括通过 IP 认证、Athens 或 Shibboleth 等认证方式。Springer 公司通过国际专线提供检索服务,校园网的用户检索、下载无须支付国际网络通信费。采用 IP 控制访问权限,不需要账号和口令。

2. 检索途径与方法　Springer Link 提供浏览和检索两种方式进行查阅。

(1) 书名/刊名浏览:在 Springer Link 的主页下方"Discover content"项下,有图书(Books)和期刊(Journals)两种浏览选项。如点击"Books",则以图书书名首字母顺序浏览,点击要浏览的书名(例:A 25-Year Perspective on Logic Programming),依次可以看到数据库收录该图书的作者、出版社及全文等信息,并可以下载(根据授权情况)。

(2) 快速搜索:是 Springer Link 默认的检索方式,直接在输入框中输入任意检索词或词组,也可以是逻辑运算符 AND、OR、NOT 组合的检索式,在全字段中进行检索。

3. 检索结果与处理　在检索结果页面中,系统会默认显示记录的文献类型(包括期刊论文、丛书、图书章节、指南、参考工具书)、标题、摘要、作者、出处、下载或浏览等内容。在结果记录的上方,可选择排序方式,除了系统默认按相关度排序外,还可选择按时间顺序由新到旧排序和由旧到新进行排序。可以通过"Date published"确定出版年限,通过"Page"进行页码跳转,在页码右上方,点击箭头可以下载 CSV 格式文件。有全文的文章可以点击 PDF 图标,利用 PDF 浏览器可以实现对文章的浏览、保存、打印等(图 2-12)。

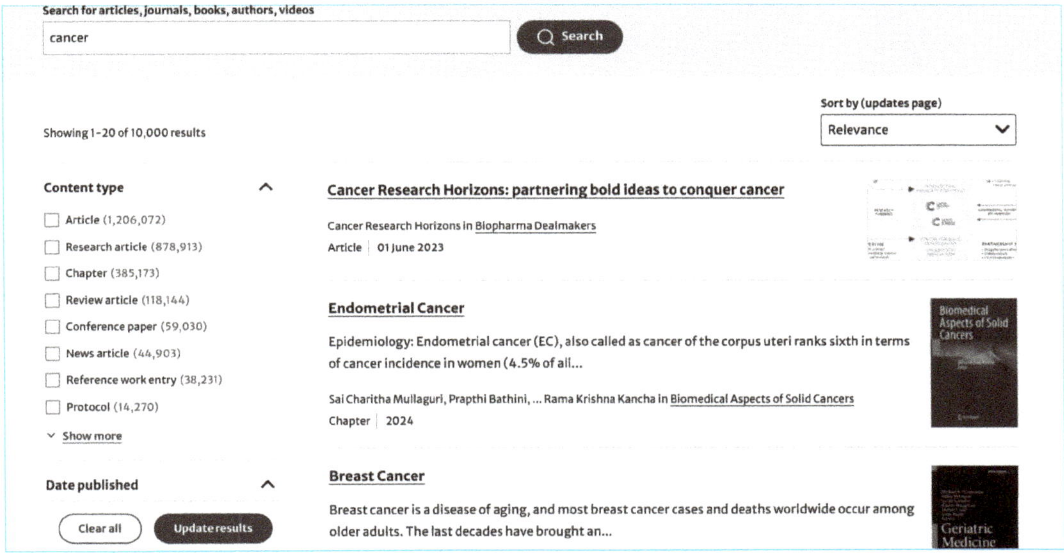

图 2-12　Springer Link 检索结果界面

网址:https://link.springer.com/

四、其他方法

（一）出版社网站

图书出版社网站是获取图书的一种重要途径。一般图书出版社网站设有网上购书和书籍下载功能。其中的书籍下载功能，允许访问者浏览或下载该社出版的主要书籍的目录及节选的部分内容，或正在组织编写的书籍的提纲，是获取书籍信息的有用工具。中医药图书获取的主要出版社有：人民卫生出版社（https://www.pmph.com/）、中国中医药出版社（https://www.cptcm.com/）、中国医药科技出版社（http://www.cmstp.com/）、中医古籍出版社（http://www.zhongyiguji.com.cn/）、科学出版社（http://www.sciencep.com/）、北京大学医学出版社（https://www.pumpress.com.cn/）、中国协和医科大学出版社（http://www.pumcp.com/）等。

（二）网络图书获取

网络图书检索包括各种网上书店、图书搜索引擎、网络图书检索平台以及图书进出口公司网站等。网络图书与电子图书都可以通过网络传输与阅读，不同之处在于，电子图书可以镜像或保留在本地，而网络图书的资源是保存在异地或网络上的。

各种网上书店，如“当当网”“京东网”“卓越网”“蔚蓝网”“亚马逊”等，能提供图书书目信息的检索，提供的图书信息紧跟出版速度，图书较新颖，并提供方便的购书途径，大多数具有实时交互评价、热门图书推荐等功能。通过对网上书店数据与用户行为分析，并经过数据挖掘，能掌握用户阅读倾向，提高图书的销售。

[检索实例]

检索《本草纲目》版本流传以及相关古今图书。

参考答案：

1.《本草纲目》版本流传　选用《中国中医古籍总目》，通过目录 6.2 综合本草查找，或者通过书后“书名音序索引”或者“书名笔画索引”查找。

结果：题录号为 02511，一共有“明万历二十一年癸巳（1593）金陵胡承龙刻本、明万历三十一年癸卯（1603）夏良心张鼎思江西刻本、明万历三十四年丙午（1606）晋江杨道会刻本……”等 82 个版本，后附各版本馆藏情况。

2.《本草纲目》相关古今图书　可通过本地馆藏 OPAC 系统、超星电子图书数据库、读秀学术搜索、网上书店等平台检索。

本书配套数字教学资源

第三章 中医药期刊论文检索

导学

期刊论文是中医药文献的主体，是文献检索的主要对象。中文文献检索常用中国知网、万方数据知识服务平台和中国生物医学文献服务系统，外文文献检索常用 PubMed 数据库、Web of Science 核心合集及 ScienceDirect 数据库。本章重点介绍中医药期刊论文常用数据库的资源概况、检索功能与方法及检索结果与处理。

学习目标

掌握中国知网、万方数据知识服务平台、PubMed 数据库的检索功能与方法及检索结果与处理。

熟悉中国生物医学文献服务系统、维普中文期刊服务平台、Web of Science 核心合集资源概况和检索方法。

了解中华医学期刊全文数据库、ScienceDirect 数据库的资源概况。

课程思政

通过中外期刊论文数据库的学习，培养学生追踪学术前沿、提升信息素养、坚定科技报国之信念，培养学生自主学习能力、文献检索能力和科学创新精神。

第一节 中国知网

世界银行在《1998 年度世界发展报告》中提出了“国家知识基础设施(national knowledge infrastructure，NKI)”的概念，并指出 NKI 在知识经济、科技发展和国民教育中具有重要的战略意义。1999 年 3 月，中国知识基础设施工程(China national knowledge infrastructure，CNKI)正式启动。

一、概述

中国知网是中国核工业集团资本控股有限公司控股的同方股份有限公司旗下的学术平台，其建设目标是为全社会知识资源的高效共享提供了丰富的知识信息资源，有效的知识传播与数字化学习平台，对促进教育、科技、文化、出版等事业和文化创意产业发展提供了大有作为的信息网络空间。

中国知网数据库资源种类丰富，主要有文献资源、知识元资源和引文资源三种，包括学术期刊库、学位论文库、会议论文库、中国重要报纸全文数据库、中国年鉴网络出版总库、专利库、标准数据总库、成果库、中国图书全文数据库(心可书馆)、中国学术辑刊全文数据库、中国法律知识资源总库、中国工具书网络出版总库(工具书总库)、中国引文数据库。其中,中文学术期刊库收录中文学术期刊 8 450 余种,含北大核心期刊 1 970 余种,网络首发期刊 2 950 余种,最早回溯至 1915 年,共计 6 270 余万篇全文文献;外文学术期刊包括来自 80 多个国家及地区 900 余家出版社的期刊 7.5 余万种,覆盖 JCR 期刊的 96%,Scopus 期刊的 80%,最早回溯至 19 世纪,共计 6 580 余万篇外文题录,可链接全文。

二、检索功能与方法

中国知网检索方法包括文献检索、知识元检索和引文检索。

(一) 文献检索

文献检索分为一框式检索、高级检索、专业检索、作者发文检索、句子检索和出版物检索。

1. 一框式检索　中国知网主页面的一框式检索,可根据不同检索需求采用不同的检索途径和匹配方式,实现智能检索,操作简便。

在平台首页选择检索范围,下拉选择检索途径,在检索框内输入检索词,执行检索。文本框中能输入一个检索词或一个简单的表达式,使用运算符 *(与)、+(或)、-(非)进行同一检索途径内多个检索词的组合运算时,运算符必须是英文半角,且前后要空一个字节。

注意:检索框内输入的内容不得超过 120 个字符,检索词本身含空格或 *、+、-、()、%、= 等特殊符号时,须将检索词用英文半角单引号或双引号引起来。检索框下方的数据库类型可根据需要进行选择。例如,检索肺癌铁死亡机制的相关文献,检索界面如图 3-1 所示。

图 3-1　中国知网首页界面

中国知网提供的检索途径有：主题、篇关摘、关键词、篇名、全文、作者、第一作者、通讯作者、作者单位、基金、摘要、小标题、参考文献、分类号、文献来源、DOI 号。各字段的具体描述详见表 3-1。

表 3-1 中国知网各检索字段的具体含义描述

检索字段类型	具 体 描 述
主题	在中国知网标引出来的主题字段中进行检索
篇关摘	在篇名、关键词、摘要范围内进行检索
关键词	检索的范围包括文献原文给出的中、英文关键词，以及对文献进行分析计算后机器标引出的关键词
篇名	在期刊、会议、学位论文、辑刊中，篇名为文章的中、英文标题；报纸文献的篇名包括引题、正标题、副标题；年鉴的篇名为条目题名；专利的篇名为专利名称；标准的篇名为中、英文标准名称；成果的篇名为成果名称；古籍的篇名为卷名
全文	文献的全部文字范围内进行检索，包括文献篇名、关键词、摘要、正文、参考文献等
作者	期刊、报纸、会议、学位论文、年鉴、辑刊的作者为文章中、英文作者；专利的作者为发明人；标准的作者为起草人或主要起草人；成果的作者为成果完成人；古籍的作者为整书著者
第一作者	只有一位作者时，该作者即为第一作者。有多位作者时，将排在第一个的作者认定为文献的第一责任人
通讯作者	通讯作者指课题的总负责人，也是文章和研究材料的联系人
作者单位	期刊、报纸、会议、辑刊的作者单位为原文给出的作者所在机构的名称。学位论文的作者单位包括作者的学位授予单位及原文给出的作者任职单位。年鉴的作者单位包括条目作者单位和主编单位。专利的作者单位为专利申请机构。标准的作者单位为标准发布单位。成果的作者单位为成果第一完成单位
基金	根据基金名称，可检索受到此基金资助的文献。支持基金检索的资源类型包括：期刊、会议、学位论文、辑刊
摘要	期刊、会议、学位论文、专利、辑刊的摘要为原文的中、英文摘要，原文未明确给出摘要的，提取正文内容的一部分作为摘要；标准的摘要为标准范围；成果的摘要为成果简介
小标题	期刊、报纸、会议的小标题为原文的各级标题名称；学位论文的小标题为原文的中英文目录；中文图书的小标题为原书的目录
参考文献	检索参考文献中含检索词的文献。支持参考文献检索的资源类型包括：期刊、会议、学位论文、年鉴、辑刊
分类号	通过分类号检索，可以查找到同一类别的所有文献；期刊、报纸、会议、学位论文、年鉴、标准、成果、辑刊的分类号指中图分类号；专利的分类号指专利分类号
文献来源	指文献出处。期刊、辑刊、报纸、会议、年鉴的文献来源为文献所在的刊物；学位论文的文献来源为相应的学位授予单位；专利的文献来源为专利权利人/申请人；标准的文献来源为发布单位；成果的文献来源为成果评价单位
DOI 号	输入 DOI 号检索期刊、学位论文、会议、报纸、年鉴、图书。国内的期刊、学位论文、会议、报纸、年鉴只支持检索在中国知网注册 DOI 的文献

2. 高级检索　在中国知网首页检索框右侧点击“高级检索”，进入高级检索页面。该页面另有专业检索、作者发文检索和句子检索选项。中国知网每种数据库的高级检索方式在检索字段的设置、检索条件的限定均有不同，但检索方法基本相同，均是提供多个检索项的逻辑组合检索，通过选择精确或模糊的匹配方式、检索条件限定等完成较复杂的检索，得到符合需求的检索结果。现以中国学术期刊网络出版总库为例介绍检索方法。

选择“学术期刊”“中文”数据库，选择欲限定的检索途径，在对应的检索框中输入检索词或表达式，选择精确或模糊的匹配方式及检索项之间的逻辑关系，再根据需要进行时间范围、来源类别、文献分类等条件的限定，执行检索。

注意：多检索项组合检索的运算优先级，按从上到下的顺序依次进行。点击检索框后的“－”“＋”按钮可添加或删除检索项，最多支持 10 个检索项的组合检索。例如，检索“针刺治疗哮喘”的期刊论文，检索界面如图 3－2。

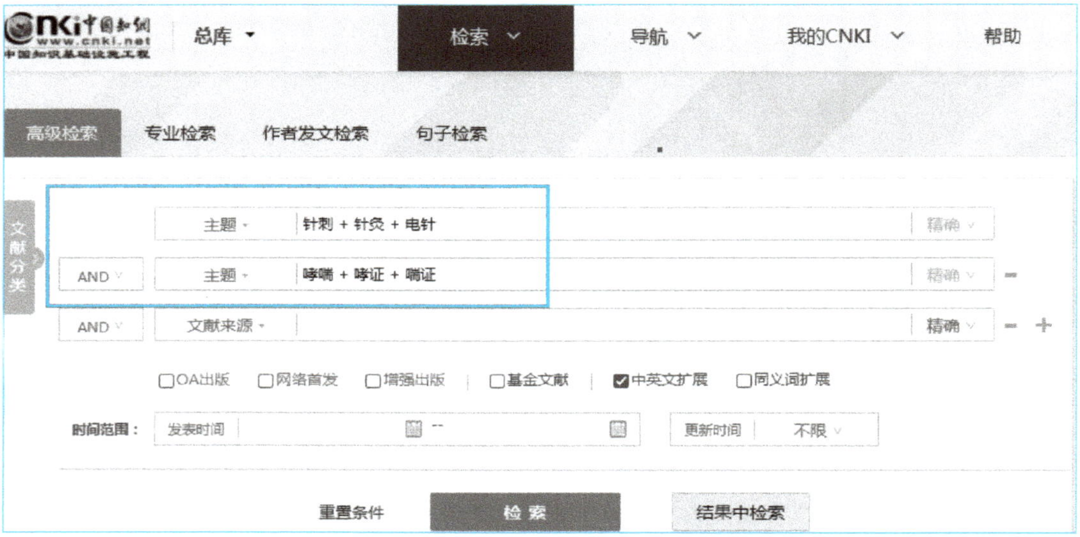

图 3－2　高级检索界面

3. 专业检索　专业检索仅提供一个检索表达式输入文本框，检索时按照中国知网规定的检索表达式语法构成输入检索表达式执行检索。

检索系统使用英文大写字母作字段标识符，如 SU＝主题、TKA＝篇关摘、TI＝题名、KY＝关键词、AB＝摘要、FT＝全文、AU＝作者等；检索系统使用 AND(＊)OR(＋)、NOT(－)作为逻辑运算符，如 SU%＝偏头痛 AND SU%＝针灸，或 SU%＝(偏头痛 ＊ 针灸)，表示在主题途径检索偏头痛针灸相关联的相关文献。

注意：在中国知网中逻辑运算符的运算优先级相同，如需改变逻辑运算顺序，可使用英文半角圆括号将条件括起。

例如，查找由国家自然科学基金资助的参苓白术散作用机制相关研究论文，检索界面如图 3－3 所示。

4. 作者发文检索　作者发文检索通过输入作者、第一作者、通讯作者等姓名及作者单位、第一单位等信息，精确或模糊检索某作者发表的文献。例如，检索天津中医药大学张伯礼院士发表的论文，检索界面如图 3－4 所示。

图 3-3　专业检索界面

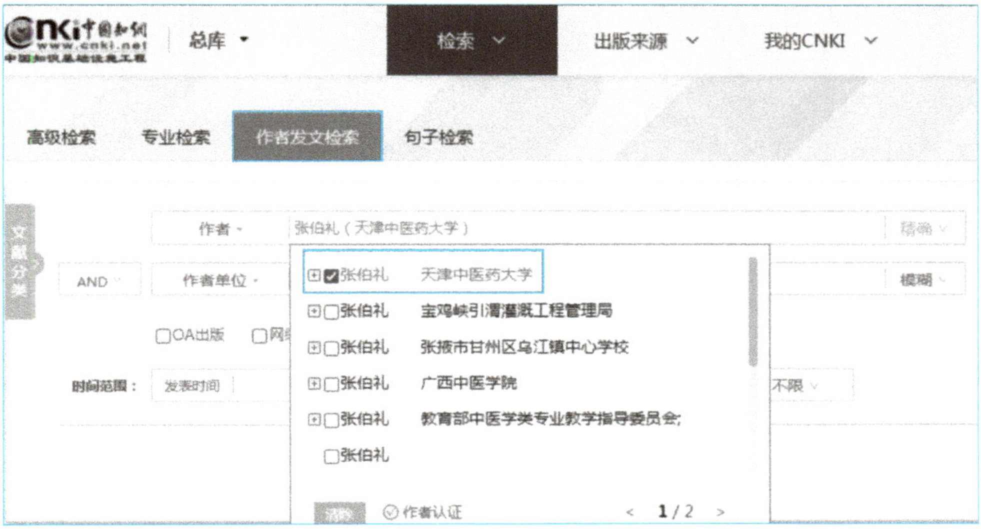

图 3-4　作者发文检索界面

5. 句子检索　句子检索是通过输入的两个检索词，在全文内查找同时包含着两个词的句子或段落，目的是找到有关事实的问题答案，如图 3-5 所示。

6. 出版物检索　出版物检索可提供出版物导航、期刊导航、学术辑刊导航、会议导航、工具书导航等，每种导航提供的检索途径和分类均不相同。例如，检索学术期刊《中草药》，检索界面如图 3-6 所示。

（二）知识元检索

知识元是知识的最小单位，即不可再分割的具有完备知识表达的知识单位，它能表达一个完整的事实、原理、方法、技巧等。知识元检索，就是对单个完整的知识元进行检索。点击中国知网首页"文献检索"下方的"知识元检索"按钮，勾选欲检索的数据库，输入检索词，点击"检索键"即可进行知识元检索，知识元检索可检索知识问答、百科、辞典、手册、工具书、图片、统计数据、指数。知识元检索文本框只能输入一个检索词，每次只能勾选一个知识元数据库。

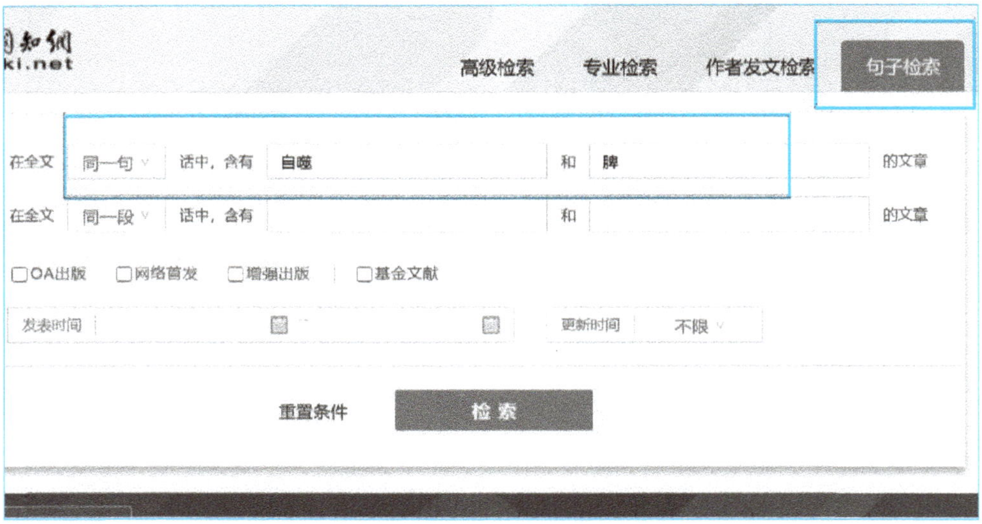

图 3-5　句子检索界面

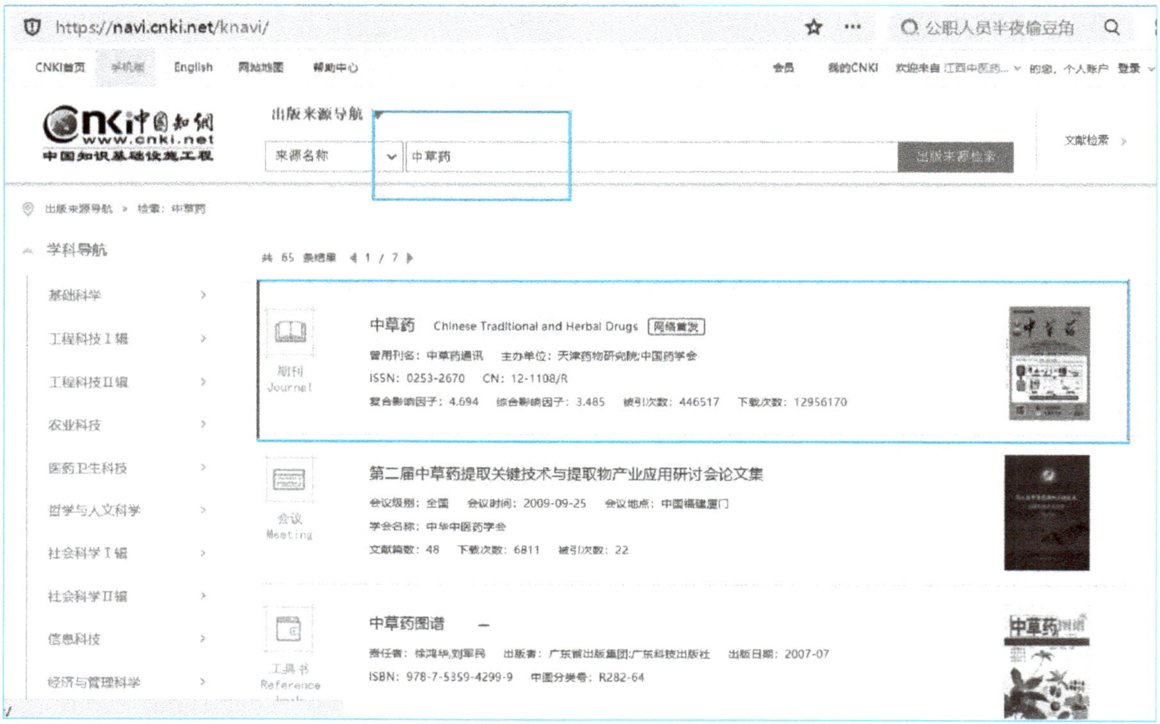

图 3-6　出版物检索界面

（三）引文检索

引文检索是指对文章的参考文献进行的检索，是从学术论文中引证关系入手进行检索的一种方法，可作为一种有效的科研管理及统计分析工具。引文检索意义在于查找相关研究主题的早期和近期学术文献，迅速掌握相关研究的历史、发展和动态，并分析文献的学术影响力等。中国知网中选择引文检索，可检索出论文被引用情况，同时通过平台的来源文献检索、被引文献检索、数据分析器等进行更精确的限定检索。

三、检索结果与处理

中国知网用户可根据检索需求对结果进行显示、文文下载/批量下载、导出文献格式或可视化分析。

1. 显示　中国知网收录的文献有题录、摘要、全文三种层次。题录可以成批输出，摘要和全文只能单篇输出。检索结果默认以题录格式显示，具有分组浏览和排序功能。分组浏览可以按照主题、学科、发表年度、基金、研究层次、作者、机构等分别浏览相关文献。排序功能可以按照主题、发表时间、被引频次、下载频次进行文献排序。

2. 全文下载/批量下载　在显示题录格式时，可以勾选或者全选需要导出保存的文献，保存至本地文件。系统提供多种保存格式，一个题录文件中最多允许保存 500 条题录。中国知网中提供 CAJ 和 PDF 两种全文格式。

3. 导出文献　中国知网提供多种参考文献格式，我国学术期刊大多规定使用第 1 种，即 GB/T 7714－2015 格式引文，可实现参考文献的便捷引用。

4. 可视化分析功能　知网可视化功能是基于文献的元数据及参考引证关系，用图表的形式直观展示文献的数量与关系特征。在结果中选择需要分析的题录，可呈现相关文献总体趋势、关系网络、文献分布等分析内容，如图 3－7、图 3－8、图 3－9 所示。

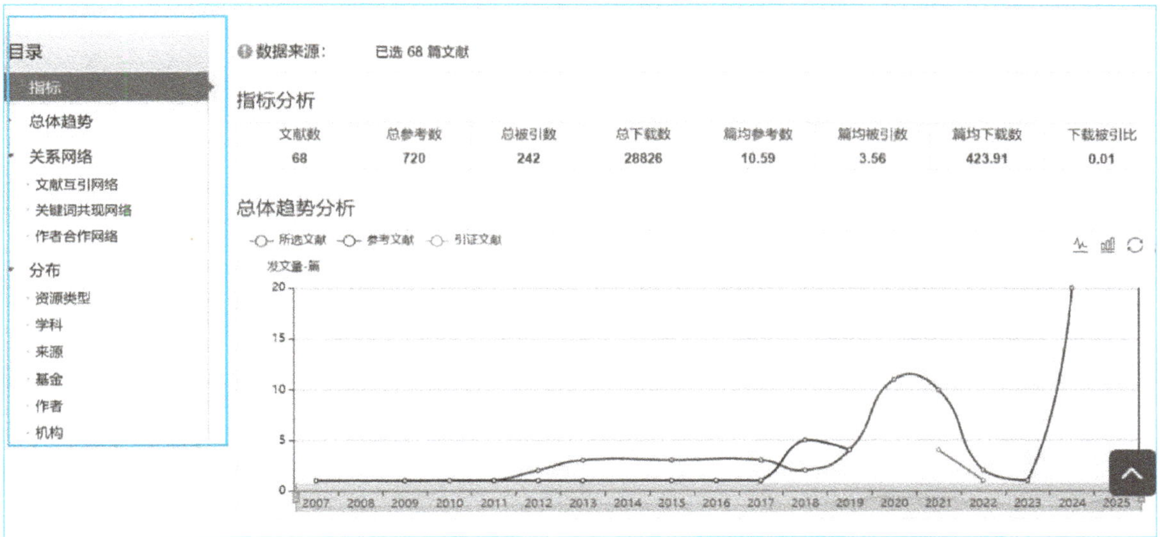

图 3－7　可视化分析显示界面

网址：https://www.cnki.net

［检索实例］

采用中国知网查找 2020 年至今，我国有关中医药治疗肾病综合征的中文期刊文献，写出检索策略。

参考答案：

1. 分析检索需求

(1) 检索范围：时间限定为 2020 年至今，分类应归属于中医学和中药学。

(2) 文献类型：中文学术期刊。

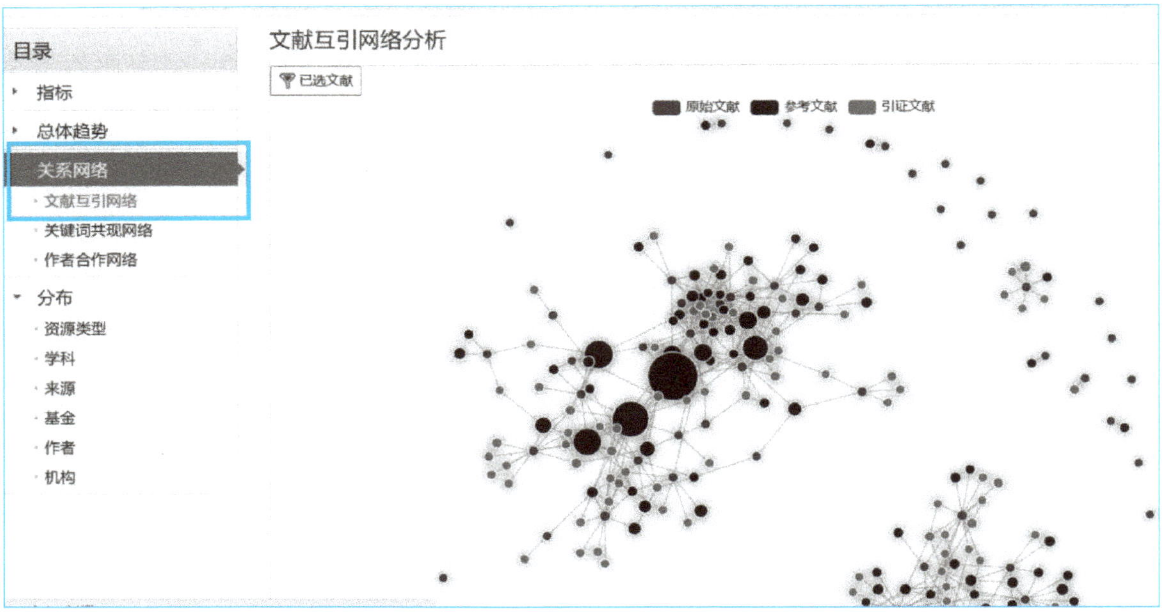

图 3-8　文献互引网络分析页面

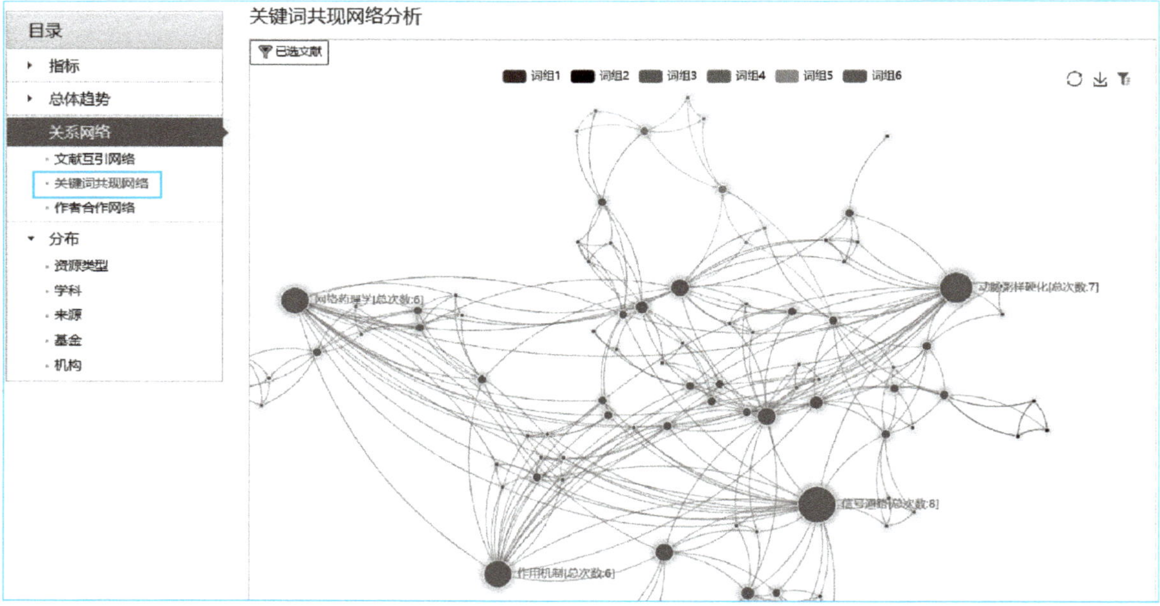

3-9　关键词共现网络分析页面

(3) 检索目的：本题主要目的是背景调研或资料收集，往往要求检索若干年的文献，检索时以查全率为首要考虑因素。肾病综合征在中医上被称为“水肿病”，因此为保证查全率，应同时将“肾病综合征”和“水肿”作为关键字段。

2. 选择检索系统　根据题目要求，使用中国知网数据库。

3. 设置检索条件　点击“高级检索”，选择“学术论文”“中文”；在检索框中，分别输入检索词“肾病综合征”“水肿病”，检索途径选“篇关摘”，选模糊匹配，逻辑组配选择“OR”；限定时间为 2020 年至今；文献分类勾选中医学和中药学，检索结果：266 篇期刊论文，检索界面如图 3-10 所示。

图 3-10　检索实例界面

4. 调整检索策略　根据实际的检索结果，进行检索词、检索途径及布尔逻辑运算符等的调整。

第二节　万方数据知识服务平台

万方数据知识服务平台由万方数据股份有限公司开发，为“九五”国家科技攻关计划重点项目，1997 年 8 月面向社会开放。该平台涵盖期刊、会议、成果、专利、学位论文等各类型文献。

一、概述

万方数据知识服务平台内容涉及自然科学、工程技术、医药卫生、农业科学、哲学政法、社会科学、科教文艺等全学科领域，收录范围包括期刊、学位、会议、专利、科技成果、科技报告、标准、法律法规、地方志、视频等 10 余种知识资源类型。提供与资源类型相对应的中国学术期刊数据库、中国学位论文全文数据库、中国学术会议文献数据库、中外科技报告数据库、中外专利数据库、中外标准数据库、中国科技成果数据库、中国法律法规数据库、中国地方志数据库、万方视频、行业知识服务平台、民俗文化主题库、家风家训专题库的 13 个数据库。其中，中国地方志知识服务系统、万方视频、民俗文化专题库、家风家训专题库为特色资源库。

中国学术期刊数据库（COJ），收录始于 1998 年，包含 8 000 余种期刊，其中有北京大学、中国科学技术信息研究所、中国科学院文献情报中心、南京大学、中国社会科学院历年收录的核心期刊 3 300 余种，年增 300 万篇，每日更新，涵盖自然科学、工程技术、医药卫生、农业科学、哲学政法、社会科学、科教文艺等各个学科。

二、检索功能与方法

万方数据知识服务平台提供简单检索、高级检索、专业检索和作者发文检索等四种检索方式，并支持跨库检索。

（一）简单检索

简单检索是万方数据知识服务平台的默认检索方式。在检索框输入检索词或表达式执行检索，如图 3-11 所示。

图 3-11　简单检索界面

（二）高级检索

高级检索时按需选择文献类型及题名、作者、关键词等检索途径，输入检索词，限定文献发表时间，执行检索。检索操作严格按照由上至下的顺序，检索词之间可进行逻辑组配。例如，检索参苓白术散的作用机制相关论文，检索界面如图 3-12 所示。

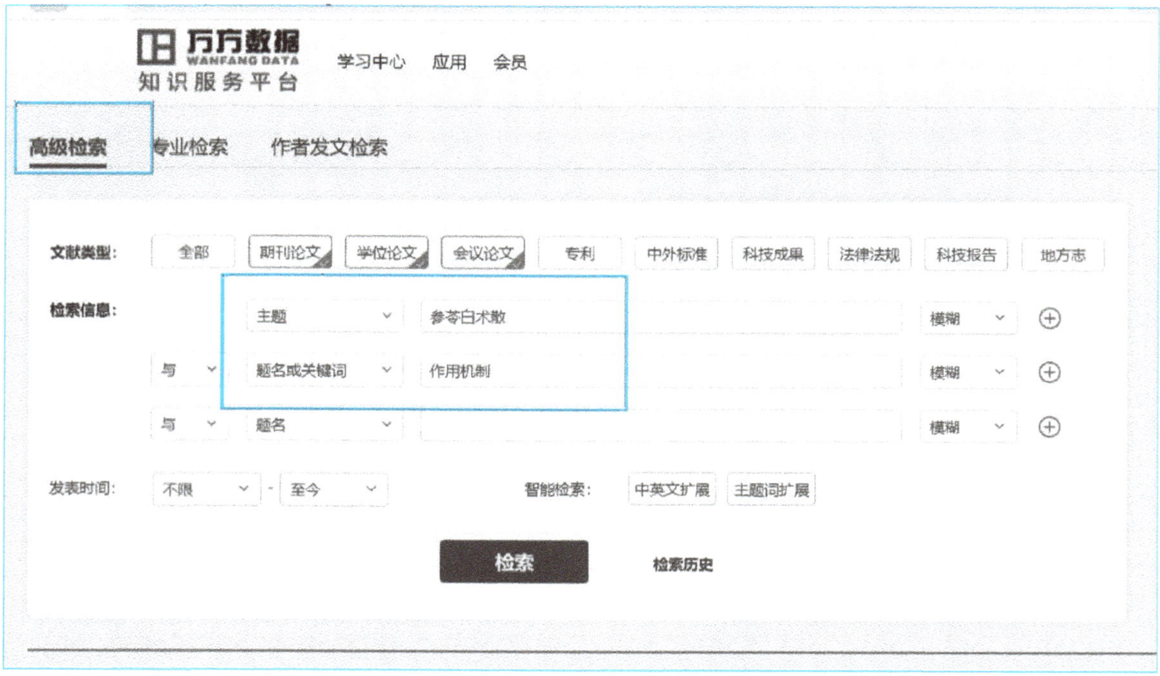

图 3-12　高级检索界面

（三）专业检索

专业检索需根据数据库的检索规则构建检索式实施检索。含有空格或其他特殊字符的单个检索词需用英文半角引号括起，多个检索词之间根据逻辑关系使用“AND”“OR”或“NOT”连接。例如，检索参苓白术散的作用机制相关论文，检索界面如图 3-13 所示。

图 3-13 专业检索界面

（四）作者发文检索

作者发文检索与高级检索相同，自上而下选择文献类型、作者、第一作者、作者单位等检索字段，输入作者和作者单位等相应检索词，限定文献发表时间实施检索。

三、检索结果与处理

检索结果显示页面包括结果中检索、结果排序、下载/引用/阅读等部分，如图 3-14 所示。

网址：https://g.wanfangdata.com.cn

[检索实例]

利用万方数据知识服务平台查找 2023—2024 年针灸治疗胃痛的中文期刊文献，写出检索策略。

参考答案：

1. 分析检索需求

(1) 检索范围：时间为 2023—2024 年，分类应归属于医药卫生。

(2) 文献类型：中文学术期刊。

(3) 检索目的：本题主要目的是背景调研或资料收集，往往要求检索若干年的文献，检索时以查全率

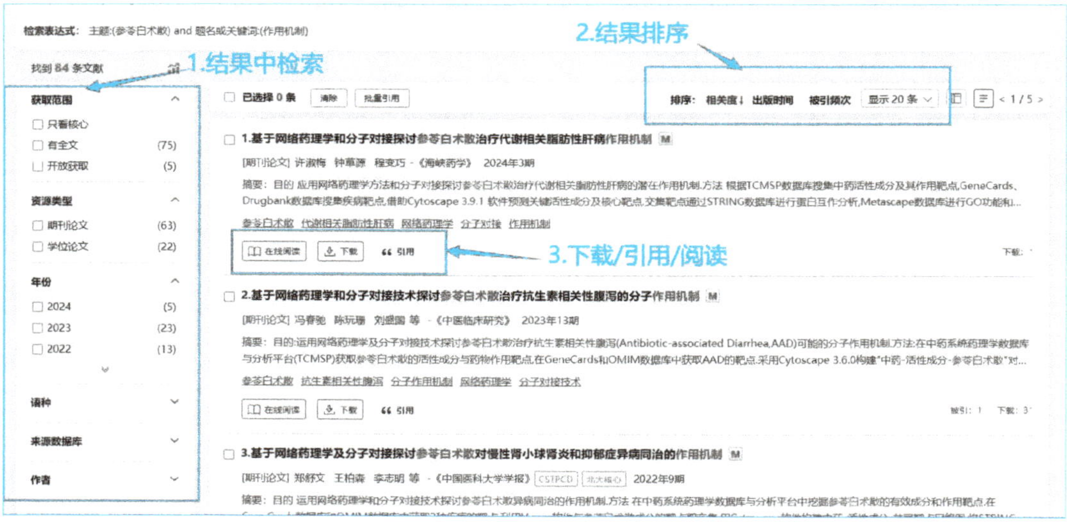

图 3-14　检索结果显示界面

为首要考虑因素。“胃痛”又有“胃脘痛”“心下痛”等表述方式，因此为保证查全率，应同时将“胃痛”“胃脘痛”“心下痛”作为检索词；“针灸”又有“针刺”的表述方式。

2. 选择检索系统　根据题目要求，使用万方数据知识服务平台。

3. 设置检索条件

(1) 确定检索词：胃痛、胃脘痛、心下痛、针灸、针刺。

(2) 确定检索途径：题名或关键词。

(3) 构造检索表达式：(胃痛 OR 胃脘痛 OR 心下痛)AND(针灸 OR 针刺)。

(4) 限定时间为 2023—2024 年。

检索结果如图 3-15 所示。

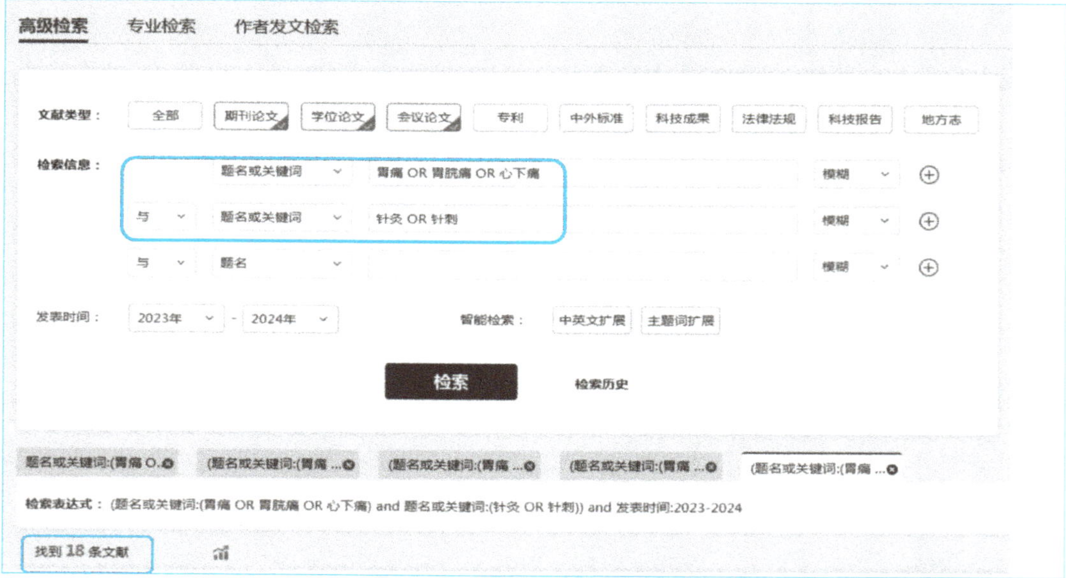

图 3-15　检索实例显示页面

4. 调整检索策略　根据实际的检索结果，可进行检索词、检索途径及布尔逻辑运算符等的调整。

第三节　中国生物医学文献服务系统

中国生物医学文献服务系统(SinoMed)由中国医学科学院医学信息研究所开发研制，2008年首次上线服务。该平台涵盖生物医学领域的期刊、学位论文、科普文献等各类型文献。

一、概述

SinoMed整合了中国生物医学文献数据库(CBM)、中国生物医学引文数据库(CBMCI)、西文生物医学文献数据库(WBM)、北京协和医学院博硕学位论文库(PVMCD)、中国医学科普文献数据库(CPM)等多种资源，集文献检索、引文检索、开放获取、原文传递及个性化服务于一体，是能全面、快速反映国内外生物医学领域研究新进展的中外文整合文献服务系统。涵盖资源丰富，专业性强，更新及时。

中国生物医学文献数据库(CBM)收录1978年至今国内出版的生物医学学术期刊2 900余种，文献题录总量1 080余万篇。全部题录均进行主题标引、分类标引，同时对作者、作者机构、发表期刊、所涉基金等进行规范化加工处理；2019年起，新增标识2015年以来发表文献的通讯作者，全面整合中文DOI链接信息，以更好地支持文献发现与全文在线获取。

二、检索功能与方法

SinoMed依据检索资源不同，分为多资源的跨库检索和仅在某一资源(中文文献、西文文献、博硕论文或科普文献)的单库检索，均支持快速检索、高级检索、主题检索和分类检索。同时，将智能检索、精确检索、限定检索、过滤筛选等功能嵌入各检索功能中。

(一) 跨库检索

跨库检索是同时在SinoMed平台集成的所有资源库进行检索的一种方式。首页的检索输入框即是跨库快速检索框，其右侧是跨库检索的高级检索。

(二) 快速检索

快速检索是默认在常用字段内执行智能检索的检索方式，支持逻辑组配和通配符检索。检索词之间使用逻辑运算符“AND”“OR”和“NOT”连接，多个检索词之间的空格执行“AND”运算，如艾滋病 AND 中药。支持单字通配符(?)和任意通配符(%)检索，通配符的位置可以置首、置中或置尾。如胃？癌、六味地黄?、%四物汤。当需要将多个英文单词作为一个检索词时，或者检索词含有特殊符号“-”、“(”时，需要用英文半角双引号标识检索词，如"hepatitis B virus""1,25-(OH)2D3"。

智能检索是基于词表系统，将输入的检索词转换成表达同一概念的一组词的检索方式，即自动实现检索词及其同义词(含主题词、下位主题词)的同步检索，是基于自然语言的主题概念检索。如输入“艾滋病”，系统自动检出含“艾滋病”和“获得性免疫综合征”等同一概念不同表达的所有文献，如图3-16所示。

注意：CBM中常用字段由最能体现文献内容的中文标题、关键词、主题词、摘要四部分组成。

(三) 高级检索

高级检索支持多个检索入口、多个检索词之间的逻辑组配检索，也可直接在检索框中输入检索式进行检索，如图3-17所示。

图 3-16　快速检索

图 3-17　高级检索界面

高级检索支持智能检索(方法与快速检索一致)、精确检索及限定检索。不同的检索字段后显示不同的检索方式。

1. 精确检索 是检索结果与检索词完全匹配的一种检索,适用于特征词、作者、分类号、刊名、期、ISSN 等字段。如在"作者"字段输入"李时",勾选"精确"后进行检索,则检出作者字段中仅含"李时"的所有文献。若不勾选"精确",则检出在作者字段中含"李时珍""李时仁"等的所有文献。

2. 限定检索 是对检索需求进行直接限定的检索,可以在检索前限定,又称"先限定",或者对已有检索式做限定,又称"后限定",这时只需点击检索输入框中的检索式即可执行。限定检索可以对文献的年代、文献类型、年龄组、性别、研究对象等特征进行限定。一旦设置了限定条件,除非用户取消,否则在该用户的检索过程中,限定条件一直有效。

注意:① 输入框中只支持同时输入 AND、OR、NOT 或空格中的一种逻辑运算符;② CBM 中核心字段由最能体现文献内容的中文标题、关键词、主题词三部分组成,与"常用字段"相比,剔除了"摘要"项。

(四) 主题检索

主题检索是基于主题概念检索文献,根据 MeSH 和《中国中医药学主题词表》进行主题标引,采取规范化的主题词进行检索。

进入主题检索页面,在输入框中输入检索词后,查找对应的中文主题词。通过选择合适的副主题词、设置是否加权(即加权检索)、是否扩展(即扩展检索),来实现对当前主题词与副主题词的组配检索。亦可通过"主题导航",浏览主题词树查找需要的主题词,如图 3-18 所示。

图 3-18 主题检索

副主题词用于对主题词的某一特定方面加以限制,强调主题词概念的某些专指方面。CBM 现有 95 个副主题词(其中 MeSH 副主题词 83 个,中医药学副主题词 12 个。)

注意：加权是反映主题词对文献重要内容表征作用的一种手段。一般来说，加权主题词与文献核心内容的关联性相较于非加权主题词而言，要更为紧密。因此，加权检索是一种缩小检索范围、提高检准率的有效方法；扩展检索是对该主题词及其下位词进行检索，相对而言，是一种扩大范围的检索。

（五）分类检索

分类检索是按类查找相关文献的一种检索方式。CBM 根据《中国图书馆分类法・医学专业分类表》进行分类标引，可用类名、类号查找或分类导航定位具体类目从文献所属的学科角度进行检索。通过选择是否扩展，使检索结果更符合需求，如图 3－19 所示。

图 3－19　分类检索

（六）引文检索

引文检索是从被引文献题名、主题、作者/第一作者、出处、机构/第一机构、资助基金等途径查找引文，可了解感兴趣的科研成果等在生物医学领域的引用情况，如图 3－20 所示。

注意：针对被引文献作者、机构、出处、资助基金检索项增加智能提示功能。同时，支持发表年代、施引年代的限定检索，亦支持对检索结果从发表时间、期刊、作者、机构、期刊类型维度做进一步筛选。

（七）检索历史

SinoMed 能将已经完成的检索表达式储存在检索历史中，最多能保存 200 条检索表达式，并可实现一个或多个历史检索表达式的逻辑组配检索。检索策略可以保存到“我的空间”和邮箱订阅，如图 3－21 所示。

（八）期刊检索

期刊检索支持刊名、出版地、出版单位、期刊主题词或者 ISSN 号查找期刊刊物；也可通过

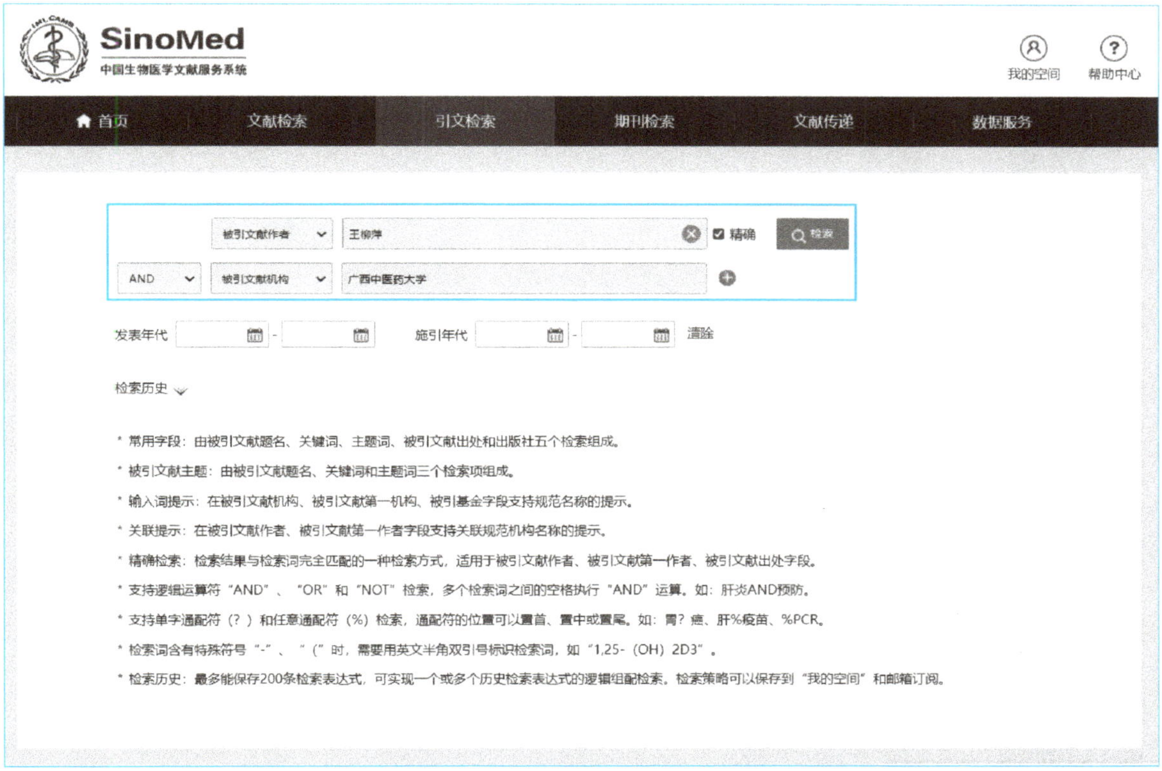

图 3-20　引文检索

图 3-21　历史检索

“期刊分类导航”或“首字母导航”逐级查找浏览期刊刊物，如图 3－22 所示；支持对中文学术期刊、科普期刊及西文学术期刊进行一站式整合检索，进入具体刊物可直接查看该刊某年、卷期发表的文献。

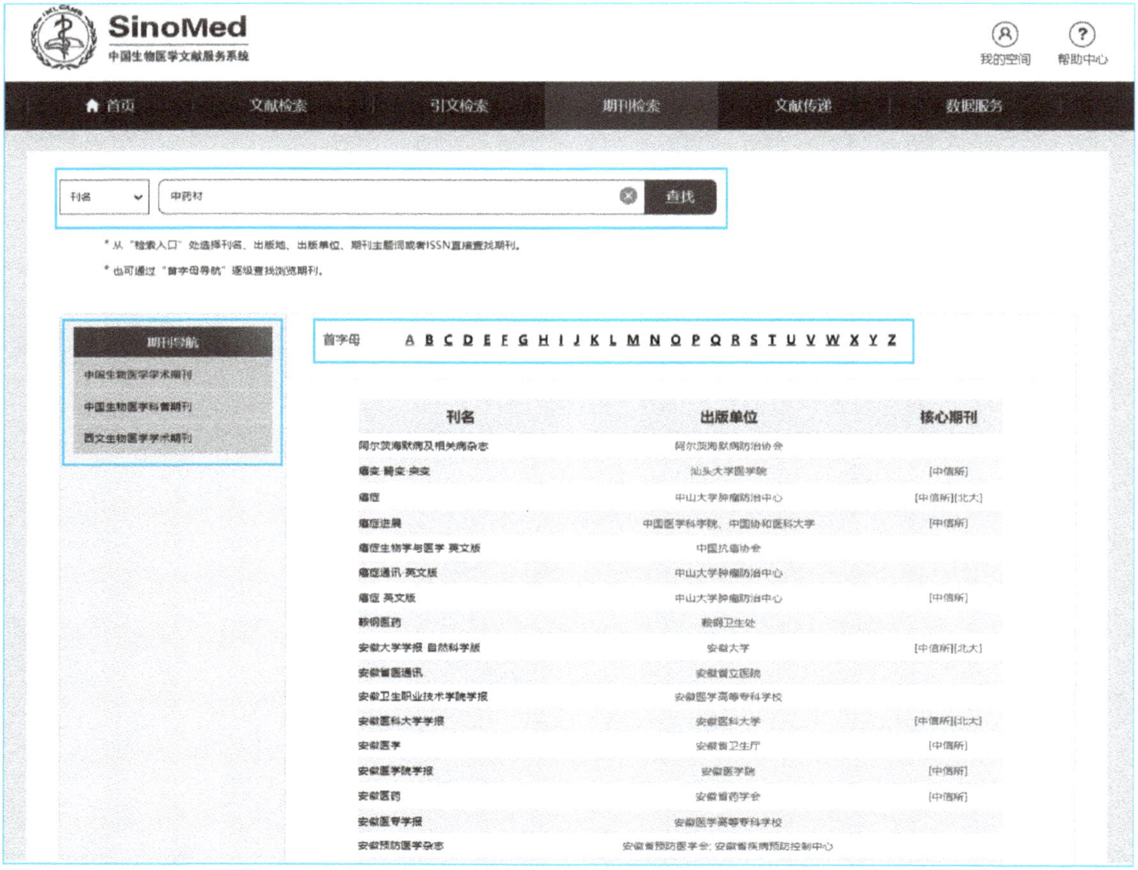

图 3－22　期刊检索

注意：“在本刊中检索”输入框中输入文字，即在该刊限定卷期内查找特定内容的文献。若勾选“含变更”，则指在该刊所有卷期及变更前后的所有刊中进行检索。

三、检索结果与处理

在检索结果概览页，可以设置检出文献的显示格式、每页显示条数、排序规则。无论检索结果是概览页还是细览页，对于有全文链接的文献，均在文献标题后或“原文链接”处显示全文链接图标，即 PDF 图标、DOI 链接图标或各数据库服务商图标。数据库还可实现结果聚类分析、结果筛选、检索结果输出等对检索结果进行处理的功能，如图 3－23 所示。

网址：http://www.sinomed.ac.cn

[检索实例]

利用 SinoMed 中跨库检索的高级检索“六味地黄丸治疗消渴”的研究文献，写出检索步骤，并实施检索。

图 3-23　检索结果与处理界面

参考答案：

1. 分析检索需求

（1）检索数据库：SinoMed 数据库。

（2）检索目的：以查全文献为目标，检索概念包括六味地黄丸和消渴。

2. 检索步骤

（1）进入 SinoMed 首页，选择功能区的“文献检索”的跨库检索，进入“跨库检索”的页面。

（2）选择高级检索进行检索。

（3）进入 CBM 高级检索页面，在构建表达式中的第一列检索途径中选择“核心字段”，默认智能，输入“六味地黄丸”，默认精确检索。

（4）在构建表达式中的第二列检索途径中选择“核心字段”，默认智能，输入“消渴 OR 糖尿病”。

（5）两个检索之间选择“AND”，点击“检索”按钮即可检索，如图 3-24 所示。

图 3-24　检索实例

第四节　其他中文数据库

除了常见的中文数据库，还有一些具有特殊性的中文数据库，如专注于期刊文献检索的维普中文期刊服务平台和主要收集医学相关文献的中华医学期刊全文数据库。

一、维普中文期刊服务平台

（一）概述

维普中文期刊服务平台（VIP），源于重庆维普资讯有限公司 1989 年创建的中文科技期刊篇名数据库，至今，累计收录期刊 15 000 余种，现刊 9 000 余种，文献总量 7 000 余万篇，可提供期刊文献检索、期刊评价报告、开放获取、出版服务等功能，现已成为中文学术期刊最重要的传播与服务平台之一。平台以《中国图书馆分类法》（第五版）为标准进行分类标引，涵盖医药卫生、农业科学、机械工程、自动化与计算机技术、化学工程、经济管理、政治法律、哲学宗教、文学艺术等 35 个学科大类、457 个学科小类，能够满足全学科、各领域用户的中文期刊需要。

（二）检索功能与方法

维普中文期刊服务平台提供了基本检索、二次检索、高级检索、检索式检索和期刊导航等丰富的期刊文献检索功能。

1. 基本检索　基本检索默认任意字段进行检索，也可通过选择主题、关键词、篇名、全文、作者、单位、摘要、被引文献、中国分类号及文献来源等检索途径，在检索框中输入所要查找的检索词，实现快速检索。

注意：维普的基本检索中不能使用布尔逻辑关系进行组合检索。

2. 二次检索　这是基于检索结果的再次检索，因此当需要基于上一次检索的结果进行检索条件补充时，可以利用检索结果页面左上方的二次检索进行条件再补充检索，如图3-25所示。

图3-25 二次检索界面

3. 高级检索 可实现基于布尔逻辑的多途径多条件组合检索，同时可以为题名、关键词、摘要、题名或关键词途径提供“同义词扩展”，为分类号途径提供“查看分类表”等辅助功能。

注意：高级检索的检索框中可支持“并且”（AND/and/ *）、“或者”（OR/or/＋）、“非”（NOT/not/—）三种简单逻辑运算；逻辑运算符AND、OR、NOT，前后须空一格；逻辑运算符优先级为：NOT＞AND＞OR，且可通过英文半角“( )”进一步明确检索过程的优先级。

4. 检索式检索 主要是通过逻辑运算符AND(逻辑“与”)、OR(逻辑“或”)、NOT(逻辑“非”)；字段标识符U＝任意字段、M＝题名或关键词、K＝关键词、A＝作者、C＝分类号、S＝机构、J＝刊名、F＝第一作者、T＝题名、R＝文摘及英文半角“( )”优先级等检索技术进行检索式的直接构建。

检索式的构建如下：M＝(消渴 OR 糖尿病) AND C＝ R2，即可实现题名或关键词中包括消渴或糖尿病的中医药领域的相关文献的调研，如图3-26所示。

5. 检索历史 检索历史是系统自动辅助存储检索的历史记录，起到记录历史检索痕迹的作用。

6. 期刊导航 这是针对此库中的刊物本身的检索设置，点击维普首页面左上方功能区的期刊导航即可进入。通过期刊列表或直接通过期刊导航首页面的“期刊检索”进行刊物的针对性检索，如图3-27所示。点击具体刊物可获取期刊的主办单位、出版周期、刊号、投稿经验等信息，同时在期刊列表中检索到期刊后可按年代、年度、期查询，即可看到最新一期，并提供了封面和目录PDF的下载。

注意：维普服务平台是唯一完整标引多版本核心期刊(北大核心；CSSCI；CSCD；)的中文期刊数据库平台。

图 3-26　检索式检索

图 3-27　期刊导航

（三）检索结果与处理

在检索结果概览页，可以设置检出文献的每页显示数量、显示方式、排序方式（相关度、被引量、时效性）。无论检索结果是概览页还是细览页，对于有全文链接的文献，均在文献题录后显示在线阅读图标或免费下载图标。数据库还可实现结果聚类分析、结果筛选、导出题录、引用分析、统计分析等对检索结果进行处理的功能，如图 3-28 所示。

图 3-28　检索结果与处理

网址：http://qikan.cqvip.com

［检索实例］

利用维普中文期刊服务平台检索中医领域对“老年痴呆”的相关研究文献，写出检索步骤，并实施检索。

参考答案：

1. 分析检索需求

(1) 检索数据库：维普数据库。

(2) 检索目的：以查全文献为目标，检索概念包括中医和老年痴呆。

2. 检索步骤

(1) 利用高级检索：在维普服务平台的首页面基本检索的输入框的右侧点击“高级检索”，进入高级检索页面；在第一列检索途径中选择“题名或关键词”，输入“老年痴呆”，点击“同义词扩张”，选择“阿尔茨海默氏病”“阿尔茨海默症”等表达添加至输入框；在第二列检索途径中选择“分类号”，点击“查询分类表”，点击“[R]医药、卫生”旁边的“+”，勾选“[R2]中国医学”；两个检索之间选择“AND”，点击“检索”按钮即可检索，检索界面如图 3-29。

(2) 利用检索式检索：在高级检索的页面中选择“检索式检索”进入检索式检索页面；在输入框中输入“M=(老年痴呆 OR 阿尔茨海默氏病 OR 阿尔茨海默症 OR 阿尔兹海默病) AND C= R2”；点击“检索”按钮即可检索，如图 3-30 所示。

二、中华医学期刊全文数据库

（一）概述

中华医学期刊全文数据库(Yiigle)由中华医学杂志社有限责任公司发行，汇聚中华医学会系列期刊 150 余种，另有 8 种优质期刊加盟平台，当前共有 168 种期刊可使用；包含内外妇儿

图 3-29　检索实例——高级检索

图 3-30　检索实例——检索式检索

等 20 余个领域，平台中的期刊有 21 种影响因子位列学科第一，有 64 种是北大核心，70 余种是 CSCD 核心，科技核心 110 余种；内容包括最新权威临床指南类文献、经过同行评议的经典和疑难病例文献、危急重症学文献、内外妇儿临床文献、临床药学文献等，其中指南、共识 5 000 余篇，临床病例 70 000 余篇。数据库是基于出版单位聚集期刊论文、基于医学专业特色提供检索服务的一类期刊全文数据库，可提供临床指南、医案病例等医学领域特色文献的检索，为医学科研工作者提供专业全面的资源服务，是医学科研工作重要的辅助工具。

（二）检索功能与方法

中华医学期刊全文数据库按检索主题内容的不同，可分为多主题内容的全库检索和仅在某一主题内容的(期刊刊物、指南、病例、图表或专家)相关文献的单主题内容的单库检索,并提供了多维度的检索方法,以满足用户不同的检索需求,包括简单检索、高级检索、精准检索、表达式检索、历史检索和期刊检索等多种方式。

1. 简单检索　可依据主题内容的不同选择全库检索或期刊刊物、指南、病例、图表或专家等单库进行针对性检索,并依据各库的特征输入相关信息进行检索便可。全库检索支持输入主题、文题、作者、作者单位、关键词进行文献检索;期刊刊物单库检索支持输入中英文期刊名称进行检索;指南单库检索支持输入主题、文题、制定者进行文献检索;病例单库检索支持输入文题、作者、疾病名称进行文献检索;图表单库检索支持输入主题、图题进行文献检索。

2. 高级检索　在首页或检索结果页中的选择“高级检索”进入。在“高级检索”页,可以选择限定的字段和布尔逻辑关系,形成多条件组合检索,布尔逻辑运算的顺序是按照从上到下的顺序执行,限定的字段包括主题、标题、关键词、第一作者、通信作者、第一/通信作者、所有作者、作者单位、刊名、基金、摘要或者所有字段。并可通过“模糊匹配”或“精准匹配”,对检索词是否切分进行管理。

在检索输入框的下面,可根据文献分类(文献类型、研究类型、研究方法)及出版日期,对检索条件进行限定。

3. 精准检索　这是专门为期刊论文的 DOI 号设定的检索入口,实现期刊论文的精准定位检索。在“高级检索”的功能图标旁边页的“精准检索”图标进入,检索框中输入 DOI 号进行检索。该检索要求输入完整的 DOI 号,否则无法返回文献的获取地址。

4. 检索式检索　检索表达式检索规则是通过运用运算符、检索字段和语法组合构建检索需求检索式,运算符支持 AND 或“&&”(逻辑“与”)、OR 或“||”(逻辑“或”)、“()”构成子查询;检索字段包括所有/ALL、主题/TM、标题/TI、关键词/KW、第一作者/FA、通信作者/CA、第一/通信作者/KA、所有作者/AA、作者单位/AF、刊名/JT、基金/FU、摘要/AB、出版日期/PD、DOI/DOI。筛选字段:文献类型/AT、研究类型/ST、研究方法/SM;检索语法“?”可实现单个任意字符的通配。在检索结果页(专业版)、高级检索页、历史检索页的右侧均可在“检索式检索”的图标进入。

注意:检索表达式的书写必须规范。

5. 历史检索　系统会自动存储 24 小时内检索过的记录,可以删除指定的检索历史,也可以将其保存到个人的检索中,通过“个人中心”的“我的检索”直接发起检索,并可将历史检索保存的检索式进行逻辑组合产生新的检索策略实现再检索。在检索结果页的“历史检索”图标进入到历史检索页。

6. 期刊检索　这是针对此库中的刊物本身的检索设置,可通过期刊列表或直接通过基本检索页面的“全库”旁边的“期刊”图标进入。期刊列表页查询期刊,可获取期刊的主办单位、出版周期、刊号、官网、投稿地址等信息,同时在期刊列表中检索到期刊后可按年代、年度、期查询,即可看到最新一期,并提供了封面和目录 PDF 的下载。

(三)检索结果与处理

检索结果页面,结果显示的展示格式有“简约”或“专业”,同时提供 HTML 全文链接和 PDF 格式全文下载,以及导出文章的题录信息或导出到其他的参考文献管理工具,如 NoteExpress、EndNote、RefWorks、NoteFirst 或医学文献网等。并从发表时间、期刊、作者、机构、期刊类型等维度对结果做进一步筛选,如图 3-31 所示。

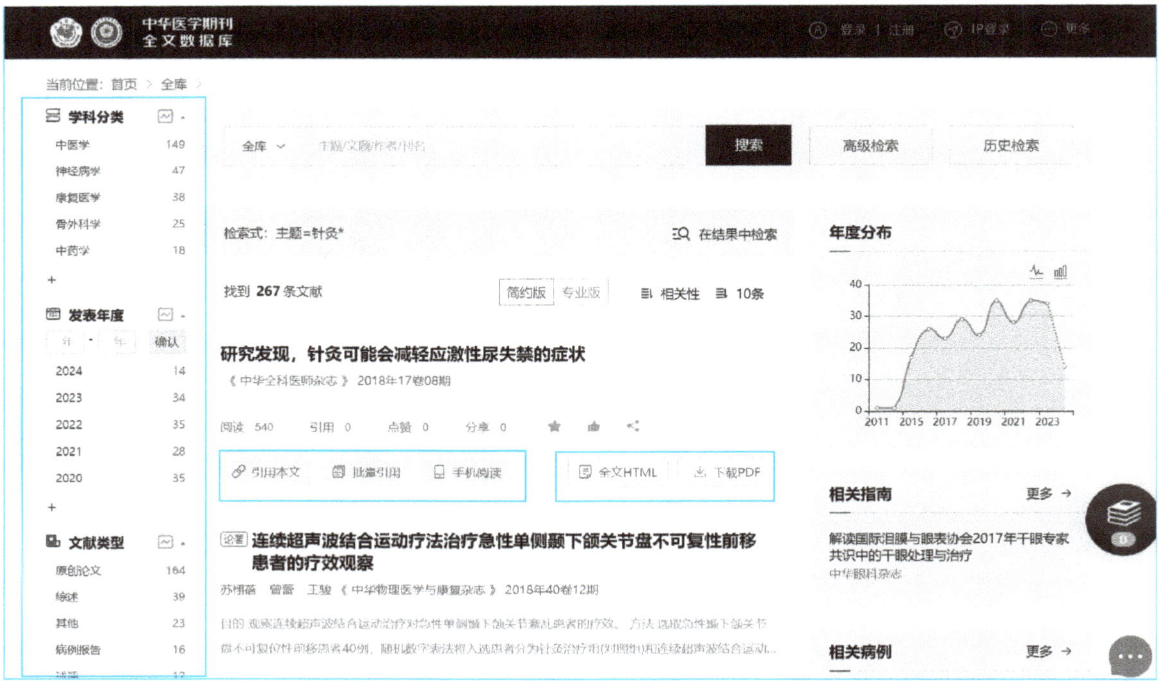

图 3-31　检索结果及处理

网址：https://www.yiigle.com/index

［检索实例］

利用中华医学期刊全文数据库查找有关“糖尿病”的指南类文献，写出检索步骤，并实施检索。

参考答案：

1. 分析检索需求

（1）检索数据库：中华医学期刊全文数据库。

（2）检索目的：以查全文献为目标，检索概念为“糖尿病”，文献类型为临床指南类文献。

2. 检索步骤

（1）基本检索：进入中华医学期刊全文数据库的首页面，在输入框上方选择“指南”，进入指南类文献的简单检索；输入框中输入“糖尿病”，点击“搜索”按钮即可检索。

（2）高级检索：进入中华医学期刊全文数据库的首页面，在输入框右侧中，选择“高级检索”，进入高级检索页面；在第一列检索途径中选择“主题”，在输入框中输入“糖尿病”；在检索输入框的下面，根据文献类型，勾选“指南”，执行检索。

第五节　PubMed

PubMed是检索生物医学外文文献包括中医药外文文献最常用的检索系统，主题词检索是其最主要的特色检索方法，同时，对检索词在系统后台采用多个索引词表进行自动匹配转换后再检索，使其具有一定的智能检索功能，并最大程度保证查全文献。

一、概况

PubMed是美国国立医学图书馆(National Library of Medline，NLM)下属国家生物技术信息中心(National Center for Biotechnology，NCBI)开发的生物医学文献检索系统，从1997年开始向全球用户开放免费使用。

1. 收录范围及更新 PubMed检索系统的文献记录主要收录来自MEDLINE数据库、生命科学期刊和在线图书。文献总量达到3 700多万篇，来自70多个国家58种语言的5 288种期刊。部分可直接获取全文，包括来自NLM开发的免费生物医学数字化全文期刊数据库PubMed Central(PMC，收录期刊969种)的原文，开放获取(Open Access，OA)期刊的原文，以及部分出版商提供的免费原文。文献更新速度快，每周5日更新数据。由于近年来许多期刊出版商通过电子期刊平台发布预出版的论文(记录标记为Online ahead of print)，因此PubMed收录的文献要早于最新出版的印刷型期刊。

2. 学科范围 收录文献涉及基础医学、临床医学、护理学、口腔医学、兽医学、营养卫生、药理和药剂学、预防医学、卫生管理、医疗保健和情报科学等领域，收录内容对应以下三种印刷型检索工具：医学索引(Index Medicus)、牙科文献索引(Index to Dental Literature)和国际护理索引(International Nursing Index)。

3. PubMed论文的PMID号和DOI号

(1) 论文的PMID号：每条PubMed收录的文献数据记录都有唯一的识别号，即PMID(PubMed Unique Identifier)号，用PMID号可快速检出该ID号唯一对应的一篇论文，方便快捷且不易出错。因此，使用PMID号检索论文在许多场景和外文检索系统中都有广泛应用，如在SCI数据库中可以用PMID号检索论文。

(2) 论文的DOI号：PubMed收录的论文大多数都有DOI号，但也存在少数论文没有DOI号的情况。与PMID号类似，PubMed论文的DOI号具有唯一性，使其在许多场景和外文检索系统中都有广泛应用。

二、检索功能与方法

(一) 主页简介

PubMed主页面分为检索区、主要功能区及辅助功能区三个部分。

1. 检索区 位于主页上方，在检索区可进行基本检索(即首页面检索)、进入高级检索(Advanced)，在检索框中输入检索词或检索式，点击“Search”按钮，可执行检索操作。

2. 主要功能区 包括Learn、Find、Download和Explore四部分。

(1) Learn：主要介绍如何使用PubMed，分为About PubMed、FAQs & User Guide、Finding Full Text三部分。其中，FAQs & User Guide介绍使用PubMed时的一些常见问题和注意事项，以及PubMed使用检索指南。

(2) Find：包括Advanced Search、Clinical Queries和Single Citation Matcher三部分。其中，Advanced Search是PubMed的高级检索。Clinical Queries可将检索范围限定为疾病与临床相关五个方面，即诊断、治疗、病因、预后和预防指南。Single Citation Matcher为单篇引文匹配检索工具，可以用不完整的信息为线索查特定文献。

(3) Download：包括E-utilities API、FTP、Batch Citation Matcher三部分。E-utilities API可实现自动化大批量从Entrez数据库下载数据，并提供几种常用的程序语言供用户选择，如

Perl、Python、Java 和 C++等。FTP 是一个 FTP 数据下载服务器，可实现 XML 格式的 PubMed 数据批量下载。Batch Citation Matcher 为批量引文匹配检索工具。

(4) Explore：包括 MeSH Database 和 Journals 两部分。MeSH Database 是具有检索功能的 MeSH，可实现主题词检索方式，即通过主题词组配副主题词来检索文献；通过 MeSH Database，可以从款目词引见到 MeSH，看到 MeSH 的定义和历史注释。进入主题词细节页面，可进行副主题词限定检索，可选择下位词或上位词检索，可对主题词进行加权检索(Restrict to MeSH Major Topic)，还可阻止下位词自动扩展检索(Do not include MeSH terms found below this term in the MeSH hierarchy)。Journals 供查询 PubMed 和 Entrez 其他数据库收录期刊的信息，是获取外文期刊相关信息的重要来源。

3. 辅助功能区　包括 Trending Articles、Latest Literature、Follow NCBI 和 Login 四部分。Trending Articles 显示 PubMed 近期关注高的热点论文；Latest Literature 展示近期高访问量期刊的新增文献；Follow NCBI 是 NCBI 在社交媒体 Twitter、facebook、LinkedIn、GitHub、Insights 上的主页；Login 是登录 NCBI 的个人账号人口，登录后可实现检索数据保存、个性化设置等。

（二）检索规则

1. 自动词语匹配(Automatic Term Mapping)　对检索词进行自动词语匹配是 PubMed 中最令人称道的功能。该功能可以实现检索词在系统后台进行自动匹配转换，最大程度查全文献但并不要求复杂的操作，避免检索词因为存在同义词或主题概念宽泛导致漏检文献。在基本检索页面输入检索词时，系统按顺序采用主题转换表(Subject translation table)、期刊名转换表(Journals translation table)、作者索引词表(Author index)、研究者/合作者索引词表(Investigator /Collaborator index)四个词表对检索词进行自动词语匹配。如想查看检索词的自动匹配转换情况，可在高级检索页面“History and Search Details”中的“Details”会详细显示系统执行自动匹配转换后，每个检索词的匹配转换情况。

(1) 主题转换：PubMed 首先将用户输入的检索词与主题转换词表的词汇对照匹配。主题转换词表中的词汇包括 MeSH、副主题词、款目词、一体化医学语言系统(UMLS)、化学物质名称表、英式和美式单词拼写表、单复数和同义词表、文献类型词表、药物学名和商品名词表等。如果检索词与该表中的词相匹配，则检索词作为 MeSH 和关键词同时进行检索，得到的检索结果为 MeSH 和关键词进行逻辑或运算后检出的文献。

主题词自动匹配转换对实际操作的意义在于：在基本检索页面输入检索词时，可以不用考虑检索词是否为主题词表述形式，当检索词不是主题词时，系统会自动匹配转换成主题词进行检索，以提高查全率。

例如，在基本检索页面输入检索词 vitamin h，PubMed 实际执行检索时将其转换为 "biotin" [MeSH Terms] OR "biotin" [All Fields] OR "vitamin h" [All Fields]进行检索。vitamin h 不是主题词，系统自动匹配转换其对应的主题词 biotin 进行检索，这就是为何在 Search details 中会出现 biotin 这个检索词的原因。

(2) 期刊名转换：期刊转换词表收录每种期刊的刊名全称、MEDLINE 刊名缩写和国际标准刊号 ISSN 三种不同表达形式，使用任何一种表达形式，系统将自动对应至刊名检索。

期刊自动匹配转换对实际检索操作的意义在于：在 PubMed 中执行期刊检索时，如检索词为期刊名称，系统会自动将其匹配转换成刊名进行检索，无需将检索字段选择为刊名字段或做其他设置，可以直接在基本检索页面输入刊名执行检索操作，与其他数据库相比要方便快捷。

例如，在基本检索页面输入 New England Journal of Medicine，将被转换成"n engl j med" [Journal] OR ("new" [All Fields] AND "england" [All Fields] AND "journal" [All Fields] AND "of" [All Fields] AND "medicine" [All Fields]) OR "new england journal of medicine" [All Fields]，其中包含了将检索词转换为期刊名执行检索。

(3) 著者转换：当输入的检索词在上述两个词表中均未找到匹配词，PubMed 就会到著者索引(Author index)中查找，将检索词转换为著者进行检索。

著者自动匹配转换对实际操作的意义在于：在 PubMed 中执行著者检索时，如检索词是著者名称，系统会自动将其匹配转换成著者进行检索，无需将检索字段更改为作者字段，可以直接在基本检索页面输入作者名称执行检索，与其他数据库相比更方便快捷。

(4) 研究者/合作者转换：当输入的检索词在上述三个词表中均未找到匹配词，PubMed 采用研究者/合作者(Investigator (Collaborator) index)索引词表对检索词进行匹配转换。

如果在上述四个表中都找不到匹配的短语，系统将短语拆分为单个单词，继续到这四个表中搜索，断开的每个单词之间的逻辑关系是 AND。如果拆分的单词在以上四个表中还是找不到匹配词，就将到所有字段中去搜索这些单词，单词之间的逻辑关系也是 AND。

例如，输入 single cell，将被转换为("single person" [MeSH Terms] OR ("single" [All Fields] AND "person" [All Fields]) OR "single person" [All Fields] OR "single" [All Fields] OR "singles" [All Fields]) AND ("cells" [MeSH Terms] OR "cells" [All Fields] OR "cell" [All Fields])执行检索。

2. 布尔逻辑运算符　支持检索词之间使用逻辑运算符 AND、OR、NOT 进行运算，运算符要求大写，三个运算符之间彼此无优先顺序，检索式运算顺序为从左至右，可使用圆括号来改变其运算顺序，如 common cold AND (vitamin c OR zinc)，圆括号中的检索式最先运算。

3. 截词检索　PubMed 允许使用"*"号作为通配符(也称替代符或截词符)进行截词检索。如键入"bacter*"，系统会找到那些前一部分是 bacter 的单词(如 bacterium, bacteriophage 等)，并对其分别进行检索。截词检索只限于单词，对词组无效。如"infection*"包括"infections"，但不包括"infection control"等。使用截词检索时，PubMed 系统会自动关闭词汇转换功能。

(三) 检索功能和方法

PubMed 提供基本检索、高级检索、限定检索、主题词检索、期刊信息检索、引文匹配检索、临床文献检索和主题相似文献检索等。

1. 基本检索　PubMed 的基本检索包括自动词语匹配检索、著者检索、期刊检索、短语检索、截词检索、字段限定检索等。

(1) 自动词语匹配检索：在检索框中输入有实际检索意义的检索词，如关键词、著者、刊名等，点击"Search"，系统会自动按照自动词语匹配的原理进行检索，并返回检索结果。输入检索词时，PubMed 有智能拼写检查及词语自动提示功能，帮助用户正确选词。

自动词语匹配检索是一种智能化的检索过程，其基本原理是：对输入的检索词，系统首先使用前述的四个转换词表进行搜索、比对，并自动转换为相应的 MeSH、作者或刊名进行检索，同时检索词在所有字段"[All Fields]"中检索，并将以上两种方式检出的文献进行"OR"布尔逻辑运算返回最终检索结果。如果输入多个检索词或短语词组，系统会将其拆分为单个单词执行匹配转换并检索，单词之间的布尔逻辑关系为"AND"。

例如，输入 lamivudine AND hepatitis B(运算符要用大写)，系统经“自动词语匹配”转换后采用的检索式是：

("lamivudine" [MeSH Terms] OR "lamivudine" [All Fields] OR "lamivudin" [All Fields]) AND ("hepatitis b" [MeSH Terms] OR "hepatitis b" [All Fields])

从以上检索式中可见，PubMed 具有智能化检索功能，常常是既用主题词检索，又用关键词检索补充，确保新近发表的论文因未标引主题词而漏检，因此可以获得较好的查全率，同时保证一定的查准率。

需要注意的是，自动词语匹配检索经常会出现检出文献的专指度不高，或检出的文献太多而实际相关的文献少，此时应调整检索策略，尝试用主题词检索、字段限定检索等，以提高查准率。一般来说，自动词匹配检索对初级用户较为适应，也适合对课题初步检索，可大致了解文献的多少及分布情况。尽管有较好的查全，但其查准率有时较低。对检索经验丰富，或对查全率、查准率有较高要求的检索课题，需要仔细分析课题，编制比较完备的检索策略，综合运用 PubMed 的各种检索途径，从而实现较好的查准率及查全率。

(2) 著者检索：著者检索的规则是：姓在前用全称，名在后用首字母，如 smith j，smith jr。用 smith j 查到的文献包含了用 smith jr 查到的文献。需要注意的是，姓相同，名字的首字母也相同的著者可能有很多，实际检索操作为提高查准率可用著者单位、主题等限定。

2002 年以后的文献，PubMed 可实现对姓名全称的检索。此外，也可通过著者字段限定检索实现更精确的著者检索。例如，输入 smith jr [1AU]可检索出第一作者为 smith jr 的所有文献。

(3) 期刊检索：期刊检索的检索词可以是刊名全称、刊名缩写(MEDLINE 标准缩写)及 ISSN 号等。如果期刊名正好与 MeSH 相同，如 Gene Therapy、Science、Cell，PubMed 将这些词当作 MeSH 检索，因为自动匹配转换时 MeSH 优先于期刊名表。若要求输入的词作为刊名检索，应在检索词后加上刊名字段标识符，如 gene therapy [ta]。

(4) 短语检索：这是将检索词加上双引号进行强制检索，这时 PubMed 关闭自动词语匹配功能，直接将该短语作为一个检索词进行检索，避免自动词语匹配时将短语拆分可能造成的误检，提高查准率。例如，输入加上双引号的“pressure point”，PubMed 直接在所有可检索字段中查找含有短语 pressure point 的文献。

(5) 截词检索：参见前文中的检索规则。

(6) 字段限定检索：可以在检索词后加字段标识符限定检索词在指定的字段内检索，检索形式为：检索词[字段标识符]，字段标识符必须用中括号括起来。例如，Chinese [la]，表示将 Chinese 指定在论文发表的语种字段内检索。

(7) 题名检索：将文献标题输入基本检索页面，可以检索出文献的其他相关信息，如作者、摘要等。题名长度适中则检索效果理想，如果题名过短则准确性不高，需加作者和(或)刊名字段限定或其他相关信息才能有准确检索到文献。

2. 高级检索　在 PubMed 主页面检索区点击“Advanced”，进入高级检索页面。高级检索页面除了检索功能外，还具有查看检索历史和检索详情的功能。高级检索页面分检索式构建器(Add terms to the query box)、检索提问框(Query box)和检索历史与检索详情(History and Search Details)三个部分。

(1) 检索式构建器：可构建检索式，并将构建好的检索式点击“ADD”添加到检索式提问框中执行检索操作。具体操作步骤为：点击“All Fields”下拉菜单，设定检索字段，输入检索词，点击“Show index list”，显示检索词所在的索引片段，进一步选择检索词，再点击“ADD”下拉菜单，根据检索要求选择适当的逻辑运算符(AND，OR，NOT)，最后直接点击“Search”进行检索，或点击“Search”时选择“Add to History”在检索历史区浏览检索数量。

(2) 检索提问框：构建的检索式会自动出现在检索提问框中，也可以在检索提问框中对检索式进行编辑或修改。构建结束后点击“Search”或“Add to history”。

(3) 检索历史与检索详情：此处显示检索序号、检索词、检索详情、检索结果与检索时间。通过查看检索历史，可以回顾已经进行的检索。若想浏览检索结果，可点击检索结果数量链接。点击“Actions”，可以从弹出的快捷菜单中选择“AND”“OR”“NOT”与其他检索历史序号进行逻辑运算；选择“Delete”删除该检索表达式；选择“Create alert”，将该检索式最新文献按定制要求发送到 My NCBI 预留的 E-mail 地址。选择“Details”查看该检索式的详细策略。

3. 限定检索　用于限制文献检出数量，提高文献查准率。限定检索需要有初始的检索结果才能激活，激活后位于检索结果页面左侧区域，默认限定选项有 Results by year(文献年度结果)、Text availability(文献权限含 Full Text、Free Full Text 和 Abstract)、Article attribute(文献属性)、Article Type(文献类型)、Publication Date(出版日期)。如默认限定选项中需要更多的限定项或添加未显示的限定选项，可点击“Additional filters”添加其他过滤选项，如 Article Type(文献类型)、Species(研究对象的物种)、Article Language(原文语种)、Sex(研究对象的性别)、Age(研究对象的年龄)、Other(其他限定，包括 Exclude preprints 和 Medline 两项)。进行限定检索时，不同限定选项之间的逻辑关系为逻辑“与”，组内不同限定选项之间的逻辑关系为逻辑“或”。需注意的是，限定检索的选项一经确定，对后面的检索起持续作用，并在检索结果显示页的上方提示限定检索的具体内容。因此，在开始一个新检索的时候，必须点击“Clear all”清除已选限定条件。

限定检索中比较有检索价值的两项限定设置是 Species 和 Age。Species 包括 Humans 和 Other Animals，将检索结果限定条件选为 Humans，意为论文中涉及的研究对象为人类，即通俗说的有关疾病临床研究方面的文献，Other Animals 则为实验研究的论文。Age 包含有 14 项研究对象年龄限定设置，因此，检索题目中含有如儿童、青年和老年等词时，只需使用 Age 来限定即可实现检索目的。

例如，检索“2022—2024 年青少年(18 岁以下)维生素 A 缺乏”的 Meta 分析论文，检索步骤是：在检索提问框输入 Vitamin A Deficiency，在 Publication date 下点击“Custom range”，输入相应的年份，在“Article types”中选“Meta-Analysis”，点击“Additional filters”添加 Ages 限定选项，在“Ages”中选“Child：birth-18 years”，就可以检索到相关文献记录，检索界面如图 3 - 32 所示。

4. 主题词检索　在 PubMed 主页主要功能区 Explore 中点击“MeSH Database”，进入主题词检索页面，然后输入检索词，点击“Search”按钮，可实现主题词组配副主题词的检索方式。有关 MeSH 的结构、内容及应用请参考本书第一章，此处仅通过实例介绍如何利用 MeSH Database 实现主题词检索。例如，检索有关“抗高血压药物的副作用”方面的文献(要求加权)，检索步骤如下。

(1) 查找并选择主题词：先进入 MeSH Database，在检索式输入框中输入 antihypertensive drugs(此处输入的检索词为 Entry Terms，即款目词，是主题词的同义词或相关词)，点击“Search”，系统会显示所有与 antihypertensive drugs 相关的主题词及其含义(相关度最高的主题词

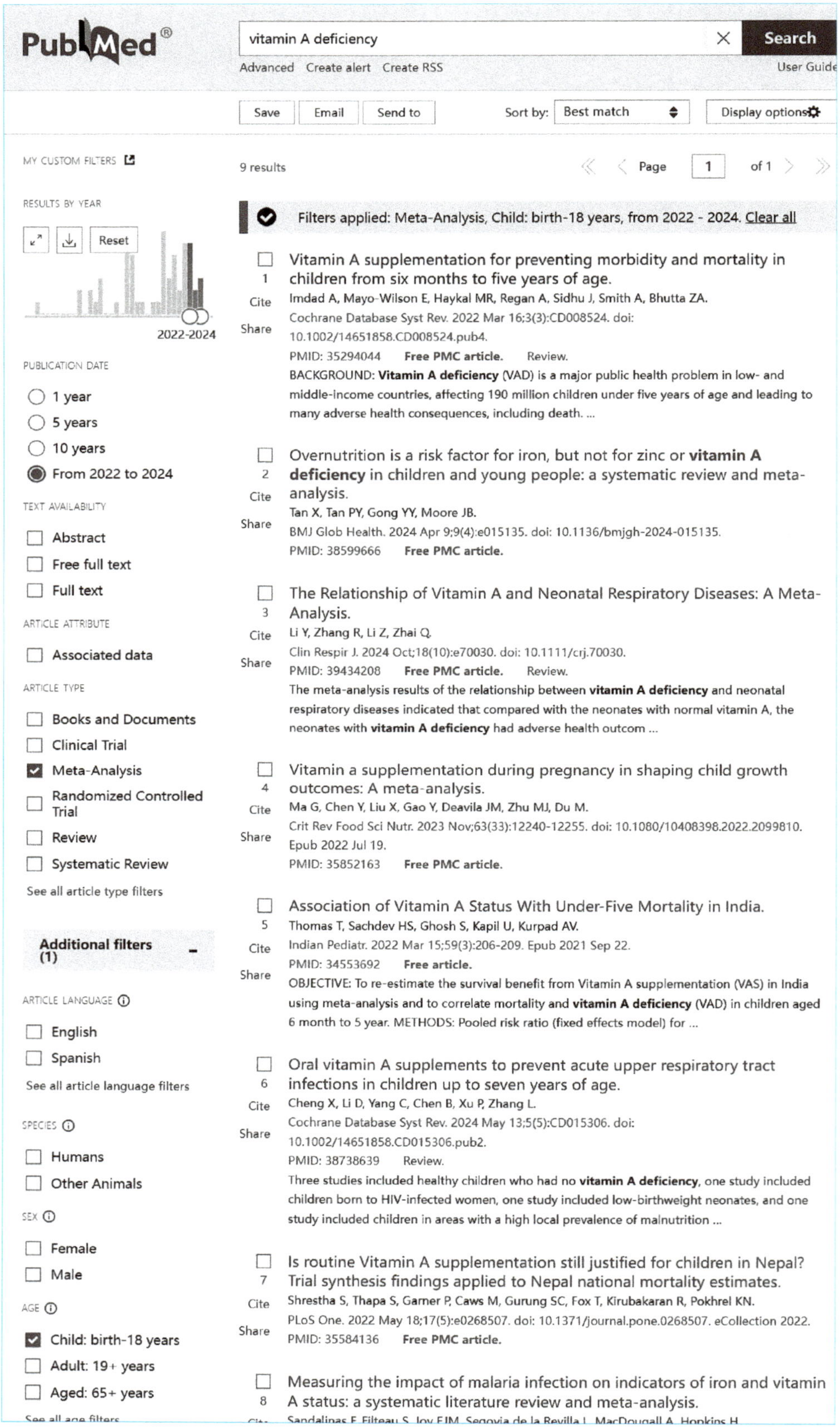
PubMed®
vitamin A deficiency
Search
Advanced Create alert Create RSS
User Guide
Save
Email
Send to
Sort by: Best match
Display options
MY CUSTOM FILTERS
RESULTS BY YEAR
Reset
2022-2024
PUBLICATION DATE
1 year
5 years
10 years
From 2022 to 2024
TEXT AVAILABILITY
Abstract
Free full text
Full text
ARTICLE ATTRIBUTE
Associated data
ARTICLE TYPE
Books and Documents
Clinical Trial
Meta-Analysis
Randomized Controlled Trial
Review
Systematic Review
See all article type filters
Additional filters (1)
ARTICLE LANGUAGE
English
Spanish
See all article language filters
SPECIES
Humans
Other Animals
SEX
Female
Male
AGE
Child: birth-18 years
Adult: 19+ years
Aged: 65+ years
9 results
Page 1 of 1
Filters applied: Meta-Analysis, Child: birth-18 years, from 2022 - 2024. Clear all
1 Cite Share
Vitamin A supplementation for preventing morbidity and mortality in children from six months to five years of age.
Imdad A, Mayo-Wilson E, Haykal MR, Regan A, Sidhu J, Smith A, Bhutta ZA.
Cochrane Database Syst Rev. 2022 Mar 16;3(3):CD008524. doi: 10.1002/14651858.CD008524.pub4.
PMID: 35294044 Free PMC article. Review.
BACKGROUND: Vitamin A deficiency (VAD) is a major public health problem in low- and middle-income countries, affecting 190 million children under five years of age and leading to many adverse health consequences, including death. ...
2 Cite Share
Overnutrition is a risk factor for iron, but not for zinc or vitamin A deficiency in children and young people: a systematic review and meta-analysis.
Tan X, Tan PY, Gong YY, Moore JB.
BMJ Glob Health. 2024 Apr 9;9(4):e015135. doi: 10.1136/bmjgh-2024-015135.
PMID: 38599666 Free PMC article.
3 Cite Share
The Relationship of Vitamin A and Neonatal Respiratory Diseases: A Meta-Analysis.
Li Y, Zhang R, Li Z, Zhai Q.
Clin Respir J. 2024 Oct;18(10):e70030. doi: 10.1111/crj.70030.
PMID: 39434208 Free PMC article. Review.
The meta-analysis results of the relationship between vitamin A deficiency and neonatal respiratory diseases indicated that compared with the neonates with normal vitamin A, the neonates with vitamin A deficiency had adverse health outcom ...
4 Cite Share
Vitamin a supplementation during pregnancy in shaping child growth outcomes: A meta-analysis.
Ma G, Chen Y, Liu X, Gao Y, Deavila JM, Zhu MJ, Du M.
Crit Rev Food Sci Nutr. 2023 Nov;63(33):12240-12255. doi: 10.1080/10408398.2022.2099810. Epub 2022 Jul 19.
PMID: 35852163 Free PMC article.
5 Cite Share
Association of Vitamin A Status With Under-Five Mortality in India.
Thomas T, Sachdev HS, Ghosh S, Kapil U, Kurpad AV.
Indian Pediatr. 2022 Mar 15;59(3):206-209. Epub 2021 Sep 22.
PMID: 34553692 Free article.
OBJECTIVE: To re-estimate the survival benefit from Vitamin A supplementation (VAS) in India using meta-analysis and to correlate mortality and vitamin A deficiency (VAD) in children aged 6 month to 5 year. METHODS: Pooled risk ratio (fixed effects model) for ...
6 Cite Share
Oral vitamin A supplements to prevent acute upper respiratory tract infections in children up to seven years of age.
Cheng X, Li D, Yang C, Chen B, Xu P, Zhang L.
Cochrane Database Syst Rev. 2024 May 13;5(5):CD015306. doi: 10.1002/14651858.CD015306.pub2.
PMID: 38738639 Review.
Three studies included healthy children who had no vitamin A deficiency, one study included children born to HIV-infected women, one study included low-birthweight neonates, and one study included children in areas with a high local prevalence of malnutrition ...
7 Cite Share
Is routine Vitamin A supplementation still justified for children in Nepal? Trial synthesis findings applied to Nepal national mortality estimates.
Shrestha S, Thapa S, Garner P, Caws M, Gurung SC, Fox T, Kirubakaran R, Pokhrel KN.
PLoS One. 2022 May 18;17(5):e0268507. doi: 10.1371/journal.pone.0268507. eCollection 2022.
PMID: 35584136 Free PMC article.
8
Measuring the impact of malaria infection on indicators of iron and vitamin A status: a systematic literature review and meta-analysis.

图 3-32 限定检索界面

排在最前面)，浏览选词，确定 antihypertensive drugs 的主题词为 Antihypertensive Agents，点击该主题词，显示主题词的详细信息，包括定义、可以组配的副主题词(Subheadings)、款目词(Entry Terms)、相关参照(See Also)、树状结构等信息。

(2) 选择副主题词及设置相关参数：在副主题词列表中勾选“adverse effects(副作用)”，再勾选“Restrict to MeSH Major Topic(检索结果限定为主要主题词，即加权，可提高查准率)”。

(3) 执行检索：点击页面右上方的“Add to search builder”，检索框中出现检索式 "Antihypertensive Agents/adverse effects" [Mesh]。如果涉及多个主题词，还需点击旁边的 AND 下拉菜单选择适当逻辑运算符。最后点击“Search PubMed”，执行检索并返回检索结果。

若检出文献数量较多，可在检索结果页面对论文研究对象、文献类型、出版时间等作进一步限定(详见前文限定检索)。

采用主题词检索，要注意以下几点：① 当一个课题含有多个主题词时，在 MeSH Database 中的操作往往需要重复多次。在点击“Search PubMed”之前，根据需要来选择“Add to search builder”旁边 AND 下拉菜单中的 AND、OR、NOT，以便与下一次的主题词进行相应的逻辑关系组配。也可以先用一个一个主题词单独检索，然后进入高级检索(Advanced)，利用检索式序号对多个主题词进行逻辑组配。② 进入到主题词细节页面时，要多注意主题词的上位词和下位词情况，看看是否有更加合适的主题词。③ 同时选多个副主题词时，其间的逻辑关系是 OR。④ 系统默认对下位主题词进行扩检，若不需要进行下位词扩检，勾选“Do not include MeSH terms found below this term in the MeSH hierarchy”。

需要引起重视的是，尽管主题词检索有其他检索途径不可比拟的优点，但也存在以下固有缺陷：① 主题词检索只能检索出做好了 MeSH 标引的文献，但新近发表的论文因没有做好了 MeSH 标引，故无法检出，因此主题词检索会漏检最新文献。实际操作中对这一缺陷的解决方法是：在基本检索页面进行检索并浏览最近 1 年的文献，以确定最新入库的文献中是否有切题文献，作为对主题词检索的补充。② 尽管 MeSH 保持动态更新，每年会有增删或调整不少主题词，但新出现的名词术语及概念一般要几年后才收录为主题词，因此主题词检索无法精确检索出新学科新研究领域的文献。③ MeSH 中收录的主题词仅有 25 000 多个，很多专指概念没有相对应的主题词，也就无法用主题词检索。

实际检索过程中，不能一味注重或仅用主题词检索，应根据课题情况，灵活应用各种检索途径。

5. 期刊信息检索(Journals in NCBI Databases)　在 PubMed 主页的主要功能区 Explore 中点击“Journals”，即可进入期刊信息检索页面。Journals 主要用于查询 PubMed 和 Entrez 其他数据库收录期刊的信息，检索词有刊名全称、MEDLINE 刊名缩写、期刊的 ISSN、NLM 刊号、国际标准刊名缩写(ISO Abbreviation)和刊名中含有的词。该数据库的主要用途是进行刊名缩写和刊名全称转换的查询，还可以获得 PubMed 等收录的期刊目录(Journals currently indexed in MEDLINE)和 PubMed 收录全文电子期刊目录(Journals currently deposited in PMC)。

6. 引文匹配检索　在 PubMed 主页的主要功能区点击“Single Citation Matcher”“Batch Citation Matcher”均可进入引文匹配检索页面。Single Citation Matcher 为单篇引文的检索，Batch Citation Matcher 为多篇引文的检索。引文匹配检索是用残缺不全的题录信息为线索来查特定记录的工具，当论文中的参考文献信息不完整时，可利用引文匹配器来核对补充信息。引文匹配器分为以下两种。

(1) Single Citation Matcher(单一引文匹配器)：在 PubMed 主页的 PubMed Tools 栏点击

"Single Citation Matcher",进入检索页面,检索输入项有刊名、出版日期、卷、期、起始页、著者姓名、文献篇名。检索时,允许遗漏以上任何一项或几项。刊名输入用全称缩写均可,出版时间的输入格式是:年/月/日。利用单一引文匹配器还可以浏览到最新期刊的题录和摘要,如输入Science(刊名)、330(卷)、6003(期),就可以查到最新一期的 *Science* 上的文献。

(2) Batch Citation Matcher(批引文匹配器):在 PubMed 主页的 PubMed Tools 栏点击"Batch Citation Matcher",进入检索页面,可一次输入多行检索提问。批引文匹配器的检索输入格式为:刊名|年|卷|起始页|著者|检索用户对文献的标识,返回的检索结果是 PMID 号。每次检索提问的信息单独成行,其中刊名和著者姓名必须是 MEDLINE 标准缩写形式;对文献的标识可以是任意字符串;某项信息如缺失可不填写,但"|"不能省略;最后填写好邮箱地址,系统会将检索结果发送到邮箱或直接存入文件中。

例如,输入以下两条提问:VIRUS GENES|1992|6|393| |P27423—1|(著者不明确,可省略);res microbiol|1992|143|467|ivey dm|P25966-1|。点击"Go"按钮,屏幕返回如下信息:Your request has been successfully submitted. You will receive an email shortly(意为你的检索要求已提交成功,你将收到一封邮件短信)。进入邮箱,将检索结果行末的 PMID 粘贴到 PubMed 的检索提问框去检索,得到记录的详细信息。

7. 临床文献检索　在 PubMed 主页的点击"Clinical Queries",进入临床文献检索的页面。Clinical Queries 是一个专门为临床医生和临床试验工作者设计的检索服务,有以下两个方面的检索。

(1) Clinical Study:供查询疾病的 therapy(治疗)、diagnosis(诊断)、etiology(病因)、prognosis(预后)和 clinical prediction guides(预防指南)五个方面的文献。选项"Broad"和"Narrow"为检索过滤器(Search Filter),用来表示倾向查全还是查准。

(2) COVID-19:为应对新型冠状病毒感染特设的临床文献便捷查询栏目。可快速筛选 General(一般资料)、Treatment(治疗)、Mechanism(机制)、Transmission(传播)、Diagnosis(诊断)、Prevention(预防)、Case Report(案例报告)、Forecasting(预后)、Long COVID 方面的文献。

8. 主题相似文献检索　PubMed 系统中已做好完整数据加工的每条文献记录均有一个相关文献链接,在单篇文献检索结果的显示状态下,在网页中间部位有"Similar articles"超链接,点击该链接,系统按文献的相关度从高到低显示相关文献,并从中筛选所需文献。

主题相似文献检索是一种不用检索词或检索式的非常规检索方法,但也是一种实用价值高的检索方法。需要注意的是,新近发表的论文由于未完成完整的数据加工,因此没有相似文献"Similar articles"超链接。

9. My NCBI 更新检索　在 PubMed 主页右上方点击"Sign in to NCBI",进入 My NCBI 登录页面。My NCBI 更新检索是用已保存的检索式进行更新检索,第一次使用须注册,注册免费。也可用 Google、NIH、eRA 或其他第三方账户登录,登录之后就可以保存检索式。登录后在 PubMed 主页右上方点击"My NCBI",可见"Saved Searches"(已保存的检索式)、My Bibliography(个人参考文献目录)、Recent Activity(最近的检索操作历史)、Collections(个人设置及收藏信息汇总)、Filters(个性化设置检索过滤器)、NCBI Search(在选择的数据库检索文献)、SciENCV(创建、管理及分享个人科学履历)七个功能模块,各个功能模块位置可根据需要灵活调整,"Saved Searches"栏可查看已保存检索式新增的检出文献,点击结果数字链接,出现新增检索结果的文献列表,同时更新已保存的检索。

三、检索结果与处理

对 PubMed 检索结果的处理包括检索结果的排序、显示和保存。

1. 检索结果的排序 排序(Sort by)方式有 Best match、Most recent、Publication date、First author 和 Journal 五种。当完成检索进入挑选所需相关文献时，可用 Best match(相关度)对检出文献进行排序；按时间先后显示检索结果，可用 Most recent 进行排序。

2. 检索结果的显示 在检索结果显示页面，点击"Display options"，可对检索结果的显示进行设置和修改。PubMed 检索结果的默认显示格式是 Summary 格式(题录格式)。Summary 格式显示记录中的篇名、著者、出处、PMID 号、文献类型等。除了 Summary 格式外，其余的显示格式有：

(1) Abstract：Summary 格式中的所有字段加上摘要、著者单位和地址、人名主题、全文链接、出版类型(Publication Types)、MeSH 词(MeSH Terms)、化学物质(Substances)等。如果某篇文献全文来自用户所在机构订购的全文数据库，或来自 PMC 以及开放获取期刊，点击全文链接即可获取全文。此格式是查看文献和保存检索结果最常用的格式。

(2) PubMed：全字段显示，所有的字段都以字段标识符开头。若要将检索结果输出到 EndNote、Reference Manager 之类的参考文献管理软件中，应选用 PubMed 格式。

(3) PMID：此格式仅显示检出文献的 PMID 号。

3. 检索结果的保存 在检索结果显示页面，点击"Save""Email"或"Send to"，系统提供 File、E-mail、Clipboard、Collections、Citation manager 和 My Bibliography 六种保存方式。保存操作时，先点击"Save"，然后设定 Selection 和 Format，系统以纯文本文件形式保存检索结果。选 Email，系统将检索结果发到用户邮箱中。选"Send to"，然后确定进一步操作，选 Clipboard，将所有记录(或选定的记录)添加到临时的粘贴板中；选 Collections，将检索结果保存在 My NCBI 中的 My Save Data 中；选 Citation manager，系统将以文献管理软件的格式保存文献；选 My Bibliography，系统以目录形式将文献保存在 MyNCBI 中。

4. MY NCBI 在 PubMed 主页面右上方点击"Log in"，选择 Dashboard 进入 My NCBI 更新检索页面。My NCBI 更新检索是用已保存的检索式进行更新检索，第一次使用须注册，注册免费；也可用 Google、NIH 等账户登录，登录之后即可保存检索式。下次登录 MyNCBI，在 MyNCBI 页面查看"Saved Searches"，显示已保存的检索式列表。点击某一检索式，即可显示该检索式最新的检索结果。"Whats New"会显示新增的检索结果，点击结果数字链接，会出现新增检索结果的文献列表，同时更新已保存的检索。

5. PubMed 中的中文文献 PubMed 中并非所有文献均为外文文献，PubMed 收录全世界的医学期刊，其中包括中国出版的中文医学期刊，因此也收录有中文文献。这些文献可以用检索式 chinese [la]检出，其特点包括论文标题两端用中括号括起来、期刊名为汉语拼音以及特别标明出版语言为 chinese。在利用文献时，不能将其作为外文文献对待，可以在检索式后加逻辑非运算 NOT Chinese [LA]排除这些中文文献。

网址：https://www.ncbi.nlm.nih.gov 或 https://pubmed.gov

[检索实例]

利用 PubMed 数据库检索苦参碱类抗肿瘤的外文综述论文，写出检索策略。

参考答案：

1. 分析检索需求

（1）检索范围：外文论文，同时挑选文献时要注意文献的出版时间，尽量挑选近 3 年或近 5 年出版的论文，出版年限最好不超出近 10 年。

（2）文献类型：综述论文。

（3）检索目的：以查全文献为核心指标，初步分析题目可知包括两个检索点，一是苦参碱类，从语义可知这是一类物质的统称，检索时需明确具体包括哪些物质；二是肿瘤，注意不要用抗肿瘤，“抗”字无检索意义，同时还要注意肿瘤包括身体各部位及各类型肿瘤，要注意这类主题概念宽泛的检索词可能会出现的漏检。

2. 选择检索工具　PubMed 数据库。

3. 设置检索条件

（1）确定检索词：通过中文数据库检索苦参碱类并阅读相关论文，确定苦参类包括苦参碱和氧化苦参碱两类物质，因此本题检索词包括苦参碱、氧化苦参碱和肿瘤，使用中国知网的翻译助手或有道翻译将中文检索词翻译为英文，注意：选择英文检索词时，要挑选该词的常用词，可以参考知网翻译助手的学术词典中出现的词频来确定常用词，确定本题的英文检索词：“matrine”“oxymatrine”“cancer”。

（2）确定检索途径：主题词检索途径和关键词检索途径。

（3）构造检索表达式：(matrine OR oxymatrine) AND cancer。将检索式输入 PubMed 首页检索提问框，然后进入 Advanced 高级检索页面，在“History and Search Details”中查看 Details 可知每个检索词的自动匹配转换，发现三个词的转换情况如下。

Matrine 检索词的转换为："matrine's" [All Fields] OR "matrines" [MeSH Terms] OR "matrines" [All Fields] OR "matrine" [All Fields]

Oxymatrine 检索词的转换为："oxymatrine" [Supplementary Concept] OR "oxymatrine" [All Fields] OR "oxymatrine's" [All Fields]

Cancer 检索词的转换为："cancer's" [All Fields] OR "cancerated" [All Fields] OR "canceration" [All Fields] OR "cancerization" [All Fields] OR "cancerized" [All Fields] OR "cancerous" [All Fields] OR "neoplasms" [MeSH Terms] OR "neoplasms" [All Fields] OR "cancer" [All Fields] OR "cancers" [All Fields]

从上述转换可知，既有转换为主题词检索(即检索式中的[MeSH Terms])，还有转换为检索词同义词转换的关键词检索(即检索式中的[All Fields])，由此可判断本检索式能实现查全文献。

4. 调整检索策略　根据实际的检索结果，进行检索词、检索途径及布尔逻辑运算符等的调整。

第六节　Web of Science 核心合集

一、概述

Web of Science(WOS)核心合集可以追溯到早期的科学引文索引(Science Citation Index，SCI)，1961 年美国科学情报研究(Institute for Scientific Information，ISI)编辑出版印刷型 SCI。1989 年 ISI 推出 SCI 光盘版，收录期刊 3 800 余种(即为 SCI 期刊核心版)，1997 年推出了 SCI 的网络版，收录期刊增加了 2 000 余种，取名 SCI Expanded(SCI 扩展版)，并将网络版检索系统命名为 Web of Science，2015 年检索系统改版命名为 Web of Science 核心合集，目前由科睿维安公司提供服务。WOS 核心合集不仅是一个重要的检索工具，而且是科学研究成果评价的一项重要依据，已成为目前国际上最具权威性的、用于基础研究和应用基础研究成果的重要评价体系。

（一）子数据库

WOS核心合集中的子数据库包括：Science Citation Index Expanded（科学引文索引扩展版，SCIE）、Social Sciences Citation Index（社会科学引文索引，SSCI）和Arts & Humanities Citation Index（艺术与人文科学引文索引，A&HCI）三个期刊文献引文数据库，Conference Proceedings Citation Index-Science（科技会议录索引，CPCI-S）和Conference Proceedings Citation Index-Social Science & Humanities（社会科学与人文会议录索引，CPCI-SSH）两个会议文献引文数据库，Index Chemicus（IC）和Current Chemical Reactions Expanded（CCR-Expanded）两个化学信息数据库，Book Citation Index-Science（BKCI-S）和Book Citation Index-Social Sciences & Humanities（BKCI-SSH）两个图书引文数据库，以及Emerging Sources Citation Index（新兴资源引文索引，ESCI）一个新兴资源库。在生物医学领域最常用的是WOS核心合集中的SCI-Expanded。

1. SCIE　收录全球自然科学、工程技术、临床医学等领域内9 467种最具影响力的学术刊物，数据可回溯至1900年。

2. SSCI　收录社会科学领域中3 551种最具影响力的学术刊物，数据可回溯至1956年。

3. A&HCI　收录艺术与人文学科领域中1 822种学术期刊，数据可回溯至1975年。

4. CPCI-S　收录所有科学与技术领域的会议论文，包括：农业与环境科学、生物化学与分子生物学、生物技术、医学、工程、计算机科学、化学与物理等学科，数据可回溯至1990年。

5. CPCI-SSH　收录社会科学、艺术与人文领域会议论文，学科涉及心理学、社会学、公共健康、管理学、经济学、艺术、历史、文学与哲学等，数据可回溯至1990年。

6. IC　提供新化合物的信息。

7. CCR-Expanded　提供新化学反应的信息。

8. BKCI-S　收录自然科学领域的图书，自2005年以来每年更新约1万多册图书数据。

9. BKCI-SSH　收录社会科学与人文科学领域的图书，覆盖法律、经济、历史、地理、心理学等多个学科领域。

10. ESCI　主要收录新兴交叉学科、具有活力和潜力且在学术界具有一定影响力的期刊，2015年加入WOS核心合集平台，共收录8 585种期刊，涉及学科包括社会科学、临床医学、艺术人文、工程学、自然科学、生命科学、农业科学、环境科学等。

（二）特点

WOS核心合集具有选刊程序严格、提供参考文献和被引次数链接、定制引文跟踪服务、分析检索结果、独特的被引参考文献检索、化学结构检索、扩展主题词、组合不同的检索方式、提供各种与文献内容相关的链接、与EndNote整合等特点。

二、检索功能与方法

WOS核心合集提供文献、被引参考文献、化学结构三种检索方式。

（一）检索规则

WOS核心合集支持NEAR/x、SAME、NOT、AND、OR五种运算符，在一个检索式中出现多个算符时，运算优先级别如下：NEAR＞SAME＞NOT＞AND＞OR，可利用圆括号来改变运算优先级。

1. 位置限定运算符 NEAR/x　可查找由该运算符连接的检索词之间相隔指定数量单词的记录，x 为两检索词之间的最大单词数。如果只使用 NEAR 而不使用/x，则 NEAR 相连的两检索词之间最多间隔 15 个单词，即检索式 heart NEAR hypertension 等同于检索式 heart NEAR/15 hypertension。NEAR/0 表明该运算符连接的单词应彼此相邻。

注意：在包括 NEAR 运算符的检索式中不同时使用 AND 运算符，如在主题字段输入检索式 hypertension NEAR/10 (heart AND disease)是无效的。NEAR 运算符可用于在某条短语的 x 数量单词中查找具体的单词或短语，如主题字段输入检索式 hypertension NEAR/10 "heart disease"和检索式 hypertension NEAR/10 (heart NEAR/0 disease)是有效的。

2. 通配符　支持的通配符有 *、? 和 $ 三个。* 代表 0 个到多个任意字符，? 代表 1 个任意字符，$ 表示 0 或 1 个任意字符。

3. 邻近算符　用 SAME 表示，意为所连接的检索词必须出现在同一个句子，或者一个关键词短语中或同一行地址内。

4. 词组检索　短语默认为词组，自动在词间用 AND 组配检索。如果要进行准确的词组检索，应该在词组的两边加双引号。例如，输入 stem cell，实际检索时为 stem AND cell。输入 "stem cell"才能准确检索到 stem cell。

（二）文献检索

WOS 核心合集检索页面默认的检索方式即为文献检索，提供主题、所有字段、标题、作者、出版物标题、出版年、所属机构、基金资助机构、出版商、出版日期、摘要、入藏号、地址、作者标识符、作者关键词、会议、文献类型、DOI、编者、授权号、团体作者、Keyword Plus®、语种、PubMed ID、Web of Science 类别共 25 个字段供用户检索时选择，根据实际情况选用适当的逻辑运算符 AND、OR、NOT 进行组配运算。

（三）被引参考文献检索（Cited Reference Search）

在 WOS 核心合集检索页面选择"被引参考文献"，进入检索页面，被引参考文献检索提供被引作者、被引著作、被引 DOI、被引年份、被引卷、被引期、被引页、被引年份 8 种检索入口。输入被引文献的上述信息，选择对应的逻辑运算符，即可检索出某篇论文或某位作者论文被引用情况。被引参考文献检索是 WOS 核心合集最具特色的检索途径，目的要解决传统主题检索方式固有的缺陷（主题词选取不易，主题字段标引不易/滞后/理解不同，少数的主题词无法反映全文的内容）。

被引参考文献检索不仅能引导检索包括期刊、会议录、图书章节以及揭示与研究相关的任何出版物的信息，而且既可越查越旧，也能越查越新，向前了解某个课题的历史发展情况，向后跟踪课题的最新研究进展。

引文数据的作用：用于分析、追踪热点研究领域，用于科学绩效的评估（评估学术论文的影响力、评估国家宏观科研状况、学术期刊的评价）。

引文索引用发表文章的参考文献作为检索词。它揭示了一种作者自己建立起来的文献之间的正式链接，因为作者在道德上有义务写明他引用的影响他们研究的文章。

（四）化学结构检索

自 2003 年升级到 6.0 版始，WOS 核心合集将 ISI Chemistry 与 SCIE 完全整合到一起，从而为 WOS 核心合集提供了化学结构信息的检索和更为丰富的化学内容，化学结构检索包括 CCR-Expanded 和 IC 两个数据库的化学信息。

1. CCR-Expanded 和 IC 的主要用途

(1) 取得分子合成反应的信息,检查某类分子是否已被分离、合成的有关文献资料。

(2) 了解最新的催化剂,各类分子的生物活性、天然来源等信息资料。

(3) 新的有机金属化合物设计、合成与应用。

(4) 各种单体分子的合成,催化剂的利用,材料的各种合成途径。

(5) 了解化合物、药物分子的生物活性,迅速发现潜在的药物母体及其合成;"组合化学"所必需的固相合成反应。

(6) 缩短项目的研究周期,减少不必要的重复开发,提高工作效率。

(7) 信息来源:期刊、专利、会议录文献。

2. 化学结构检索的方法　在 WOS 核心合集检索页面点击"化学结构"进入检索页面。化学结构检索需使用免费提供的化学插件构建化学分子式,创建化学结构并将其插入到下面的"检索式"框中。然后选择检索模式是"子结构"还是"精确匹配",再设置化合物数据和化学反应数据,其中化合物数据包括化合物名称、生物活性、分子量、限制化合物在反应中的角色,化学反应数据包括化学反应的气体环境、时间、产率、压力、温度、反应关键词、化学反应备注。以上均输入好后点击"检索"执行检索操作,系统返回检索结果完成检索。

(五) 高级检索

高级检索为有经验的用户准备,在 WOS 核心合集首页面,点开检索框下面的"高级检索"进入该检索页面。高级检索是使用字段标识符、检索式组配或两者的组配来检索文献。高级检索还可以用检索历史序号根据需要进行组配逻辑运算,检索历史序号之间可以进行逻辑与及逻辑或的运算,但不支持逻辑非运算。

高级检索页面单击更多选项可打开精确检索。该选项默认关闭,其使用词干和词形还原来扩展检索,如同在执行文献检索时一样。例如,如果在检索字段中输入 mouse,WOS 将返回包含单词 mouse 和 mice 的检索结果。开启精确检索之后,就仅限于检索在检索字段中输入的精确检索词。因此,如果检索 mouse,则只会返回包含单词 mouse 的记录。

三、检索结果与处理

1. 检索结果的精炼　在 WOS 核心合集检索结果显示页面的左侧,可以对已检出文献进行精炼。检索结果的精炼包括:在当前已检出文献进行二次检索;对检出文献的学科(Web of Science 类别)分布进行精炼,还可对已检出文献的文献类型、作者(研究人员个人信息,作者姓名全称)、出版物标题、出版年、出版商、会议名称、所属机构、基金资助机构、语种、国家/地区、快速过虑(高被引论文、热点论文和综述论文等)等进行精炼。

2. 检索结果的分析　对检出文献的分析是 Web of Science 平台最突出的特色,可以从多个维度对检出文献进行分析,分析维度包括国家/地区、研究人员个人信息、作者、所属机构、出版物标题等。通过分析检索结果,可以挖掘隐藏未知的信息。在检索结果页面上方点击"分析检索结果"即可对检出文献进行分析。

以分析"针灸"主题的检出文献为例,通过分析功能挖掘以下信息:针灸论文的国家和地区分布、研究机构分布、本研究领域的重要学者、论文发表的期刊分布、中国研究机构分布、中国学者分布、中国学者投稿的期刊分布等。在 WOS 首页选择主题检索项,以检索式 acupuncture OR electroacupuncture 检出文献,再点击"分析检索结果",可实现上述各维度的检出文献分析。

（1）“针灸”主题论文的国家/地区分析：通过此项分析，可以发现各国的论文数量分布，从而得知此领域研究实力的国家排名。进入分析检索结果页面后，采用“国家/地区”进行分析，如图 3－33 所示。

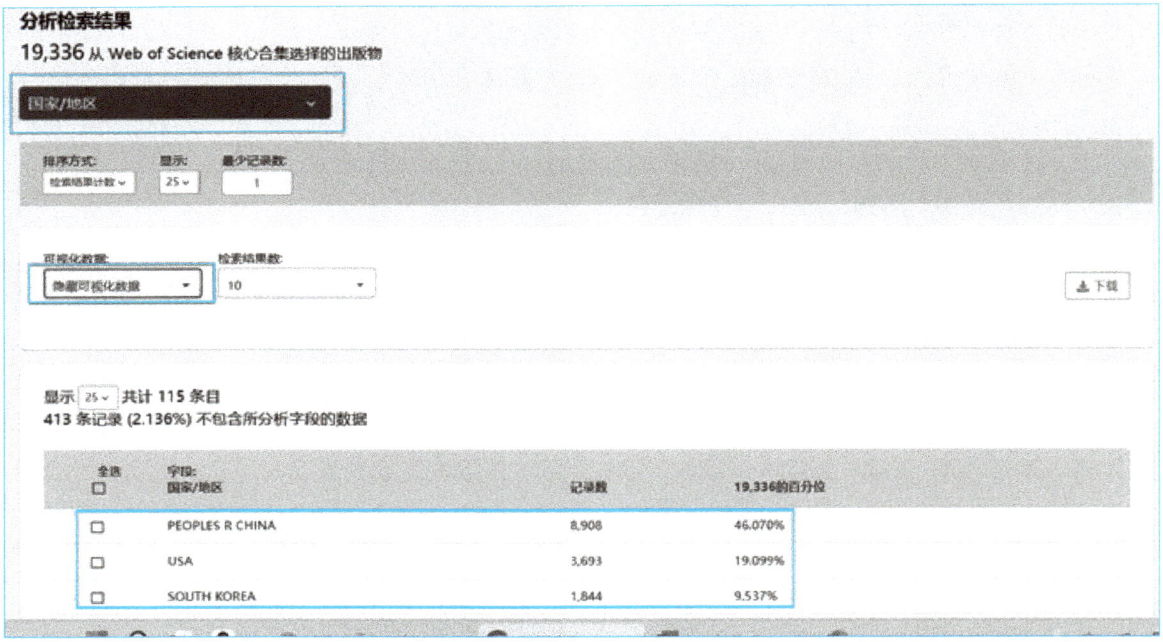

图 3－33　检索结果的分析界面

（2）“针灸”主题论文的研究机构分析：通过此项分析，可以发现各科研机构、大学院校的论文数量分布，从而得知此领域研究实力的机构排名。进入分析检索结果页面后，采用“所属机构”进行分析。

（3）“针灸”主题论文的作者分析：通过此项分析，可以发现行业内研究者的论文数量分布，从而得知此领域研究实力的作者排名。进入分析检索结果页面后，采用“研究人员个人信息”进行分析。应该注意的是，不能用“作者”项做分析，因为作者项分析，作者姓名采用的是姓氏用全称，名字用首字母，会出现姓名写法一样，但并不是同一人的情况，从而无法真正挖掘领域内学者的研究实力排名。

（4）“针灸”主题论文的期刊分析：通过此项分析，可以发现论文发表的期刊分布，从而得知学者发表论文时选择期刊投稿的偏好。进入分析检索结果页面后，采用“出版物标题”进行分析。此分析结果对后续学者的论文投稿期刊选择具有参考意义。

（5）“针灸”主题论文的中国研究机构分析：此项分析首先需进行“国家/地区”分析，在分析结果的国家排名表中勾选“PEOPLES R CHINA”，然后“按所选方式精炼检索结果”，将中国学者发表的论文提取出来，然后做前述第(2)点研究机构分析。此分析可以挖掘国内大学及科研院所在此领域的研究实力排名。

（6）“针灸”主题论文的中国学者分析：与上述的中国研究机构分析方法相同，需要提炼出中国学者发表的论文后，再通过“研究人员个人信息”分析，挖掘领域内国内学者的排名情况。

（7）“针灸”主题论文的中国学者发文期刊分析：与上述的中国研究机构分析方法相同，需要提炼出中国学者发表的论文后，再通过"出版物标题"分析。此分析结果对国内学者发表论文时选择投稿期刊具有较大的指导意义。

3. 检索结果的保存　勾选需保存的记录，并点击"添加到标记结果列表"，然后选择"导出"，系统提供 EndNote Desktop、添加到我的研究人员个人信息、纯文本文件、RefWorks、RIS（其他参考文献软件）、BibTeX、Excel、制表符分隔文件、可打印的 HTML 文件、InCites、电子邮件、Fast 5000 等共 12 种检出文献的保存方式，除了以文件保存外，WOS 检索结果的保存，一般多用以某种文献管理软件要求的文件格式导出，然后再将文件导入到软件中进行保存。保存操作过程中，可根据实际需求，选择保存文献的记录选项和记录内容。

网址：https://webofscience.clarivate.cn

[检索实例]

利用 WOS 核心合集检索苦参碱抗肿瘤作用的高被引论文，写出检索策略，并实施检索。

参考答案：

1. 分析检索需求　本题涉及苦参碱和肿瘤两个检索点，需在检索中查全这两方面的文献，"苦参碱"概念明确，检索时只需考虑其有无同义词会导致漏检。另一主题"肿瘤"概念宽泛，本题又需用 WOS 核心合集检索，而此检索系统并不支持主题词的检索方式，无法通过主题词的检索方法查全文献，因此需要找出英文肿瘤术语中存在的共性词或同义词，以实现查全文献。

2. 选择检索系统　需检索出高被引论文，可使用 WOS 核心合集完成检索。

3. 设置检索条件

（1）确定检索词：参照第三章第五节检索实例中有关中文检索词中翻英的方法，将检索词翻译为英文，苦参碱：matrine，肿瘤：cancer。同时使用 PubMed 对检索词的自动匹配转换功能，找出肿瘤 cancer 转换之后的同义词，最终确定肿瘤的英文检索词：cancer、carcinoma、cancerated、canceration、cancerization、cancerized、cancerous、neoplasm、tumor、tumour。

（2）确定检索途径：选择"主题"检索项。

（3）构造检索表达式：主题＝matrine AND（cancer OR carcinoma OR cancer * OR neoplasm OR tumor OR tumour），将构建的检索式在 WOS 核心合集中实施检索，并在检索结果页面选择"高被引论文"精炼检索结果，结果检出 1 篇论文。

4. 调整检索策略　根据实际的检索结果，进行检索词、检索途径及布尔逻辑运算符等的调整。

四、期刊引证报告

期刊引证报告（Journal Citation Reports，JCR）是对 SCI 期刊质量进行系统客观评价的有效工具，它是 SCI 数据库的副产品，主要用于检索 SCI 收录期刊的影响因子、即年指数、作者 H 指数等期刊质量评价指标数据。对于每一种被收录的期刊 JCR 提供该刊的引文和论文数量、影响因子、即年指数、被引半衰期、引用半衰期、源数据列表、引用期刊列表、被引期刊列表、主题分类、出版社信息、期刊标题变化等数据。JCR 通过统计 SCI 收录期刊的引文数据，供科研人员分析比较期刊的质量，了解期刊在本学科的学术影响力等信息。

（一）概况

1975 年美国科学信息研究所（ISI）在 SCI 年度累积索引中增加一项介绍收录期刊的影响因子等引文数据的新内容，这就是最早的 JCR，随后 JCR 推出光盘版和网络版。目前 JCR 的网络检索平台主要整合在 Web of Science(WOS)平台上，访问方法为：进入 WOS 主页，在左上角点开“产品”，选择“Journal Citation Reports”进入检索页面。JCR 不提供免费检索，需单位订购或通过用户名及密码方可使用。

1. 收录期刊范围　JCR 目前收录 SCIE、SSCI、AHCI 和 ESCI 四个数据库共计 21 762 种期刊(之前收录但目前被 SCI 剔除的期刊也包括在内)，涉及 254 个细分学科，期刊分布 112 个国家和地区。

2. 数据更新　JCR 大约在每年 6 月底会发布上一年的引文数据，因此最新版 JCR 至少要滞后半年时间，最长滞后将近 1 年半时间。例如，在 2024 年 6 月底之前，最新影响因子为 2022 版。需要注意的是，引文数据由于在计算时需要使用几年累积的文献数据，因此必须在期刊被 SCI 收录若干年后才能在 JCR 中查到数据，新增收录的期刊影响因子必须在期刊被 SCI 收录 3 年后方可查到。

3. SCI 期刊分区　目前有两个标准，一是 SCI 所有者科睿维安公司所发布的 JCR 期刊分区；二是国内中国科学院文献情报中心提供的分区表，简称中科院分区。

(1) JCR 期刊分区：由于 SCI 来源期刊质量和影响力存在很大的差距，尤其是不同学科之间，很难统一以影响因子高低进行比较和评价。有鉴于此，采用分区的方式来评价期刊在某一学科的影响力，更具有科学性。具体方法为：先将所有 SCI 期刊按学科归类，将影响因子排名在该学科中所有期刊的前 25％区间的期刊，划分为 1 区期刊，也就该学科中影响力最大期刊，随后的各个 25％区间分别为 2 区、3 区和 4 区期刊。

(2) 中科院期刊分区：为了避免 SCI 对中国科研成果评价的过度影响，中国科学院文献情报中心组织相关学科资深专家，以当年 SCI 期刊的影响因子为主要依据，结合该期刊在本学科的影响度，将各学科的全部 SCI 期刊分为 1 区(最高区)、2 区、3 区和 4 区等 4 个等级：1 区是影响因子在某一学科排名前 5％的期刊，2 区是排名 5％～10％，3 区次之，4 区则更普通。按 SCI 期刊分区表对 SCI 论文进行评价已被国内部分高校采纳，它有利于鼓励科技工作者向本学科的高级区域投稿，尤其是发表在 1、2 区的论文，通常被认为是该学科的标志性成果。个人可以通过关注中科院文献情报中心分区表微信小程序，用刊名或 ISSN 号免费查询期刊分区信息。

目前国内各单位对 SCI 期刊的分区标准，多数采用的是中科院期刊分区标准。

4. JCR 的期刊数据(Journal Data)和学科数据(Category Data)　JCR 对检出的期刊可按期刊数据和学科数据进行排序。

(1) JCR 的期刊数据

Abbreviated Journal Title：刊名缩写。

ISSN：期刊的国际标准连续出版物号。

Total Cites：某刊在 JCR 统计年被引用的总次数。

Impact Factor：期刊影响因子。

5-Year Impact Factor：5 年影响因子，指期刊前 5 年发表的文献在评价当年被平均引用的次数。如果 5 年影响因子小于统计当年的影响因子(2 年期)，表明该刊受关注程度增加，反之亦然。

Immediacy Index：即年指数或称即时指数，指期刊当年刊载的论文在当年平均被引用的次数，表明论文发表后的时效性影响。

Articles：指可引用的文献数，不包括 Editorials(编辑评论)、Letter(通讯报道)和 Meeting

Abstracts(会议摘要)等类型文献。

Cited Half-life：期刊被引半衰期，指将某刊在 JCR 统计年内被引用的全部论文依出版年份降序排列，前 50%论文的出版时间即为该刊的被引半衰期，是衡量期刊文献知识老化速度的重要指标。

Eigenfactor Score：特征因子分值，指某刊在过去 5 年刊载的论文在 JCR 统计年被引用的情况，是测定科学研究的学术影响力指标。特征因子分值与影响因子计算的不同方面有：① 特征因子分值的统计源包括自然科学期刊和社会科学期刊；② 特征因子分值剔除了期刊自引数据，更具合理性；③ 特征因子分值的计算基于随机的引文链接，考虑到引用期刊的影响力，即认为被高水平期刊的一次引用可能要比被低水平期刊的多次引用更重要。

Article Influence Score：论文影响分值，旨在基于每篇论文学术影响力来测度期刊的相对重要性。论文影响分值的平均值为 1，>1 表明期刊中每篇论文的影响力高于平均水平，<1 则表明低于平均水平。

目前由于部分期刊的过度自引，降低了影响因子评价期刊质量的真实性，而特征因子分值避开了期刊过度自引的不利因素，敏感性较高，但此项指标尚未普遍用于对学术期刊的评价。

(2) JCR 中的主要学科数据

Total Cites：某学科期刊的文献被引用的总次数。

Median Impact Factor：中值影响因子取自于一个学科期刊影响因子排序居中的那个期刊的影响因子。若某一学科的期刊为双数时，取影响因子居中的两种期刊影响因子的平均值为该学科的中值影响因子。

Aggregate Impact Factor：学科集合影响因子指前两年本学科期刊上的文献在 JCR 统计当年被平均引用的次数，即分子是该学科期刊前两年发表的文献在统计当年被引用的次数，分母是该学科期刊前两年刊载文献的总数。

Aggregate Immediacy Index：学科集合即年指数。

Aggregate Cited Half-Life：学科集合被引半衰期。

Journals：该学科被 JCR 收录期刊的数量。

Articles：该学科被 JCR 收录期刊的载文总数。

(二) 检索功能与方法

JCR 首页面的检索框内，可以通过期刊名全称/缩写、ISSN 号、学科名称、期刊出版商名称、国家/地区信息，检索某一本 SCI 期刊或按某一聚类属性查询某一学科、出版商、国家的 SCI 期刊。同时，还提供 Journals、Categories、Publishers、Countries/Regions 四个检索入口查询。

1. 按期刊名全称/缩写或 ISSN 号查询　输入期刊名全称或缩写，或者该刊的 ISSN 号精确查询，也可以输入刊名的部分关键词，系统会有提示词以供选择刊名，然后完成查询。此类方式适合查询具体的某一本 SCI 期刊信息。

2. 按某一聚类属性查询　JCR 提供以下四种查询方式。

(1) Journals 入口查询：在 JRC 首页点击“Journal”，即进入查询页面，该方式可查询到 JCR 所有收录的期刊，并且提供过滤器以便筛选所需 SCI 期刊数据，筛选项包括：Journals、ISSN/eISSN、Categories、Publishers、Country/region、Citation Indexes、JCR Year、Open Access、JIF Quartile、JIF Range、JCI Range、JIF Percentile。

(2) Category 入口查询：按学科分类查询 SCI 收录期刊的引文数据，可按 21 个大类学科和 254 个小类学科查询。

(3) publishers 入口查询：按某一出版商名称查找期刊，系统目前总共收录 5 252 家期刊出版商，可通过出版商名称字顺表浏览或输入名称查询。

(4) Country/Territory：按国家和地区查找期刊，可通过国家和地区名称字顺表浏览或输入名称查询，目前总共收录有 112 个国家。

3. JCR 的检索结果处理　在某一期刊检索结果的页面，点击右上角“Export”，可以 PDF 文件形式保存该期刊的引文数据信息。需要个人免费注册账号并登录才能使用此项功能。

网址：https://jcr.clarivate.com

[检索实例]

查询 2024 年中医药学科 SCI 期刊的收录总数，找出该学科影响因子最高的期刊，并具体了解期刊的引文数据。

参考答案：

(1) JCR 首页中点击的“Category”。

(2) 系统出现 21 个大类学科列表，根据中医药学的学科属性选择“Clinical Medicine”，并点击进入查看，然后选择“INTEGRATIVE & COMPLEMENTARY MEDICINE”并点击进入，然后选择“SCIE”，可看到其收录有 29 本期刊，点击该链接可以查看 29 本期刊。即可看到每种期刊的查询结果提供刊名缩写、ISSN 号、影响因子、5 年影响因子、被引半衰期等期刊数据信息。注意：不能选择“ESCI”，ESCI 并不是 SCI 收录的期刊。

(3) 点击“2022 JIF”，按影响因子从高到低进行排序，可知 INTEGRATIVE & COMPLEMENTARY MEDICINE 学科影响因子最高的期刊为 *Phytomedicine*，最新影响因子为 7.9。

(4) 点击刊名链接，就可以具体了解期刊的引文数据信息。

第七节　ScienceDirect 数据库

爱思唯尔(Elsevier)公司是科技与医学信息产品及出版服务的世界知名出版商，出版的期刊和图书是业界公认的高质量学术出版物，期刊大多数为同行评议的核心期刊，被许多著名的二次文献数据库收录。旗舰产品包括 ScienceDirect、Scopus、Embase、Engineering Village Compendex(EI)，这些数据库均有较高的知名度。本节主要介绍 ScienceDirect 数据库。

一、概况

ScienceDirect 是目前全球最大的外文全文数据库，收录有全球顶级期刊 *The Lancet* 和 *Cell* 等。

(一) 收录期刊的学科范围

收录期刊近 4 000 种，涵盖 23 个学科领域，包括化学工程、化学、计算机科学、地球与行星学、工程、能源、材料科学、数学、物理学与天文学、农业与生物学、生物化学/遗传学和分子生物学、环境科学、免疫学和微生物学、神经科学、医学、护理与健康、药理学/毒理学和药物学、兽医科学与兽医学、商业/管理和财会、决策科学、经济学/计量经济学和金融、心理学、社会科学，其中约 80%的期刊被 SCIE 和 SSCI 收录。

（二）收录的专业图书

收录电子图书 4.3 万多本，包括专著、参考工具书、教科书、手册和丛书，以其出版物的高质量为人称道，如广受好评的《酶学方法》《经济学手册》《社会行为学大百科》等，作者包括科学界的领军人物、诺贝尔奖获得者和资深科学研究人员。

（三）首页介绍

按功能划分，首页可分为检索区、主要功能区和辅助功能区三个模块。

1. 检索区　位于首页上方，可搜索同行评议的期刊论文和图书章节信息。包括快速检索页面和高级检索链接。

2. 主要功能区　位于首面中间位置，可按学科和字顺表浏览期刊和图书。按学科浏览分为物理科学与工程（Physical Sciences and Engineering）、生命科学（Life Sciences）、健康科学（Health Sciences）、社会与人文科学（Social Sciences and Humanities）四大学科，每个大学科又分若干个小学科供用户浏览期刊和图书，同时每个大学科栏目中都会呈现目前的高热度论文以及新增收录期刊。按字顺表浏览可按 26 个英文字母和 0～9 数字浏览期刊。

3. 辅助功能区　位于首页下方，包括 ScienceDirect 介绍（About ScienceDirect）、探索了解 ScienceDirect（Explore Science Direct）和探索 Elsevier（Explore Elsevier）。

（四）主题页

科研过程中常常会遇到不熟悉的术语和概念，但从现有文献中找出科学可靠的知识并非易事，很可能被不可信的资源、碎片式的信息和不断跳转的网站弄得头晕目眩。基于此，主题页（https://www.sciencedirect.com/topics）提供 36 万余个术语解释及其参考文献来源。全部内容提炼自专业权威的出版物，如学术专著和参考工具书等，将经过总结提炼的知识直接呈现给研究人员。

（五）提供的功能

直观化的工具和功能让数据库的使用和检索更加方便，网站提供以下功能。

（1）设置提醒，确保不会错过任何最新研究成果。

（2）增强的 PDF 文章阅读器可以显示大纲、引文、建议、参考文献和作者链接，获取更丰富的阅读体验。

（3）阅读和搜索历史功能可以跟踪最近浏览的 100 篇文章或书籍章节。

（4）推荐功能可将阅读历史与同行阅读过的文章和 Scopus 引文数据相结合，推荐更多相关信息。

（5）远程访问功能支持随时随地阅读订阅的出版物，不受 IP 范围的限制。

ScienceDirect 检索平台可免费检索文献题录信息，但全文需单位购买全文库或通过账号方可下载。

二、检索功能与方法

（一）检索规则

1. 单词检索与短语检索　默认的是单个词检索（word），如果要检索一个短语词（phrase），就必须使用引号。例如，键入“Zhejiang Chinese Medical University”，检索结果只包含这个短语；如果键入 Zhejiang Chinese Medical University，没有引号，检索中的结果则将可能是

Zhejiang Chinese Medical University 和 Zhejiang Chinese Traditional Medical University，单词之间为 AND 的关系。

2. 作者检索　先输入名的全称或缩写，然后输入姓，如 rj smith，默认为“前方一致”，忽略空格和逗号。

3. 布尔逻辑运算符　检索词之间支持的布尔运算符包括 AND、OR、AND NOT 的使用，运算符必须全部用大写字母输入。需要注意的是，其逻辑非运算符号，并不是一般数据库中常见的 NOT，而是 AND NOT。在同一检索字段中，可以运用布尔运算符 AND、OR、AND NOT 来确定检索词之间的关系，如果没有布尔运算符和引号，系统默认各检索词之间的逻辑关系为 AND。同一组检索提问既含有 OR，又含有 AND 时，必须用优先算符圆括号()，将 OR 前后的词放入括号中，计算机将优先运算括号内的检索式。

4. 连字符或减号　连字符或减号“－”被检索系统解释为逻辑非 AND NOT 运算。

5. 位置算符检索　使用 PRE/n，表示两词相隔不超过 N 词，词序一定。例如，behavioural PRE/3 disturbances。

6. 短语检索　短语检索符为双引号，引号内的检索词必须彼此相邻。短语搜索中会忽略标点符号。例如，搜索“heart-attack”和“heart attack”两者检索文献数量相同。另外，短语检索包含复数和拼写变形：“heart attack”包含“heart attacks”，“color code”包含“colour code”。

7. 拼写方式　当英式与美式拼写方式不同时，可使用任何一种形式检索。例如，behaviour 与 behavior，psychoanalyse 与 psychoanalyze。

8. 单词复数　使用名词单数形式可同时检索出复数形式。例如，horse-horses，woman-women。

9. 特殊字符检索　ScienceDirect 支持 UTF－8 字符集，可以直接在检索框中输入所有 UTF－8 字符，包括非罗马字符和重音字符。

（1）希腊字母和对等单词：搜索希腊字母 Ω，请输入 omega。包含单词 omega、符号 Ω(大写 omega)和 ω(小写 omega)的文献均会显示在检索结果中。

（2）下标和上标：下标和上标字符需输入在与其他字符相同的行内。搜索化学符号 "H_2O"，输入 H_2O。

（3）重音字符：搜索名称 Fürst，输入 Fürst 或 Furst。

（4）非字母/数字字符：项目符号、箭头和加号等字符会被忽略。

（二）检索途径

ScienceDirect 提供浏览(Browse)和搜索(Search)两种检索方式，“Browse”主要通过字顺表来浏览及查找期刊、图书的信息。“Search”通过输入检索词，选择相应检索字段及相应逻辑运算符来检索文献。

1. Browse 检索　提供从刊名/书名的角度来浏览相关文献，Browse 检索位于 ScienceDirect 首页的主要功能区。用户可以根据学科或者刊名/书名的头一个字母选择想要浏览的期刊/图书。

2. Search 检索　在 ScienceDirect 页面上方，“Search”检索提供快速检索页面和高级检索两种方式。

（1）快速检索：提供三项检索入口。

Find articles with these terms(查找包含这些术语的文章，俗称关键词检索)：ScienceDirect

将搜索文档的所有部分以查找该术语出现的位置(不包括参考文献)。

In this journal or book title(在本期刊或图书名称中)：键入期刊或图书名称，ScienceDirect即会显示一个推荐标题列表供选择。注意：选择自动推荐以将搜索范围限制为该特定出版物。在该检索项中输入一个术语以搜索标题中包含该术语的所有出版物，如输入 Lancet 以搜索标题中出现 Lancet 的所有出版物。

Author(s)：仅在文档中作者姓名的字段中搜索作者名。

此三项检索入口彼此之间逻辑运算关系为 AND 运算。

(2) 高级检索：在快速检索右侧，点击“Advanced search”，进入高级检索页面。高级检索提供表单为开放式设计，允许指定一条或多条信息以在 ScienceDirect 中查找相关文档。在搜索中使用多个布尔值运算符和嵌套子句构建检索式查询。所有可用字段均可选，但至少填写一个包含可搜索信息的搜索条件。

除了快速检索的三个检索项外，高级检索还提供 Year(s)、Author affiliation、Volume(s) Issue(s) Page(s)、“Title, abstract or author-specified keywords”、Title、References、ISSN or ISBN 检索项搜索文献。以下对这些检索项的使用做简介。

Year(s)：出版年，将搜索输入的年份或年份范围的文献。所有年份必须是四位数，如 1975 或 1985—2018。

Author affiliation：作者的隶属机构，在文献中作者隶属机构部分进行对于关键词的搜索。

Volume(s)/Issue(s)/Page(s)：在 Volume(卷)和 Issue(期)字段中，仅可输入数值，使用连字符来搜索范围。可以使用“Page(s)(页)”字段来搜索文章号。使用页数时，仅使用第一页或最后一页的页数，或定义整个页数范围。

“Title, abstract or author-specified keywords”：标题、摘要或作者特定的关键词。默认不显示该字段，点击“Show more fields”即可显示此字段及下述介绍字段。在文献的这些部分搜索检索词。

Title：标题，检索范围在论文的题目中检索。

References：参考文献，搜索文献末尾引用的参考文献目录。

ISSN or ISBN：在 ISSN 刊号或 ISBN 书号中搜索。

三、检索结果与处理

执行检索操作后，系统返回检出文献情况。在检索结果页面上方，显示检出文献的篇数、使用的检索项信息及具体的检索式。检出文献的排序方式有 relevance(相关度)和 date(时间)两种方式，系统默认按相关度排序。需要个人免费注册账号并登录后，系统才会自动保存检索历史，并可对检索式进行二次编辑及再次执行检索。如不登录个人账号，系统不保存检索历史。

1. 检出文献的筛选　检索结果页面左侧栏可对检出文献按需要进行筛选，筛选方式如下。

(1) Subscribed journals 是指只检出本单位已购买期刊全文的文献。

(2) Years 是按出版年显示当前检出文献在某一年或几年的文献数量。

(3) Article type 是按文献类型筛选检出文献，其类型包括有 Review articles(综述文章)、Research articles(原创性研究文章)、Encyclopedia(百科全书)、Book chapters(书籍章节)、Conference abstracts(会议摘要)、Book reviews(书评)、Case reports(病例报告)、Conference

info(会议信息)、Editorials(编辑往来信件)、Correspondence(讨论)、编者序、Errata(勘误)、Examinations(考试)、Mini reviews(小综述)、News(新闻)、Practice guidelines(实践指南)、Product reviews(产品评论)等。

(4) Publication title 是指当前检出的文献在其一本期刊或图书中的文献数量。

(5) Subject areas 是指当前检出文献的某一学科主题中的文献数量。

(6) Languages 是指当前检出文献的各语种分布。

(7) Access type 是指当前检出的文献中在开放存取类期刊的文献数量。

2. 检索结果的显示和保存　系统默认显示检索结果的格式为题录格式,显示文献的题目、作者和文献出处,如果用户需要查看检出文献的摘要等其他信息,可以点击论文标题会显示文献的所有信息,包括摘要、是否为已出版的文献及参考文献等。

如需保存检索结果,可以在文献序号边的方框内打勾选择希望保存的文献,如没选择文献系统则不请允许保存文献操作。选择好文献之后,点击上方的"Export"就可保存检索结果,系统提供四种已选文献输出方式:Save to RefWorks、Export citation to RIS、Export citation to BibTeX、Export citation to text,其中前三种文献为以文献管理软件的格式保存检索结果,最后一种方式为以文件形式保存。

3. 全文下载　用户可以通过自己购买及单位订购的形式下载全文,点击每条记录中的"View PDF"链接,就可下载全文,系统支持已选文献的批量下载。

四、个性化服务

用户首先需要在线注册,免费注册个人账户以实现个性化服务,已经注册的个人用户可以设定你的个性化图书馆,设置 E-mail 提示,建立个性化的期刊目录、引文提示等服务。可以设定以电子邮件接收最新出版的文章信息,包括电子优先出版的文章信息。可以选择最新目次,或是与关键词有关的最新出版文章,并要求接受新出版的目次报道。可以选择电子邮件(包括 HTML 格式或纯文字格式)接受新出版的期刊目次报道服务。

[检索实例]

用 ScienceDirect 检索拉米夫定治疗乙肝的病例报告论文,写出检索策略,并实施检索。

参考答案:

1. 分析检索需求　本题涉及拉米夫定和乙肝两个检索点,需在检索中查全这两方面的文献,两者概念明确且专指度高,检索时只需考虑其有无同义词会导致漏检,需找出英文检索词的同义词,以实现查全文献。

2. 选择检索系统　检索题目指定用 ScienceDirect 完成检索。需要注意的是,ScienceDirect 与 WOS 平台相同,其收录期刊不单是医学学科,还包括其他学科的期刊,因此这两个数据库均不作为检索医学外文文献的首选数据库,只能作为补充检索。

3. 设置检索条件

(1) 确定检索词:参照第三章第五节检索实例中有关中文检索词中译英的方法,将检索词翻译为英文,乙肝:hepatitisb,拉米夫定:lamivudine。同时使用 PubMed 对检索词的自动匹配转换功能,找出拉米夫定(lamivudine)转换之后的同义词 lamivudin,最终本检索题的英文检索词包括:hepatitis b、lamivudine 和 lamivudin。

（2）确定检索途径：题目要求检索某一研究主题的文献，因此选择 ScienceDirect 的“Find articles with these terms”检索项。

（3）构造检索表达式："hepatitis b" AND (lamivudine OR lamivudine)，需要注意的是，hepatitis b 为一短语词，因此在构建检索式时，根据 ScienceDirect 的检索规则，需要在该词两边加上双引号。将构建的检索式输入“Find articles with these terms”检索框并实施检索，并在检索结果页面的“Article type”项选择“Case reports (94)”筛选文献，检索界面及结果如图 3 - 34 所示。

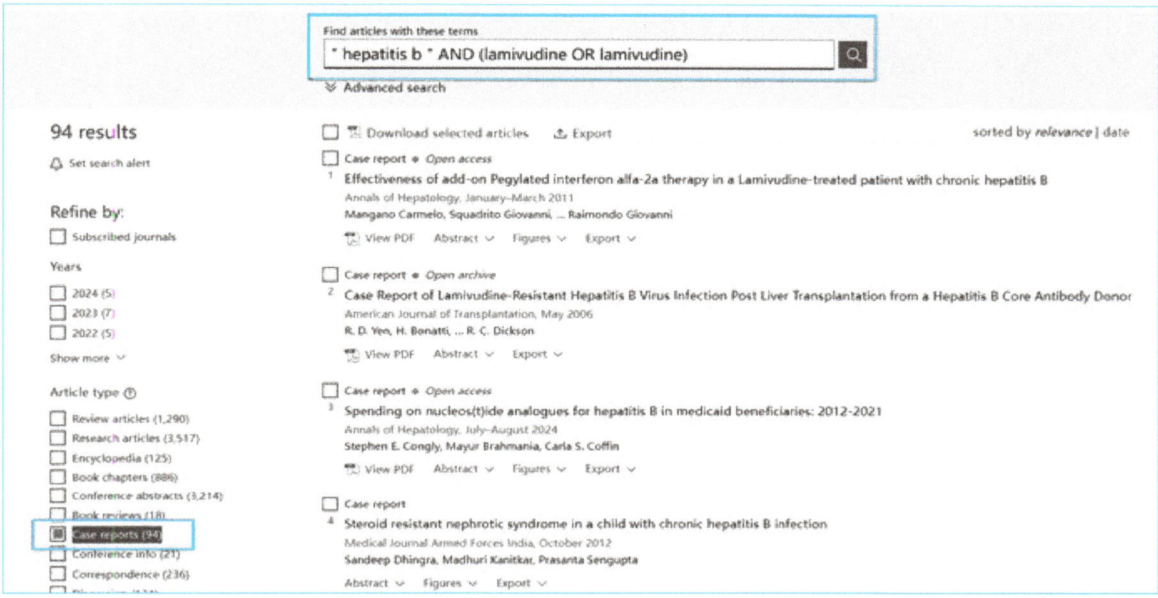

图 3 - 34　ScienceDirect 检索页面

4. 调整检索策略　根据实际的检索结果，进行检索词、检索途径及布尔逻辑运算符等的调整。

本书配套数字教学资源

微信扫描二维码，加入中医药信息检索与利用读者交流圈，获取配套教学视频、学习课件、课后习题和沟通交流平台等板块内容，夯实基础知识

第四章
特种文献检索

导学

特种文献包括专利文献、标准文献、学位论文、会议论文等类型，其内容广泛新颖，能从不同领域及时地反映当前科学技术的发明创造、研究进展及前沿动态；采用公开或内部发行的方式，具有出版周期灵活的特点。特种文献是中医药现代研究成果的重要信息源，对其检索和利用有利于推进中医药科研及转化进程。

学习目标

掌握检索专利、标准、学位论文、会议论文等特种文献的常用数据库及其使用方法。

熟悉特种文献检索的定义、类型、特点及作用。

了解其他特种文献检索的网站资源。

课程思政

通过本章的学习，培养学生具备知识产权保护及规则意识、敏锐捕捉学科发展动态及创新创造思维。

第一节　专利文献检索

在当今世界新科技革命推动下，科技竞争成为国际上综合国力竞争的焦点，世界各国尤其是发达国家纷纷把推动科技进步和知识创新作为国家的战略重点。然而，知识产权与创新关系最为紧密，保护知识产权就是保护创新，保护创新就是服务加快发展新质生产力。专利作为自主技术知识创新的重要标志和体现，在衡量国家科技水平方面占有极其重要的地位。

一、专利

专利制度是国际上通行的一种利用法律和经济相结合的手段来促使技术发展的制度，也是为推动科技进步和生产力发展，由政府审查和公布发明内容并运用法律、经济手段保护发明创造所有权的制度。

（一）专利的概念

专利(patent)是专利权的简称，是指一项发明创造由申请人按照法律程序向国家有关主管部门提出专利申请，经依法审查合格后向专利申请人授予的在规定的时间内对该项发明创造享有的独占、使用和处分的权利。专利包含三个方面的内容：一是专利权，即国家依法在一定时期内授予发明创造者或者其权利继受者独占使用其发明创造的权利；二是专利技术，即受专利法保护的发明创造，是受国家认可并在公开的基础上进行法律保护的专有技术；三是专利文献，即记载发明创造内容的专利说明书。

我国第一部《中华人民共和国专利法》自 1985 年 4 月 1 日起正式实施。其规定，自申请日起计算，发明专利权的保护期限为 20 年，实用新型专利权的保护期限为 10 年，外观设计专利权的保护期限为 15 年。一项创造发明必须同时具备新颖性、创造性和实用性才能向专利局申请专利，经审查批准后才能依法授予专利权，且只是在授予专利权的国家和地区范围内得到保护。要得到多个国家和地区的专利保护，就必须向有关国家和地区的专利部门提出申请，经审查批准授予专利权后，才可获得相应国家和地区的专利保护。

（二）专利的特点

1. 独占性　在一定时间内，未经专利权人许可，任何人都不得制造、使用和销售已获得专利权的发明创造。

2. 地域性　一件发明只能在申请的国家或地区受到保护，对其他国家和地区不发生效力。

3. 时间性　专利权受法律保护是有期限的，只有在法律规定的期限内才有效。专利权的有效保护期限结束以后，专利权人所享有的专利权便自动终止。

（三）专利的分类

各国对专利的分类有不同的规定，我国法律规定，专利分为发明专利、实用新型专利和外观设计专利。

1. 发明专利(invention patent)　这是针对产品、方法或者方法的改进所提出的新的技术方案，包括产品发明和方法发明。

2. 实用新型专利(utility model patent)　这是针对产品的形状、构造或其结合提出的适于实用的新技术方案。

3. 外观设计专利(design patent)　这是针对产品的形状、图案或者其结合以及色彩与形状、图案的结合，所做出的富有美感并适于工业上应用的新设计。

二、专利文献

（一）专利文献的概念

详见第一章。

（二）专利文献的特点

1. 集技术、法律和经济信息于一体　专利文献记录的技术是某个领域中的最新技术(发明创造)；法律信息表明该项目是否取得了专利权以及专利保护的国家、地区等；经济信息则是该专利的未来技术市场、销售规模和经济预测等。

2. 内容新颖　据统计，全世界最新技术中有 90%～95%首先见于专利文献。由于发明人都尽量抢先申请专利，垄断某项技术，加上专利管理部门实行先申请、早期公开的制度，使专利文献的新技术、新成果较先公布。

3. 内容详尽实用　专利文献报道内容详尽，每一件专利文献不仅都详细记载了解决某种研究课题的技术方案，而且专利法要求专利说明书叙述的内容能够使得同行业普通专业人员可根据其实施。

4. 格式统一规范　各国的专利说明书都按国际统一的格式制作，一般包括扉页、权利要求书、说明书、附图等部分专利文献均标注统一国际专利分类号，为检索带来了便利。

5. 数量大、范围广　据世界知识产权组织（World Intellectual Property Organization，WIPO）报告，世界每年出版专利说明书达 100 万件，专利文献数量占世界每年科技出版物的 1/4，专利文献收录范围广。

（三）专利文献的类型

1. 专利说明书　有广义和狭义之分。广义的专利说明书是指各国专利局及国际（地区）性专利组织出版的各种类型专利说明书的统称，包括授予发明专利、发明人证书、医药专利、工业品外观设计专利、实用新型专利的说明书等。狭义的专利说明书是指授予专利权的专利说明书，常见有发明专利说明书和实用新型专利说明书等。

2. 专利公报　主要指专利申请的审查和授权情况，包括有关申请报道，有关授权报道，有关地区、国际性专利组织在该国的申请及授权报道，与所公布的申请和授权有关的各种法律状态变更信息等。一般以周刊、半月刊、月刊的形式出版，现以周刊居多。每期专利公报除了报道一定时间内专利申请的公开、公告和授权情况外，还报道由于各种原因撤回或失效的专利情况，以及工业产权保护方面的动态信息和有关的专利事物等内容，同时还附有用于检索的各种索引。

3. 专利索引　这是以专利说明书的某一著录项目为依据，编制的检索目录。专利索引或者刊载在专利公报中，作为检索专利公报各种专利信息之用；或者单独出版，成为一种独立的检索工具。

4. 专利文摘　这是题录型专利公报的补充出版物，多与题录型专利公报同步出版，它与文摘型公报不同。专利文摘一般按类编排，因而又称分类文摘，其最大特点是不报道有关专利申请、审批过程及专利授权情况的各类法律信息。

（四）专利文献的作用

1. 传播发明动态、促进技术进步　专利制度规定专利申请人在申请专利时必须提交描述发明创造的技术内容和专利保护范围的文件。专利机构将专利文件公布，以达到保护专利信息的目的，记载着发明创造的专利文献因此产生。从专利文献中可以获得科技发展的最新技术动态，提高利用新技术的概率，起到促进社会技术进步的作用。

2. 保护知识产权、防止侵权行为　专利制度承认人们的智力劳动成果，承诺保护专利权人的专利权，因此人们为寻求对其发明创造的保护而提出专利申请。专利权人在专利制度的保护下，通过实施其受专利保护的发明成果而获得最大化商业利益。

3. 作为专利侵权诉讼依据　任何竞争对手都要尊重他人的知识产权，杜绝恶意侵权行为，避免无意侵权过失，以形成良好的市场竞争环境。在专利侵权诉讼中，专利文献可以起到诉讼依据的作用。专利文献中含有每一件专利的保护范围信息（权利要求书）、专利时间效力信息（申请日期、公布日期），无论是被告还是原告在侵权纠纷发生时，都应检索专利文献信息，查看相关的专利技术和背景资料。

4. 启迪发明、创新思路　许多发明是在借鉴他人发明的基础上获得启发，进行再创造才有的。专利文献中含有每一件申请专利的发明创造的具体技术解决方案，可以起到启发的作用。企业研究本领域专利文献中记载的发明创造，不仅可以避免重复研究，节约研究经费和时间，还可启迪研究人员的发明创新思路，提高创新的起点，实现创新目标。

三、国际专利分类法

国际专利分类法(International Patent Classification，IPC)是世界知识产权组织设立的一个针对专利领域的国际分类系统，使各国专利文献获得统一分类的检索工具，是为标引与检索同一主题在世界范围内的专利文献提供统一的标准。自 1968 年 9 月 1 日诞生起，以后每 5 年修订 1 次。2006 年起每年修订 1～2 次。中国自 1985 年 4 月 1 日起，在出版的专利文献上标注 IPC 分类号。IPC 按照技术主题设立类目表，采用等级分类体系，将技术内容按部(section)、分部(subsection)、大类(class)、小类(subclass)、主组(main group)、分组(subgroup)逐级分类，形成完整的分类体系。

1. 部　IPC 将全部科学技术领域分为 8 个部，分别用 A～H 大写英语字母表示。

A 部：人类生活必需品。

B 部：作业；运输。

C 部：化学；冶金。

D 部：纺织；造纸。

E 部：固定构造，如建筑和采矿。

F 部：机械工程；照明；热工；武器；爆破。

G 部：物理。

H 部：电学。

2. 分部　在部内设置由技术范围所构成的分部，是各部主要内容的一些概括性分类标题，分部没有类号，只有类目。如 F 部下设有“发动机与泵；一般工程；照明与热工；武器和爆破”四个分部。

3. 大类　每一个部分成许多大类，大类是分部的展开，仍属较概括性分类。由大类的类号、类名组成。类号由部的类号加上两位阿拉伯数字组成。如：A61 医学或兽医学；卫生学。

1. 小类　每个大类包括一个或多个小类，小类是大类的进一步展开，通过各小类的类名，并结合小类的有关参见或附注尽可能精确地定义该小类所包括的技术主题范围，小类的类号由大类的类号加上一个大写字母构成。如：A61P 化合物或药物制剂的特定治疗活性。

5. 主组　主组是小类的细分，主组的类号由小类的类号加 1～3 位数字及“/00”构成。如：A61P 1/00 治疗消化道或消化系统疾病的药物。

6. 分组　分组是主组的进一步细分，更具体地表明了技术范围，分组的类号是将主组类号中最后的“00”换成非全为 0 的 2～4 位数字表示。如：A6IP 1/16 治疗肝脏或胆囊疾病的药物，如保肝药、利胆药、溶石药。

一个完整的 IPC 类号由代表部、大类、小类、主组或分组的符号组成，如 A61K 1/16。

A………………………部

A61………………………大类

A61P………………………小类

A61P 1/00………………………主组

A61K 1/16…………………………分组

真正完整的国际专利分类号表示形式除了上述各级别的标记外，前面还要加上“Int.cl”标记，n代表按第几版IPC分类表进行分类。

四、常用专利文献数据库(系统)

(一) 国家知识产权局网

国家知识产权局专利检索及分析系统收录了涵盖中国、美国、日本、韩国等专利局和世界知识产权组织等103个国家、地区和组织的专利数据，以及引文、同族、法律状态等数据信息。数据更新及时，每周三进行中外专利数据的更新，每周二进行同族、法律状态的更新，每月进行引文数据的更新。专利检索系统提供常规检索、高级检索、导航检索、药物检索、命令行检索多种专利检索模式，可以进行查新检索、侵权检索、药物检索等。

专利检索及分析系统不仅可以检索与分析我国授权的专利，也能检索及分析包括美国、俄罗斯、英国、法国、日本、韩国及欧盟在内的绝大多数主流国家和地区的专利文献。系统向公众开放，不过使用需要注册登录，注册是免费的。

网址：https://pss-system.cponline.cnipa.gov.cn/

[检索实例]

检索知柏地黄丸的专利文献，写出检索策略，并实施检索。

参考答案：

1. 分析检索需求

(1) 文献类型：专利文献。

(2) 检索目的：查找知柏地黄丸的专利文献，检索时以查全率为首要考虑因素。

2. 选择检索系统　中国国家知识产权局专利检索及分析系统。

3. 设置检索条件　确定检索词为知柏地黄丸。

4. 调整检索策略　根据实际的检索结果进行调整。

(二) 中国知识产权网专利信息服务平台

中国知识产权网的专利信息服务平台主要提供对中国专利和国外(美国、日本、英国、德国、法国、瑞士和世界知识产权组织、欧洲专利局)专利检索，收录1985年以来在中国公开的全部专利信息(其余专利数据范围可查看平台中的“数据范围”)。该平台主要提供表格检索、逻辑检索和IPC分类检索等检索方式。

网址：http://search.cnipr.com/

(三) 中国专利信息网

中国专利信息网能够检索1985年至今的专利题录信息，可提供查新检索、专题检索等。免费用户可以自由浏览专利说明书全文的首页，普通和高级用户可以查看、下载并打印发明专利、实用新型专利说明书的题录和摘要信息，以及说明书的全部内容。

中国专利信息网提供简单检索、逻辑组配检索和菜单检索等检索方式。基础检索服务提供查新检索报告、授权专利检索报告、专题检索报告、中国香港短期专利检索报告等。高级检索服务提供专利申请评估报告、对比文件分析咨询报告、专利稳定性分析报告等。

网址：https://www.patent.com.cn/

（四）中国知网——专利库

中国知网——专利库包括中国专利和境外专利。其中，中国专利收录了1985年以来在中国大陆申请的发明专利、外观设计专利、实用新型专利，共5 600余万项，每年新增专利约250万项；境外专利包含美国、日本、英国、德国、法国、瑞士、俄罗斯、韩国、加拿大、澳大利亚和世界知识产权组织、欧洲专利局，以及中国香港及中国台湾等十国两组织两地区的专利，共计收录从1970年至今专利1.1余亿项，每年新增专利约200万项。

网址：https://kns.cnki.net/kns8s/?classid=VUDIXAIY

（五）万方数据知识服务平台——中外专利数据库

中外专利数据库涵盖1.6亿条国内外专利数据。其中，中国专利收录始于1985年，共收录4 700万余条专利全文，可本地下载专利说明书，数据与国家知识产权局保持同步，包含发明专利、外观设计和实用新型三种类型，准确地反映中国最新的专利申请和授权状况，每年新增300万条。国外专利1.1亿余条，均提供欧洲专利局网站的专利说明书全文链接。收录范围涉及中国、美国、日本、英国、德国、法国、瑞士、俄罗斯、韩国、加拿大、澳大利亚和世界知识产权组织、欧洲专利局的数据，每年新增300万余条。

网址：https://c.wanfangdata.com.cn/patent

（六）世界知识产权组织网

世界知识产权组织网站数据库是由世界知识产权组织建立的知识产权电子图书馆，提供世界各国专利数据库检索服务，包括：PCT国际专利数据库、中国专利英文数据库、印度专利数据库、美国专利数据库、加拿大专利数据库、法国专利数据库、欧洲专利数据库、JOPAL科技期刊数据库、DOPALES专利数据库、MADRID设计数据库等。

网址：http:www.wipo.int

（七）美国专利商标局专利数据库

美国专利商标局专利数据库包括授权专利数据库和申请专利数据库两部分。授权专利数据库收录了1790年7月31日至今的美国专利，申请专利数据库对2000年11月9日起递交的专利申请进行公开，从2001年3月15日开始正式出版专利申请说明书。数据库提供1790年至今的全文图像说明书以及1976年至今的全文文本说明书，每周更新1次。美国专利数据库检索功能较强，检索途径众多，除了快速检索和高级检索外，还提供专利分类检索供用户检索。最新版本的美国专利分类表中的相关主题的分类号，通过法律状态检索可查找专利缴费情况、专利撤回、保护期限、专利权人的变化等。

网址：http://www.uspto.gov/

（八）欧洲专利局网络数据库

欧洲专利局、欧洲专利组织成员国及欧洲委员会合作开发了名为“esp@cenet”的网络数据库，该专利数据库收录了1920年以来世界上50多个国家公开的专利文献，包括欧洲专利局数据库、世界知识产权组织数据库、欧洲成员国（包含了英国、德国、法国、瑞士等成员国）公开的专利文献，但对各国专利所收录数据的范围和数据类型有所不同。可以检索国际专利信息（PCT）、日本公开特许信息及全世界范围内的专利文献。提供快速检索（Quick Search）、高级检索（Advanced Search）、专利号检索（Number Search）、分类检索（Classification Search）四种检索途径。

网址：http://ep.espacenet.com/

第二节 标准文献检索

20 世纪 80 年代，已有 100 多个国家和地区成立了标准化组织，其中 90 多个国家和地区制定有国家标准。国际标准化机构中最重要、影响最大的是 1947 年成立的国际标准化组织(ISO)和 1906 年成立的国际电工委员会(IEC)，它们制定或批准的标准具有广泛的国际影响。中国国家标准化管理委员会是国务院下属的组织机构，2018 年 3 月国家标准化管理委员会职责划入国家市场监督管理总局，对外保留国家标准化管理委员会牌子。该委员会的职责包括下达国家标准计划，批准发布国家标准，审议并发布标准化政策、管理制度、规划、公告等重要文件；协调、指导和监督行业、地方、团体、企业标准工作等。

中医药标准化是一项基础性、战略性、全局性工作，是推进中医药行业治理体系和治理能力现代化的基础性制度。自 1988 年 12 月 29 日全国人大常委会修订《中华人民共和国标准化法》、2015 年 3 月 26 日国务院印发《深化标准化工作改革方案》、2021 年 10 月 10 日中共中央和国务院印发《国家标准化发展纲要》、2023 年 5 月 8 日国家中医药管理局制定《中医药团体标准管理办法》、2023 年 10 月 7 日国家中医药管理局印发《中医药标准管理办法》以来，我国系统有序地开展了中医药标准化工作，至今已有 3 000 多项中医药标准。2024 年 7 月 31 日，国家中医药管理局发布《中医药标准化行动计划(2024—2026 年)》，部署 20 项具体任务及 25 项专栏任务，对现有标准体系再“升级”，为推进中医药现代化和产业化、促进中医药高质量发展，提供了有力的技术支撑。

一、标准

(一) 标准的定义

标准一般以科学、技术和经验的综合成果为基础，以促进最佳社会效益为目的。它不仅是从事生产、建设工作的共同依据，而且是国际贸易合作、商品质量检验的依据。

从狭义上讲，标准是指按规定程序制定，经公认权威机构(主管机关)批准的一整套在特定范围内必须执行的规格、规则、技术要求等规范性文献；从广义上讲，标准是指与标准化工作有关的一切文献，包括标准形成过程中的各种档案，宣传推广标准的手册及其他出版物，揭示报道标准文献信息的目录、索引等。总而言之，标准是技术标准、技术规范和技术法规的总称。

(二) 标准的类型

1. 按标准适用范围划分

(1) 国际标准：由 ISO 制定，并作为国际上通用的标准。

(2) 区域标准：由某一区域标准化组织批准的标准，只适用于某一区域，如全欧标准(EN)。

(3) 国家标准：经国家标准化机构批准，在国内执行标准，如中国国家标准(GB)。

(4) 行业标准：没有国家标准而又需要在全国某个行业范围内统一的技术要求所制定的标准，如中国卫生部标准(WS)。

(5) 地方标准：由某一国家的地方部门制定并公开发布的标准。

(6) 企业标准：由某一企业或部门批准，适用于本企业或本部门的标准。

2. 按内容划分

(1) 基础标准：指对科研和生产活动具有广泛指导意义的最基本的标准，如专业名词、符号和计量单位等。

(2) 产品标准：指对有关产品的形状、尺寸和性能等要求。

(3) 方法标准：指对产品的试验、检查和测定等规定。

产品标准和方法标准是技术标准的主要内容。

(三) 标准的性质

根据《中华人民共和国标准化法》的规定，我国标准分为强制性标准和推荐性标准。强制性标准是必须严格执行的，做到全国统一；推荐性标准是国家鼓励企业及有关单位自愿采用的，但是一旦推荐性标准经过协商，成为相关合同中必须执行的内容时，有关各方则必须认真执行。

(四) 标准的编号

各国标准在编号方式上均遵循固定格式，通常为“标准代号＋流水号＋年代号”。如 GB/T 18666－2002 表示 2002 年颁布的第 18666 号国家推荐标准。

我国的标准编号是根据 1988 年 12 月 29 日发布的《中华人民共和国标准化法》。1990 年 4 月 6 日，又发布了《标准化法实施条例》。我国国家标准及行业标准的代号一律用两个大写汉语拼音字母表示，编号由标准代号、顺序号和批准年代组合而成。

国家标准用 GB 表示，如 GB 2024－2016 是国家标准(针灸针)；国家推荐标准用 GB/T 表示，如 GB/T 16751.3－2023 是国家推荐标准(中医临床诊疗术语　第 3 部分：治法)。

行业标准用该行业主管部门名称的汉语拼音首字母表示，如医药行业标准用 YY、教育行业标准用 JY、化工行业标准用 HG 等，行业标准代号一般以“QB”作为代号。如 YY/T 1726－2020，具体为“浓度梯度琼脂扩散药敏条”的行业标准，其中 YY 代表医药行业标准、T 代表推荐性标准、1726 是标准的具体编号、2020 是标准发布的具体年号。

二、标准文献

(一) 标准文献的定义

详见第一章。

(二) 标准文献的特点

1. 具有法律性　《中华人民共和国标准化法》规定，强制性标准必须执行，不符合强制性标准的产品禁止销售和进口。标准文献具有一定的法律属性，使产品生产、工程建设、组织管理等有据可依。

2. 具有时效性　适时进行复审，复审周期一般不超过 5 年。标准实施后，根据科技发展和经济建设需要，不断地进行修订、补充、替代或废止。

3. 具有规范性　每个国家对于标准的制定和审批程序都有专门的规定，并有固定的代号，标准格式整齐划一。各国标准化机构对其出版的标准都有一定的格式要求。

4. 标准文献交叉重复、相互引用　许多国家的国家标准是由代表性的行业标准或企业标准转化而来的，故在内容上有许多重复交叉的现象，且各国之间直接相互引用有关标准也屡见不鲜。

(三) 标准文献的作用

标准化的目的是对在经济、技术、科学管理等实践中重复的概念和事情，通过制定、发布和实施标准，达到统一，以获得最佳秩序和社会效益。在依赖技术的现代经济中，标准构成了重要的技术基础，对经济有着重大而复杂的影响，标准文献主要有以下方面的作用。

1. 反映各个国家不同领域的水平　可以了解各国经济政策、技术政策、生产水平、资源状况和标准水平。

2. 提高企业生产效率　标准是技术人员智慧和经验的结晶，它代表了最好、最容易、最安全的作业方式或方法，企业推广研究国内外先进的标准，有助于改进新产品、提高新工艺和技术水平。

3. 实现企业科学规范管理　是鉴定工程质量、校验产品、控制指标和统一试验方法的技术依据，有利于企业或生产机构经营管理活动的统一化、制度化、科学化。

4. 促进技术进步　国际标准和国外先进标准中包含着许多先进技术，企业可以简化设计、保证质量、缩短时间、节省人力、减少不必要的试验等支出，减少投入成本，获得最大的经济效益。

三、常用标准文献检索数据库(系统)

(一) 国家标准文献共享服务平台

国家标准文献共享服务平台(原中国标准服务网)是国家级标准信息服务门户，也是世界标准服务网的中国站点。该网站的标准信息主要依托于国家标准化管理委员会、中国标准化研究院标准馆及院属科研部门、地方标准化研究院(所)及国内外标准化机构。收录了 60 多个国家、70 多个国际和区域性标准化组织、450 多个专业协会的标准。此外，还收集了 112 种国内外标准化期刊和近 1 万册标准化专著。该网站与 30 多个国家及国际标准化机构建立了长期的资料交换的合作关系，还作为一些国外标准出版机构的代理，从事国外和国际标准的营销工作。

国家标准文献共享服务平台主要提供标准与法规、标准动态、信息服务、咨询服务等内容。标准文献的检索方式有简单检索、高级检索、专业检索、分类检索和批量检索。

网址：https://www.nssi.org.cn/

[检索实例]

检索中药提取物的标准文献，写出检索策略，并实施检索。

参考答案：

1. 分析检索需求

(1) 文献类型：标准文献。

(2) 检索目的：本题主要目的是查找中药提取物的标准文献，检索时以查全率为首要考虑因素。

2. 选择检索工具　国家标准文献共享服务平台。

3. 设置检索条件

(1) 确定检索词：中药提取物。

(2) 确定检索途径：关键词(默认)。

4. 调整检索策略　根据实际的检索结果进行调整。

(二) 全国标准信息公共服务平台

全国标准信息公共服务平台是公益类标准信息公共服务平台，提供与标准相关的各类信息的免费查询，包括已经发布的国家标准的题录信息、已备案的地方标准和行业标准的题录信息(部分有全文)、国际标准的题录信息、修订中的国家标准过程信息、国家标准意见反馈信息,还提供团体标准、企业标准、国外标准查询的链接。全国标准信息公共服务平台上的标准信息数据全部来自国家标准化工作管理系统所生成的数据信息或国际标准化机构(ISO、IEC)、国外标准化机构、国内标准化机构授权使用的标准资源,不仅内容全面,更新及时,而且具有权威性。

网址:http://std.samr.gov.cn

[检索实例]

检索现行关于针灸的标准文献,写出检索策略,并实施检索。

参考答案:

1. 分析检索需求

(1) 文献类型:标准文献。

(2) 检索目的:查找现行关于针灸的标准文献,检索时以查全率为首要考虑因素。

2. 选择检索工具　全国标准信息公共服务平台。

3. 设置检索条件

(1) 确定检索词:针灸。

(2) 确定检索途径:关键词(默认)。

4. 调整检索策略　根据实际的检索结果调整。

(三) 万方数据知识服务平台——中外标准

中外标准是万方数据知识服务平台的一个数据库,收录了所有的中国国家标准、中国行业标准以及中外标准题录摘要数据,共计 240 余万条记录。其中,中国国家标准全文数据内容来源于中国质检出版社;中国行业标准全文数据收录了机械、建材、地震、通信标准以及由中国质检出版社授权的部分行业标准;中外标准题录摘要数据内容来源于中国标准化研究院。数据库提供简单检索、高级检索、专业检索。高级检索提供的检索项包括标准类型、标准编号、标准名称、关键词、发布单位、起草单位、中国标准分类号、国际标准分类号等。

网址:https://c.wanfangdata.com.cn/standard

(四) 中国知网——标准数据总库

中国知网——标准数据总库包括国家标准全文、行业标准全文以及国内外标准题录数据库,共计 60 余万项。其中,国家标准全文数据库收录了由中国标准出版社出版的,国家标准化管理委员会发布的所有国家标准;行业标准全文数据库收录了现行的、已废止、被代替、即将实施的行业标准;国内外标准题录数据库收录了中国以及世界上先进国家、标准化组织制定与发布的标准题录数据,共计 49 余万项。标准数据总库设置了中标分类、国标分类、学科导航三种浏览方式,提供高级检索、专业检索、一站式检索。

网址:https://www.cnki.net/

(五) 美国国家标准网(ANSI)

美国国家标准中有一小部分是由美国国家标准学会(American National Standards Institute, ANSI)制订的,大部分是该学会各专业标准中选择的对全国具有重要经济意义的标准,这些标准经 ANSI 各专业委员会审核后提升为国家标准,并给以 ANSI 代号和分类号。标准号的形式是：ANSI-分类号-序号-年代。

网址：http://www.ansi.org

（六）英国标准网（BS）

英国标准是由英国标准学会(British Standards Institution，BSI)制订的，标准的编号方法是 BS-序号年代，现有标准 11 000 多件。英国国家标准并不分类，标准目录按专业出版，共分 40 种专业目录。

网址：https://www.bsigroup.com/

（七）日本产业标准调查会（JISC）

日本工业标准(Japenese Industrial Standard，JIS)是由日本工业标准调查会(JISC)制订的，为日本国家级标准中最重要、最权威的标准。JIS 标准对象除了对药品、农药、化学肥料、蚕丝、食品以及其他农林产品制定有专门的标准或技术规格外，还涉及各个工业领域。标准的编号方法是“JIS-字母类号-数字类号-序号年代”。

网址：http://www.jisc.go.jp/

第三节　学位论文检索

学位论文是为了申请到学位而撰写的学术报告。学位论文大部分在答辩通过后发表或出版，也有少数不公开发行，但都有复本被保存在学位授予单位。学位论文除了在本单位被收藏外，一般还在各国国家图书馆等指定单位专门进行收藏。中国科学技术信息研究所和国家图书馆是指定收藏硕士、博士学位论文的单位，主要集中收藏和报道国内各学位授予单位的自然科学和技术科学领域的硕/博士学位论文。

一、学位论文

详见第一章。

二、学位论文的类型

1. 学士学位论文　表明作者有较好地掌握本门学科的基础理论、专门知识和基本技能，具有从事科学研究工作或担负专门技术工作的初步能力。

2. 硕士学位论文　表明作者在本门学科上掌握了坚实的基础理论和系统的专业知识，对所研究课题有新的见解，并具有从事科学研究工作或独立承担专门技术工作的能力。

3. 博士学位论文　表明作者在本门学科上掌握了坚实宽广的基础理论和系统深入的专门知识，在科学和专门技术上做出了创造性的成果，并具有独立从事创新科学研究工作或独立承担专门技术开发工作的能力。

通常情况下，学位论文检索只限于硕士和博士论文。

三、常用学位论文检索数据库(系统)

查找学位论文可以到图书馆，用手工检索工具书进行检索。如国内比较知名的有《中国学位论文通报》《中国科学院博士学位论文文摘》等，国外比较知名的有《国际学位论文文摘》《美国博士学位论文》《国际硕士学位论文文摘》等。随着科学技术的发展和进步，目前常利用计算机检索系统来检索学位论文。本节主要介绍检索国内外学位论文的网络数据库资源。

（一）中国知网——中国优秀博硕士学位论文全文数据库

中国优秀博硕士学位论文全文数据库收录我国530余家博士培养单位的博士学位论文57万余篇，800余家硕士培养单位的硕士学位论文602万余篇优秀学位论文。其中，最早文献可回溯至1984年，并且每日更新，年新增论文不下10万篇，涵盖基础科学、工程技术、农业、医学、哲学、人文、社会科学等各领域。

网址：http://www.cnki.net/

［检索实例］

检索关于针灸治疗发热的学位论文。

参考答案：

1. 分析检索需求

（1）文献类型：学位论文。

（2）检索目的：查找关于针灸治疗发热的学位论文，检索时以查全率为首要考虑因素。

2. 选择检索工具　中国优秀博硕士学位论文全文数据库。

3. 设置检索条件

（1）确定检索词：针灸；发热。

（2）确定检索途径：主题。

（3）构造检索表达式：针灸 AND 发热。

4. 调整检索策略　根据实际的检索结果进行调整。

（二）万方数据知识服务平台——中国学位论文全文数据库

中国学位论文全文数据库收录了始于1980年以来我国自然科学和社会科学各领域的硕士、博士及博士后论文的文摘，年增42万余篇，并逐年回溯，共收录学位论文668万余篇，涵盖基础科学、理学、工业技术、人文科学、社会科学、医药卫生、农业科学、交通运输、航空航天和环境科学等各学科领域。

网址：http://www.wanfangdata.com.cn/

（三）CALIS高校学位论文数据库

高等教育文献保障系统（China Academic Library & Information System，CALIS）是教育部“九五”“十五”和“211工程”中投资建设的面向所有高校图书馆的公共服务基础设施，也是我国文献资源保障体系的重要组成部分，于1998年正式启动。CALIS是中国高校文献资源保障体系自建数据库之一，由全国工程文献中心（清华大学图书馆）负责组织协调全国各高校合作建设。涵盖自然科学、社会科学等各个学科领域，除了提供每篇学位论文的中文摘要外，大多数还提供较为详细的英文摘要。目前收录学位论文数据逾384万条。

网址：http://etd.calis.edu.cn/

（四）国家科技图书文献中心——中文学位论文库

国家科技图书文献中心（National Science and Technology Library，NSTL）是经国务院批准，科技部联合财政部等六部门于2000年6月12日成立的一个基于网络环境的科技文献信息资源服务体系。该中心的中文学位论文库,学科涉及自然科学各专业领域,涵盖全国 1 400 所高校及科研机构,共收录 1984 年至今的学位论文 460 余万篇,每年新增近 30 万篇。

网址:https://www.nstl.gov.cn/

(五) ProQuest 学位论文数据库

ProQuest 学位论文数据库是由 ProQuest 公司研发的。ProQuest 公司是美国国会图书馆指定的收藏全美博硕士论文的馆外机构,也是世界上最早、最大的博硕士论文收藏和供应商。该数据库收录自 1861 年起美国、欧洲、加拿大等国的千余所大学文、理、医、农、工等领域的学位论文摘要,是目前世界上广泛使用的学位论文数据库之一。

网址:https://proquest.libguides.com/pqdt_ch/home

此外,还有其他学位论文的资源,如 X-MOL 学术平台(https://www.x-mol.com/)、诺丁汉大学研究学位论文的电子档案(https://eprints.nottingham.ac.uk/etheses/)、华盛顿大学图书馆(https://library.wustl.edu/news/)、香港大学学术库(https://hub.hku.hk/advanced-search?field1=title&thesis=1)等。

第四节　会议文献检索

随着科学技术的迅速发展,各个国家的学会、协会、研究机构及国际学术组织越来越多,为了加强学者之间的信息交流,各学术组织每年都定期或不定期地召开学术会议。据美国科学信息研究所(ISI)统计,全世界每年召开的重要学术会议约 1 万个,正式发行的各种专业会议文献 5 000 多种。因此,会议文献是传递和获取科技信息的重要渠道之一。

一、会议文献

详见第一章。

二、常用会议文献数据库(系统)

(一) 中国知网——中国重要会议论文全文数据库

中国知网——中国重要会议论文全文数据库重点收录自 1999 年以来中国科协系统和国家二级以上的学会、协会,以及高校、科研院所、政府机关举办的重要会议和在国内召开的国际会议上发表的文献,其中,国际会议文献占全部文献的 20%以上,全国性会议文献超过总量的 70%,部分重点会议文献可回溯至 1953 年。

网址:http://cnki.nbsti.net/kns55/brief/result.aspx?dbPrefix=CPFD

(二) 万方数据知识服务平台——中国学术会议文献数据库

万方数据知识服务平台——中国学术会议文献数据库由中文全文数据库和西文全文数据库两部分构成,是目前国内收集学科较全、数量较多的会议论文数据库。中文会议收录始于 1982 年,年收集约 3 000 个重要学术会议论文,年增 15 万篇论文。外文会议收录自 1983 年以来世界各主要学(协)会、出版机构出版的学术会议论文共计 1 566 万篇全文,部分文献有少量回溯,每年增加论文约 20 余万篇。

网址:http://www.wanfangdata.com.cn/

（三）国家科技图书文献中心——中国会议论文数据库

国家科技图书文献中心——中国会议论文数据库收录了 1985 年以来我国国家级学会、协会、研究会以及各省、部委等组织召开的全国性学术会议论文，涵盖自然科学各专业领域，每年涉及 600 余个重要的学术会议，年增加论文 4 万余篇，每季或月更新。

网址：http://www.nstl.gov.cn

（四）中国学术会议论文联合数据库

由中国科技信息研究所、医学科学院医学信息研究所、中国农业科学研究院科技文献信息中心、林业科技信息研究所共同研制，收录 1986 年至今的会议文献，涉及国内 130 多个国家级学会、协会、研究会召开的全国性自然科学学术会议论文。

网址：https://www.istic.ac.cn//cms/1/search.do

（五）万方医学网——会议论文库

万方医学网会议论文库收录自 1994 年以来全国性医药类学术会议近 7 800 个，会议论文数据量约 130 余万条，会议全文 57 万余篇，涵盖基础医学、临床医学、预防医学、药学、医学生物学、中医学、医院管理及医学情报等学科领域。

网址：https://med.wanfangdata.com.cn/Conference

（六）Web of Science Proceedings

Web of Science 检索平台将 ISTP(科学技术会议录索引)和 ISSHP(社会科学及人文科学会议录索引)两大会议录索引集成为 Web of Science Proceedings(WOSP)。WOSP 汇集了世界上最新出版的会议录资料，包括专著、丛书、预印本以及期刊中的会议论文，提供了综合全面、多学科的会议论文文摘索引信息资料，是目前查找国际会议文献的首选数据库。

网址：http://www.isiwebofknowledge.com/

（七）OCLC PapersFirst 与 Proceedings

联机计算机图书馆中心(Online Computer Library Center，OCLC)，是世界上最大的文献信息服务机构。PapersFirst 数据库收录世界范围内召开的大会、座谈会、博览会、研讨会、专业会、学术报告会等各类学术会议上发布论文的索引信息，覆盖自 1993 年 10 月以来在“大英图书馆资料提供中心”的会议录所收集的所有论文和资料。共有超 967 万条记录，可通过馆际互借获取全文。而 Procvedings 是 PapersFirst 的相关库，PapersFirs 中的每条记录对应着 Proceedings 数据库的某个会议录，利用该库就可以检索“大英图书馆资料提供中心”的会议录，了解各个会议的概况和学术水平。

网址：http://firstsearch.oclc.org/

附：会议信息网站

1. 医学会议在线：http://www.yixuehuiyi.net
2. 中国学术会议在线：http://www.meeting.edu.cn/mecting
3. 首席医学会议网：http://conference.gmed.net
4. Doctor's Guide(医生上网指南)：http://www.docguide.com
5. 生物科学与医学会议：http://hum-molgen.org/meetings/meetings
6. 欧洲研究会议：http://www.esf.org
7. 中国会议网：http://www.chinameeting.cn

本书配套数字教学资源

第五章
网络信息资源检索

导学

当前，中医药科技日新月异，新技术、新成果不断涌现。中医药相关网络信息来源丰富、数量庞大、更新速度快，能够反映中医药领域的最新发展动态。因此，利用国内外网络资源工具及网站查找中医药文献信息也是一种重要的方式。

学习目标

熟悉信息资源的开放存取、数字图书馆资源的使用。

了解网络信息资源分类和特点、搜索引擎与学科门户。

课程思政

通过网络信息资源检索的学习，引导学生把握实时动态、甄别信息真伪，使学生树立借助网络信息资源有针对性获取相关专业文献信息的意识。

第一节　网络信息资源概述

网络信息资源是指通过计算机网络可以利用的各种信息资源的总称，具体地说是指所有以电子数据形式把文字、图像、声音、动画等多种形式的信息存储在光、磁等非纸介质的载体中，并通过网络通信、计算机或终端等方式再现出来的资源。

一、网络信息资源的类型

网络信息资源类型非常复杂，可按照多种标准进行划分。

（一）按信息交流的方式划分

1. 非正式出版信息　指流动性、随意性较强，信息量大，信息质量难以保证和控制的动态性信息。如电子邮件、专题讨论小组和论坛、电子会议、电子布告版新闻等工具上的信息。

2. 半正式出版信息　又称“灰色信息”，指受到一定产权保护但没有纳入正式出版信息系统中的信息。如各种学术团体和教育机构、企业和商业部门、国际组织和政府机构、行业协会等单位介绍宣传自己或其产品的描述性信息。

3. 正式出版信息　指受到一定的产权保护，信息质量可靠、利用率较高的知识性、分析性信息，用户一般可通过 Web 查询到。如各种网络数据库、联机杂志和电子杂志、电子图书、电子报纸等。

（二）按信息资源的加工程度划分

1. 一次网络信息资源　指因特网的原始信息，包括电子图书、电子期刊、电子报纸、电子邮件、网络会议论坛、网络新闻组、企业网站、政府网站、教育科研机构网站等。

2. 二次网络信息资源　这是对一次网络信息资源的搜集、加工和处理，主要指搜索引擎、虚拟图书馆等，是网络检索工具的重要组成部分。这类网络信息资源是用户常用的工具，是获取一次网络信息资源的门户和入口。

3. 三次网络信息资源　指对一次网络信息资源的搜集和对已搜集二次网络信息资源的组织，以元搜索引擎为其典型代表。

（三）按网络信息资源的责任者划分

1. 政府部门　在因特网的应用领域中，政府官方网站最具权威性，主要内容有政策法规、经济信息和服务信息。这类资源站点一般以 gov 为一级或二级域名注册，如 https://www.gov.cn（中华人民共和国中央人民政府）。

2. 教育、科研机构　这类站点一般以 edu 及 ac 为一级或二级域名注册，有丰富的教育与研究类信息资源，特别是通过图书馆的主页，可以得到各学校、科研机构图书馆的馆藏书目信息，可检索图书馆购买的各类文献数据库、得到各种有关的信息资源、享受到图书馆提供的信息服务，如 https://www.gxtcmu.edu.cn（广西中医药大学）。

3. 公司、企业　这类站点常以 com 为一级或二级域名注册。如 https://www.tongrentang.com（北京同仁堂集团有限责任公司），是重要的经济与商务信息源。

4. 学会、协会　内容上与公司和企业网站相近，但所提供的信息更丰富全面，如 https://www.cacm.org.cn（中华中医药学会）。

5. 个人　内容五花八门且各具特色。权威性、可靠性都值得商榷，但作为激发灵感、开拓思路的参考信息仍具有较高的价值。

（四）按网络传输协议划分

1. WWW 信息资源　又称 Web 信息资源，指通过超文本传输协议（HTTP）在 WWW 网络上进行传输的信息资源。这类信息资源是因特网信息资源的主流，使用简单，功能强大，能方便迅速地浏览和传递分布于网络各处的文字、图像、声音和多媒体超文本信息。

2. FTP 信息资源　指在因特网上通过文件传输协议（FTP）所能利用的信息资源。通过 FTP 使用网络信息资源的形式一般在组织或机构内部比较常见，对 FTP 信息资源的利用一般通过 FTP 搜索引擎搜索匿名 FTP 服务器上的信息资源。

3. TELNET 信息资源　指基于 TELNET 远程登录协议所能利用的信息资源，包括硬件资源和软件资源。许多机构都提供远程登录的信息系统，如图书馆的公共目录系统、信息服务机构的综合信息系统等。

4. 用户服务组信息资源　用户服务组是指由一组对某一主题有共同兴趣的网络用户组成的新闻组、电子邮件组、电子论坛、邮件列表等。用户服务组之间的信息交流会产生大量的信息资源，这些电子通信组形式所传递和交流的信息资源是网络上最自由、最具有开放性的资源。

5. 广域信息服务器（Wide Area Information Server，WAIS）　这是一种网络数据库文本检

索系统,它为用户提供几百个数据库(包括许多图书馆联机目录)的入口信息,并对用户选择的数据进行检索。

6. Gopher 信息资源　Gopher 服务器中的所有信息都以目录或文件的形式表达,并基于菜单提供服务。

(五) 按表现形式和内容划分

1. 全文型信息　指直接在网上发行的电子期刊、网上报纸、印刷型期刊的电子版、网络学院的各类教材、政府出版物、标准全文等。

2. 事实型信息　如天气预报、节目预告、火车车次、飞机航班、城市或景点介绍、工程实况、IP 网址等。

3. 数值型信息　主要是指各种统计数据。

4. 数据库类信息　这是传统数据库的网络化,如 CBM 等。

5. 微内容　如博客、微信、播客、邮件讨论组、网络新闻组等。

二、网络信息资源的特点

网络信息资源以网络为传播媒介,体现了网络资源的社会性和共享性,与传统信息资源相比,具有明显的特点。

(一) 信息量大,增长迅速

因特网已成为全球最大的信息资源基地,主要以数据库为主体,还包括集文本、图形、图像、声音、动画、电影、音乐为一体的综合性信息系统,且信息量的增长十分迅速。

(二) 传播动态性,变化频繁

网络环境下,信息的传递和反馈快速灵敏,上传到网上的任何信息资源,都只需要短短的数秒钟就能传递到世界各地的每一个角落。在因特网上,信息网址、信息链接、信息内容经常处于动态、更新和发展之中。

(三) 来源复杂,质量不一

由于网络信息的发布具有很大的自由度和随意性,且缺乏必要的过滤、质量控制和管理机制,正式出版物和非正式出版物交织在一起,学术信息、商业信息及个人信息混为一体。既有科学前沿的研究报告,也有大众通俗读物;既有已加工整理的信息,也有无序的原始信息;既有较大参考价值的信息,也有毫无用处的信息垃圾,甚至还有不少有害的信息。因此,如何甄别信息的真伪、评价文献信息的质量已成为网络信息检索与利用的首要任务。

第二节　搜索引擎与学科信息门户

随着网络信息资源的丰富和信息技术的发展,基于更细粒度的自动索引的专门性学术搜索引擎(面对文献和网页)和基于网站的人工标引的学科信息门户成了获取网络学术信息的重要手段。

一、搜索引擎

搜索引擎(Search Engine)是指根据一定的策略、运用特定的计算机程序从因特网上搜集信息，在对信息进行组织和处理后，为用户提供检索服务，将用户检索的相关信息展示给用户的系统。

百度和谷歌等是国内外常用的搜索引擎。

（一）百度

百度于 2000 年创立，致力于向人们提供“简单，可依赖”的信息获取方式，是全球最大的中文搜索引擎。百度提供的产品包括：网页搜索、垂直搜索、百度快照、社区产品、百度学术搜索。

百度学术搜索是百度旗下的提供海量中英文文献检索的学术资源搜索平台，目前涵盖了中国知网、万方数据知识服务平台、维普数据库、SpringerLink、ScienceDireet、Wiley onlinelibrary、Web of Science、Engineering Village 等数据库中的学术期刊、会议论文资料。百度学术搜索可检索到收费和免费的学术论文，并通过时间筛选、标题、关键字、摘要、作者、出版物、文献类型、被引用次数等细化指标，提高检索的准确性。

网址：http://xueshu.baidu.com

（二）Google

Google 创建于 1998 年，是一个用来在因特网上搜索信息的简单快捷的工具，允许以 30 余种语言进行搜索。Google 搜索服务产品主要有：网页搜索、自定义搜索引擎、图片搜索、视频搜索、图书搜索、学术搜索、专利搜索。

Google 学术搜索提供可广泛搜索学术文献的简便方法，用户可以从一个位置搜索众多学科和资料来源，如来自学术著作出版商、专业性社团、预印本、论文、图书、摘要，以帮助用户在整个学术领域中确定相关性最强的研究。

网址：https://scholar.dosf.top

（三）微软学术搜索

微软学术搜索致力于提供来自全球的多语种文献检索服务，与现有主流出版商均有合作，索引全球学术数据库资源包括 Elsevier、Springer Nature、Wiley 等，覆盖自然科学、科技及医学(SIM)各领域的 15 大类超过 200 个子类。

网址：https://cn.bing.com/academic/

（四）WebMd

WebMd 是美国最大的医疗健康服务的专业网站，为患者和医师建立了一个网上了解和交流医疗信息的平台，提供医疗资讯、临床报告及完整的医疗资料。

网址：https://www.webmd.com

（五）PubMed

PubMed 是一个免费的搜索引擎，提供生物医学方面的论文和摘要的搜索。具体介绍详见第三章第五节。

网址：https://pubmed.ncbi.nlm.nih.gov

（六）Healthline

Healthline 是一家为出版商、广告商、雇主、医疗服务者提供健康信息和技术解决方案的提供商。Healhline 医疗垂直搜索平台提供基于语义搜索技术的医疗健康信息搜索服务。

网址：https://learn.healthline.com

（七）HealthFinder

HealtFinder 是一个政府网站，其提供药物干扰检测、健康图书馆和消费者指南等。拥有近 1 400 个政府和非营利组织选定的健康信息资源。

网址：https://health.gov/myhealthfinder

二、学科信息门户

学科信息门户是将特定学科领域的信息资源、工具和服务集成为整体(独立的或分布集成的信息门户网站)，为用户提供方便的信息检索和服务入口，用以满足用户对科研和教育的信息需求。其有三个特点：① 公益性，学科信息门户几乎全是图书情报单位、大学院所或研究机构所构建，没有商业目的。② 学科性，尽可能地对若干学科领域的网络信息资源进行选择、评价。③ 基于主题和类型浏览，学科信息门户除了提供检索外，一般还提供基于主题的浏览和基于信息资源类型的浏览。

(一) 重点领域信息门户

重点领域信息门户是由国家科技图书文献中心(NSTL)组织建设的网络信息资源服务栏目之一。该门户是面向科学研究团队、科研管理工作者、情报服务人员等不同人群，可按领域专题定制的知识服务平台。

平台基于不同领域国内外相关机构(政府机关、科研机构、学协会、科技企业、学术会议、个人主页等)网站，自动搜集、遴选、描述、组织和揭示各机构发布的重大新闻、研究报告、预算、资助信息、科研活动等，提供内容浏览、专题定制和邮件自动推送等服务，可帮助用户快速了解和掌握领域内科研发展态势，掌握同行或竞争对手的科技活动动向，发现领域重点及热点主题，把握领域发展概貌，辅助科技决策。

平台共有食品与营养、重大传染病防治、新药创制等 12 个领域内容。

网址：https://www.nstl.gov.cn

(二) 中国高等教育文献保障系统 (CALIS) 重点学科网络资源导航库

CALIS 重点学科网络资源导航库集成高校所有资源，整合图书馆纸本资源、电子资源、相关网上资源，提供高质量的网络信息资源导航服务，共建设了 217 个重点学科的导航库，涵盖哲学、经济学、法学、教育学、文学、历史学、理学、工学、农学、医学、管理学等我国高校主要重点学科，用户通过一站式检索，查找所需文献，并能获取全文。

网址：sztsg.lib.whu.edu.cn

(三) 浙江大学图书馆资源导航

可按学科、文献类型查找国内外大量的网络资源。

网址：https://libdb.zju.edu.cn

第三节　信息资源的开放存取

由于因特网应用的普及和网络信息资源的不断丰富，新的信息出版与网络传播方式的发展，出现了新的信息资源获取模式——开放存取。开放存取是国际科技界、学术界、出版界、信息传播界为推动科研成果利用因特网自由传播而发起，目的是促进科学及人文信息的广泛交流，促进利用因特网进行科学交流与出版，提升科学研究的公共利用程度，保障科学信息的长期保存，提高科学研究的效率。

一、开放存取概述

（一）开放存取概念

开放存取是指科学研究信息在网络环境中免费供公众自由获取。2001 年布达佩斯信息自由传播会议将开放存取描述为：可以免费在因特网上得到，允许读者阅读、下载、复制、传播、打印、检索或链接文章的全文，可以制作索引，把它们作为软件数据库，或为了其他合法目的使用而不存在资金、法律、技术障碍。对复制与传播的唯一约束，就是应确保作者有权控制他们成果的完整性并使成果得到认可与引用。

开放存取出版有两个基本特征：一是作者和版权人允许用户免费获取、拷贝或传播其数字化信息，前提是尊重其版权；二是完整的论著存储在至少一个稳定、可靠的网络服务器中，以确保免费阅读、不受约束地传播和长期的数据库式储存。

（二）开放存取出版形式

1. 开放存取期刊（Open Access Journal，OAJ）　即基于 OA 出版模式的期刊，OAJ 既可以是新创办的电子版期刊，也可以是由已有的传统期刊转变而来。开放存取期刊大多采用作者付费、读者免费获取的方式。

2. 开放存取仓储　指科研机构或作者本人将自己已经在传统期刊发表或未曾发表过的论文预印本存储在机构知识库、学科/主题知识库或者个人网站上，是提供学术研究资料开放存取的另一个重要途径。开放存取仓储可分为学科仓储和机构仓储两种。

（三）开放存取的信息资源类型

开放存取的信息资源类型不限于最初的学术期刊，还包括电子印本、电子图书、学位论文、会议论文、研究报告、专利、标准、多媒体、数据集、工作论文、课程与学习资料等。

二、开放存取期刊

（一）开放存取期刊概念

开放存取期刊是一种论文经过同行评审的、网络化的免费期刊，全世界的所有读者从此类期刊上获取学术信息将没有费用及权限的限制，编辑评审、出版及资源维护的费用不是由用户，而是由作者本人或其他机构承担。此方式与传统期刊一样，对提交的学术论文实行严格的同行审议以确保学术论文的质量，主要包括新创办的开放存取期刊和由原有期刊改造转变而来的开放存取期刊。作为重要的开放存取信息资源之一，开放存取期刊的发展势头良好，不仅在数量上不断增加，所覆盖的学术范围也不断扩大，而且开放存取期刊的被引用率和影响因子也在不断提高。

（二）开放存取期刊类型

开放存取期刊根据期刊的开放程度分为三类。

1. 完全开放存取期刊　指期刊在出版的同时即可全部免费获取。

2. 延时开放存取期刊　指期刊在出版一段时间后再通过因特网为用户提供免费服务，时滞 1 个月至两三年不等。

3. 部分开放存取期刊　指在同一期期刊中，只有部分文章为用户提供免费服务。

（三）开放存取期刊门户简介

1. Socolar　由中国教育图书进出口公司建设和推广，是 OA 资源的一站式检索服务平台，可以检索到来自世界各地、各种语种的重要 OA 资源，并提供 OA 资源的全文链接。用户也可以通过 Socolar 享受 OA 资源的定制服务，推荐认为应该被 Socolar 收录但尚未被收录的 OA 资源，发表对某种 OA 期刊的评价。另外，Socolar 还是 OA 知识的宣传和交流平台、OA 期刊发表和仓储服务平台。

网址：https://www.socolar.com/

2. cnpLINKer　由中国图书进出口(集团)总公司开发并提供的国外期刊网络检索系统，于 2002 年底开通运行。平台开发了国外 OA 期刊查询和检索功能，增加了 14 000 多种开放获取期刊供用户免费浏览和下载。它既是国外期刊综合检索系统，与国外出版社的目次文摘数据保持时时更新，也是开放存取期刊的集成平台。现已收录 50 多个国家和地区的 3 000 多家期刊出版公司出版的 26 000 多种期刊信息，包括 800 多万条目次文摘数据，其中核心期刊有 2 445 种，占 ISI 核心期刊 3 730 种的 65.55%，涵盖哲学、社会科学、政论时事、军事、经济、语言文字学、文学、艺术、历史、自然科学、地球科学、生物科学、医药卫生、农业科学、工程技术、运输工程、环境科学与技术 17 个学科领域，供用户免费阅读和下载全文。

网址：http://cnplinker.cnpeak.com

3. Open Access Library (OALib)　OALib 是一个集合开放获取论文的数据库，由基于一个开放存取元数据库的搜索引擎、OALib 期刊和 OA 期刊论文检索、OALib Preprints 以及外来预印本和后印本存储四个方面的业务组成。OALib 提供的开源论文超过 5 718 303 篇，涵盖所有学科，所有文章均可免费下载。OALib Journal 是一个同行评审的学术期刊，覆盖科学、科技、医学以及人文社科的各个领域。所有发表在 OALib Journal 上的文章都存放在 OALib 上。

网址：https://www.oalib.com

4. DOAJ(Directory of Open Access Journals，即开放存取期刊目录)　由瑞典隆德大学(Lund University)图书馆创建和维护的开放存取期刊目录，是一个为教育领域提供服务的、最大的开放存取期刊目录。该目录涵盖免费的、可获取全文的、高质量的学术期刊。

网址：https://doaj.org

5. OpenDOAR　由英国诺丁汉大学和瑞典隆德大学图书馆于 2005 年 2 月共同创建的开放存取机构资源库、学科资源库目录检索系统，它与 DOAJ 一起构成当前网络免费全文学术资源检索的主要平台，包括期刊论文、会议论文、学位论文、技术报告、专利、数据集、工作论文、预印本等。

网址：https://v2.sherpa.ac.uk/opendoar

6. Free Online Full-text Articles　由 HighWire Press 提供。HighWire Press 自认为是全球最大的提供免费学术文献全文的出版商，于 1995 年由美国斯坦福大学图书馆创立，其合作伙伴包括有影响力的学术团体、大学出版社及其他学术出版机构。内容涵盖生命科学、医学、物理学和社会科学。

网址：https://portal.highwire.org/librarians

7. Free Medical Journals　收录 900 多种免费医学期刊，分英语、法语、德语、西班牙语、葡萄牙语及其他语言列出，其中完全免费的期刊 6 种，共 2 万多篇全文；出版半年后免费的期刊有 12 种，全文 12 万多篇；出版 1 年后免费的期刊有 32 种，全文 27 万多篇；出版 2 年后免费的期刊有 6 种，全文共有 4 万多篇。

网址：www.freemedicaljournals.com

8. PubMed Central(PMC)　PMC 是 2000 年 1 月由美国国家生物技术信息中心(NCBI)建

立的生命科学期刊文献数字化档案库，它保存生命科学期刊中的原始研究论文全文，免费提供使用。所有论文在 PubMed 中都有相应的记录。采取自愿加入的原则，一旦加入，必须承诺期刊出版后一定时期内（最好 6 个月，不超过 1 年）将其全文提交给 PMC，由 PMC 提供免费全文检索和访问。

网址：https://www.ncbi.nlm.nih.gov/pmc

9. Biomed Central(BMC)　BMC 是一个独文出版商，提供网上即时免费查阅经过同行评议的生物医学研究资料。所有发表在 BMC 刊物上的研究文章均可随时在网上免费任意查阅，无任何限制。BMC 刊物刊登的所有文章大多数内容均经过同行评议以保证有效的质量控制，发表的所有研究文章都即时存档并进入 PubMed Central 的文献索引。

网址：https://www.biomedcentral.com

三、电子印本

（一）电子印本概念

电子印本（ePrint）是指以电子方式复制学术文献。广义的电子印本包括所有的电子出版物，即电子印刷。电子印本包括预印本（preprint）和后印本（postprint）。目前电子文档的主要形式是预印本，且预印本相对后印本来说更能吸引用户的关注和有更高的利用率。

预印本是指科研工作者的研究成果还未在正式出版物上发表，而出于和同行交流目的，自愿先在学术会议上或通过互联网发布的科研论文、科技报告等文章。与刊物发表的文章以及网页发布的文章相比，预印本具有交流速度快、利于学术争鸣、可靠性高的特点。

后印本是指学术论文被期刊出版后，将单独一篇论文抽出少量复制，供作者赠送给同行交流的论文副本，也形象地被称作抽印本。

（二）电子印本类型

电子印本系统中的信息资源类型以学术论文为主，同时包含书籍中的部分章节、会议文献、学位论文、技术报告和研究手稿等。目前，主要有三种类型的电子印本系统。

1. 电子印本资源搜索系统　有大量的电子印本文献索引，类似搜索引擎。

2. 电子印本资源导航　收集整理了大量的电子印本资源系统的信息，类似学科信息门户。

3. 电子印本资源系统　提供电子印本的存取服务，是真正的电子印本资源所在。电子印本系统的创建者多为研究性组织和公益机构（如大学、研究所、图书馆等），他们是学术成果的主要生产者和传播者。此外，一些政府和商业机构也积极参与创建。

（三）电子印本门户简介

1. 国家预印本平台　由中国科学技术信息研究所与国家科技图书文献中心联合建设，以提供预印本文献资源服务为主要目的。作者自由提交的预印本文章，可以实现二次文献检索、浏览全文、发表评论等功能。

网址：https://sinoxiv.napstic.cn

2. 中国科技论文在线　由教育部科技发展中心主办。根据文责自负的原则，只要作者所投论文遵守国家相关法律，为学术范围内的讨论，有一定学术水平，且符合中国科技论文在线的基本投稿要求，可在 1 周内发表。

网址：https://paper.edu.cn

3. arXiv.org　由美国国家科学基金会和美国能源部资助，美国洛斯阿拉莫斯（Las

Alamos)国家实验室建立的电子预印本文献库。始建于1991年8月，旨在促进科学研究成果的交流与共享。2001年后转由康奈尔大学(Cornell University)进行维护和管理，是最早的预印本文献库。涉及物理学、数学、计算机科学和定量生物学方面的学术论文240多万篇，在物理学的某些领域，它们早已替代传统的研究期刊。

网址：https://arxiv.org

4. E-Print Network　由美国能源部科技信息办公室维护的面向学术研究者、工程技术人员和学生的学术信息资源共享与交流门户，收录的电子印本包括预印本、后印本、技术报告、会议出版物等。E-Print Network 收集了世界范围内超过27 850个网站和数据库，其中有超过500万涉及基础科学和应用科学的电子信息资源，内容以物理学相关学科为主，同时包括化学、生物与生命科学、材料科学、核科学与工程、能源、计算机和信息技术以及其他学科。它提供近3 000个专业科技学会/协会的网站链接，还可定制快讯服务。

网址：https://www.osti.gov

5. CogPrints　由英国南安普顿大学电子及计算机科学系建立，提供有关认知学方面的文章，包括心理学、神经科学及语言学的领域，以及若干计算机科学的内容，部分生物学、医学的特定领域，人类学的部分内容，以及物理学、社会学和数学中与认知相关的部分。信息资源类型既包括已出版的、同行评审期刊的后印本，也包括未正式出版、未经评审的预印本。

网址：https://web-archive.southampton.ac.uk/cogprints.org/

四、开放课程

（一）开放课程概述

开放课程(Open Courseware，OCW)是指在遵守知识共享许可协议(Creative Commons，CC)的前提下，通过网络向社会免费开放的某门学科的教学内容及实施的教学活动总和的数字化教育资源。其中，至少包括课程大纲、课程日历、讲授笔记或类似内容等一套完整的课堂教学中使用的课程资源。也可扩展提供作业习题、视频、考试试卷、学习指南、范例或学习工具、参考资料等其他类型的资源。

（二）开放课程资源门户简介

1. 国家精品课程资源网　由国家精品课程资源中心负责运营，网站集中展示了4 000多门国家级精品课程和2 400门国外OCW课程，具备信息发布、课程展示、课程检索、课程评价等基本功能。

网址：https://www.jingpinke.com

2. 爱课程　为教育部、财政部“十二五”期间启动实施的“高等学校本科教学质量与教学改革工程”支持建设的高等教育课程资源共享平台，承担国家精品开放课程的建设、应用与管理工作。旨在利用现代信息技术和网络技术，推动高校教育教学改革，提高高等教育质量，以公益性为本，构建可持续发展机制，为高校、师生和社会学习者提供优质教育资源共享和个性化教学服务。集中展示“中国大学视频公开课”和“中国大学资源共享课”，并对课程资源进行运行、更新、维护和管理。

网址：https://www.icourses.cn/home

3. 中国大学 MOOC　由网易与高等教育出版社携手推出的在线教育平台，承接教育部国家精品开放课程任务，向大众提供中国知名高校的MOOC(Massive Open Online Course，即大规模在线开放课程)课程。学习者可以免费获得更优质的高等教育并获得认证证书，实现学生、社会学习者的个性化学习。

网址：https://www.icourse163.org

4. 学堂在线　为清华大学于 2013 年 10 月发起建立的慕课平台。目前运行了来自清华大学、北京大学、复旦大学、中国科技大学，以及麻省理工学院、斯坦福大学、加州大学伯克利分校等国内外高校的超过 5 000 门优质课程，覆盖 13 大学科门类。

网址：https://www.xuetangx.com

5. UOOC 联盟　作为首个全国地方高校优质 MOOC 课程资源共享平台，成员高校达 134 所，遍布全国 29 个省市，69 座城市，覆盖师生人数 360 万；MOOC 课程数量不断增多，上线 MOOC 课程数量达 555 门；学校参与度广泛，供课学校已有 68 所；学生选课人数不断增加，累计选课人次近 141 万。

网址：http://www.uooc.net.cn/league/union

6. 终身教育平台　为国家开放大学为推进教育公平、减少"数字鸿沟"，打造的全新学习平台。汇聚国家开放大学自建学习资源、338 所知名高校课程资源、10 个头部平台的特色课程等共计 60 万门，目前涵盖生活技能、兴趣爱好、职场素养、职业技能、老年学习、学历继续教育等六大领域，向社会免费开放。

网址：http://le.ouchn.cn/

7. 国家智慧教育平台　为国家教育公共服务的一个综合集成平台，一期项目包括了国家中小学智慧教育平台、国家职业教育智慧教育平台、国家高等教育智慧教育平台和国家 24365 大学生就业服务平台四个子平台。现有资源总量已经达到 28 052 条。

网址：https://higher.smartedu.cn

8. 网易公开课　于 2010 年 10 月推出，是一个免费开放的在线学习平台和内容传播平台，包括哈佛大学、斯坦福大学、牛津大学等全球知名高校和可汗学院、BBC、TED、Coursera 等机构的教育资源。目前拥有近 10 万个线上教育视频资源。

网址：https://open.163.com

9. 新浪名校公开课　汇集哈佛大学、耶鲁大学、斯坦福大学、麻省理工学院等全世界各大名校的著名教授视频课程，涉及人文、历史、经济、哲学、理工等各学科，打造网络视频教学无国界分享平台。

网址：https://open.sina.com.cn

10. 麻省理工学院开放课程 OCW(MIT Open Course Ware)　目前，OCW 涵盖学校全部 5 个学院、33 个学科，有超过 2 000 门课程上网。

网址：https://ocw.mit.edu

此外，常用的 MOOC 学习平台还有学习强国(https://www.xuexi.cn)、果壳网 MOOC 学院(https://www.openlearning.com/guokrmooc/)、网易云课堂(https://study.163.com/)、Future Learn(https://www.futurelearn.com/)、华文慕课(http://www.chinesemooc.org/)、智慧树(https://www.zhihuishu.com/)等。

五、开放存取仓储

开放存取仓储(Open Access Repositories)也称开放存取文档库(Open Access Archives)，

是收集、存放由某一个或多个机构或者由个人产生的知识资源和学术信息资源，可供社会共享的信息资源库。其类型有个人型、机构型、学科型、国家地区型、国际型。其中，以机构型(Institutional Repository，IR)最为常见和重要。

（一）机构型仓储的特点

IR具有综合性、开放性及动态性三个特点。

1. 综合性　机构仓储收录的资源具有综合性，弥补了部分学术数据库的缺陷，可以全面系统地反映所属学术机构的教学和科研成果。

2. 开放性　基于开放存取的机构仓储支持任何用户随时通过互联网不受限制地合理利用其中的知识资源，有利于跨学科、跨地域的学术交流。

3. 动态性　机构仓储资源的提交者可以根据自己的最新研究随时修改、更新之前提交的信息。

（二）常用机构型仓储

1. 中国科学院机构知识库网络　集合了中国科学院各研究所的机构知识库，用户可按照研究所、学科主题、内容类型等不同形式对所需的科研资源进行查找，该服务网络将定期采集中国科学院研究所IR数据，以满足用户的长期使用需求。

网址：http://www.irgrid.ac.cn/

2. 科学基金共享服务网　网站提供中国国家自然科学基金委员会历年资助的各类项目的相关信息，包括项目基本信息、项目摘要、项目结题报告、项目成果产出等。

网址：https://www.nsfc.gov.cn

3. 中科院上海生命科学院神经科学研究所机构知识库　收录上海生命科学院神经科学研究所科研人员的科研产出情况，内容类型涉及期刊论文、学位论文、会议、专著、专利等，目前有700多篇文献记录，99%以上全文为开放下载。

网址：https://www.slas.ac.cn/

4. 麻省理工学院DSpace　为麻省理工学院机构知识库，用户可以按题名、作者、学科等检索麻省理工学院面向社会全面开放的论文成果，并进行免费下载使用。

网址：https://dspace.mit.edu

5. 斯坦福大学GSE Open Archive　为斯坦福大学机构知识库，用户可以通过该平台免费获取斯坦福大学各领域已发表的科研论文、博士论文等重要科研资料。

网址：https://openarchive.stanford.edu

六、开放电子图书

因特网上除了大量的OPAC和联合书目检索系统提供检索外，还有大量的开放存取的电子图书全文(免费电子图书)。一些网站中的电子书一般不需要注册，任何一台联网电脑都可以下载或在线阅读(即开放存取方式)。

近年来网络阅读越来越盛行，对开放存取的电子图书的利用也越来越普遍，网络上开放存取的电子图书数量十分可观，其中学术参考价值比较高的是计算机类、人文社科类和综合参考类(字典、词典、指南、统计资料等)。在网络上电子图书一般通过Web、P2P、开放存取仓储和FTP等模式开放存取。由于版权的限制，与商业化的电子图书数据库相比，目前开放存取的电子图书还是以公共领域的电子图书为主。

1. DOAB(Directory of Open Access Books) 即开放获取图书目录，收录35个学术出版社的1 400多本外文原版图书，涉及农业、医学、生物学、物理学、化学等多个领域，其目的是使开放图书能够被更好地发现和利用。DOAB由欧洲开放获取出版网络管理，Springer和Brill提供资助。

网址：https://www.doabooks.org

2. 美国国家科学院 美国国家科学院拥有超过3 000部科学、工程和健康卫生方面的著作，可以在线阅读。如果需要，也可以购买印刷版。

网址：https://nap.nationalacademies.org

3. 古腾堡 收录了国外5 000部古典文献作品，免费向读者开放，这些数字化的图书不涉及版权保护的问题，读者可以方便阅读、使用、引用和检索。

网址：https://www.gutenberg.org

4. 免费电子书聚合网(JUST FREE BOOKS) 整合了古藤堡计划、维基百科教科书、互联网档案馆等700多家免费电子书籍资源的站点，有强大的免费图书搜索引擎，读者可根据需要搜索所需主题的开放书籍。

网址：https://www.justfreebooks.info/convert.php

第四节 数字图书馆

数字图书馆(Digital Library)是用数字技术处理和存储各种图文并茂文献的图书馆，实质上是一种多媒体制作的分布式信息系统。数字图书馆把各种不同载体、不同地理位置的信息资源用数字技术存储，以便于跨越区域网络查询和传播，涉及信息资源加工、存储、检索、传输和利用的全过程。

一、中国国家数字图书馆

国家图书馆是国家总书库、国家书目中心、国家古籍保护中心，历史悠久，其前身是筹建于1909年9月9日的京师图书馆。新中国成立后，更名为北京图书馆。1998年12月12日更名为国家图书馆，对外称中国国家图书馆。2004年12月28日，国家数字图书馆工程奠基，使国家图书馆成为跨越时空限制的网上知识中心和信息服务基地。国家图书馆全面入藏中文图书，115种文字的外国文献资料占馆藏的50%，是国内外文献的最大藏家。馆内还设有名人手稿、革命历史文献、中国博士论文等专藏，是联合国与外国政府出版物的指定收藏馆。

网址：https://www.nlc.cn

二、国家科技数字图书馆

国家科技数字图书馆(NSTL)包括国外网络版期刊、中文电子图书、网上开放获取期刊、研究报告等。NSTL组织开发了大量互联网免费获取的全文文献，供全国各界用户使用。

网址：https://www.nstl.gov.cn

三、中国高等教育文献保障系统(中国高等教育数字图书馆)

中国高等教育文献保障系统(CALIS)具有国内外文献数据库、联机合作编目系统、文献传递与馆际互借系统、统一检索平台、资源注册与调度系统,形成了较为完整的 CALIS 文献信息服务网络。

网址：https://www.calis.edu.cn/

四、中国科学院文献情报中心(国家科学图书馆)

中国科学院文献情报中心(国家科学图书馆)立足中国科学院、面向全国,主要为自然科学、边缘交叉科学和高技术领域的科技自主创新提供文献信息保障、战略情报研究服务、公共信息服务平台支撑和科学交流与传播服务,同时也为国家创新体系其他领域的科研机构提供信息服务。

网址：https://www.las.ac.cn

五、大学数字图书馆国际合作计划

大学数字图书馆国际合作计划(China Academic Digital Associative Library, CADAL)由国家投资建设,作为教育部“211”重点工程,由浙江大学联合国内外的高等院校、科研机构共同承担。CADAL 项目建立了 8 个数据中心、33 个服务中心、2 个数字化加工基地和 40 余个数字化加工中心,形成了全世界最大的资源数字化网络,建成的全文数据库总量达 250 万册(件),主要来源于国内外研究型大学的馆藏文献,囊括中外文图书、音视频资料以及报刊论文等重要文献。

网址：https://cadal.edu.cn

附 1：常用中医药网站

一、学术研究机构网站

1. 中华医学会　https://www.cma.org.cn
2. 中国中药协会　https://www.catcm.org.cn
3. 中国中医科学院中医药信息研究所　www.cintcm.ac.cn
4. 中国药学会　https://www.cpa.org.cn
5. 中华中医药学会　https://www.cacm.org.cn
6. 中国民族医药学会　www.cmam.org.cn
7. 中国中西医结合学会　www.caim.org.cn
8. 世界中医药学会联合会　www.wfcms.org
9. 世界针灸学会联合会　www.wfas.org.cn
10. 国际药学联合会　http://www.fip.org

二、组织管理机构网站

1. 中华人民共和国国家卫生健康委员会　www.nhc.gov.cn
2. 国家药品监督管理局　https://www.nmpa.gov.cn
3. 国家中医药管理局　www.natcm.gov.cn
4. 美国食品药品监督管理局　https://www.fda.gov

三、中药及药学类网站

1. 中医中药网　https://www.zhzyw.com

2. 中药材天地网　https://www.zyctd.com
3. 中国医药信息网　http://www.cpi.ac.cn
4. 药物在线　https://www.drugfture.com/
5. 蒲标网　https://db.ouryao.com/
6. 药智数据　https://db.yaozh.com/
7.《中药大辞典》　http://www.zhongyaocai360.com/zhongyaodacidian/

四、出版物类网站

1. 健康报　https://www.jkb.com.cn
2. 中国中医药报　http://paper.cntcm.com.cn/bz/html/index.html

五、医学信息交流、学习

1. 丁香园　https://www.dxy.cn
2. 科学网　https://www.sciencenet.cn
3. 医脉通　https://www.medlive.cn
4. 小木虫　http://muchong.com

六、国外常用医学网站

1. 世界卫生组织(WHO)　https://www.who.int
2. 美国国立卫生研究院(NIH)　https://www.nih.gov
3. 美国国立医学图书馆(NLM)　https://www.nlm.nih.gov
4. 美国食品药品监督管理局(FDA)　https://www.fda.gov
5. 网上药物索引(Rxlist)　http://www.rxlist.com

附 2：常用 AI 工具

一、通用 AI 大模型工具

1. ChatGPT　https://chat.openai.com/
2. 百度文心一言　https://yiyan.baidu.com/
3. 讯飞星火　https://xinghuo.xfyun.cn/
4. Kimi chat　kimi.moonshot.cn

二、AI 写作工具

1. Writesonic
2. 秘塔写作猫　https://xiezuocat.com/?s=cbdag
3. WPS AI　https://ai.wps.cn/
4. 通义智文　https://baike.baidu.com/item

三、AI 绘画工具

1. 博思白板　boardmix AI
2. DALL - E2
3. 通义万相　https://tongyi.aliyun.com/wanxiang/

四、AI 思维导图工具

1. Ayoa
2. Mindmaster

五、AI 生成 PPT 工具

1. tome

2. Gamma
3. AIPPT　https://www.aippt.cn/

六、视频处理工具

1. 通义听悟　https://tingwu.aliyun.com/
2. 剪映　https://www.capcut.cn/

本书配套数字教学资源

微信扫描二维码，加入中医药信息检索与利用读者交流圈，获取配套教学视频、学习课件、课后习题和沟通交流平台等板块内容，夯实基础知识

第六章

文献的积累与管理利用

导学

文献检索的最终目的是为了利用，即从检出的文献中借鉴、学习他人的知识与经验。文献检索的过程也是资料积累的过程，面对浩如烟海的文献，需要学会积累文献的方法、运用文献管理工具整理文献并进行合理使用，为撰写文献综述乃至开展科学研究提供基础性工作。

学习目标

1. 掌握文献综述的撰写步骤与格式、参考文献著录规则。
2. 熟悉常用文献管理软件的使用方法，学术规范的内容及常用的论文检测系统。
3. 了解文献积累的原则与方法。

课程思政

通过文献的积累与管理利用的学习，引导学生树立合理利用文献、规范撰写综述的意识，为养成学生良好学术道德与学术规范打下坚实的基础。

第一节　文献的积累

文献检索是为了借鉴学习或者利用他人的知识信息。检出的文献越多，占有的资料越丰富，则从中选择可资利用的知识信息的余地就越大。文献检索的过程也是知识信息积累的过程，由于检出的文献并不全部对检索者有用，故在积累的过程中必须进行筛选。在编撰论著中引用他人文献虽然是文献利用的一种常见现象，但必须遵循有关的规定。加强中医药文献资源的开发利用，有利于中医药学术水平的提高与中医药事业的发展。

一、文献积累原则

1. 针对性原则　文献积累应紧密结合本人的学科专业、具体任务等来进行。研究专题或研究方向确定以后，应将学科前沿情况、研究动态、发展趋势等方面的文献作为文献积累的重点。贯彻针对性原则有利于提高文献积累的目的性，避免或减少文献积累中的盲目性。

2. 系统性原则　文献积累的系统性是由科学技术的继承性所决定的。系统性原则要求在文献积累中必须做到从时间上连续，凡与自身的研究课题相关的重要文献应不间断地收集，以保持其连续性与完整性。

3. 科学性原则　文献积累的科学性主要是指应根据自己的专业与课题需要，采用科学的方法与手段，多途径、高效率地积累文献。同时，文献积累中既要满足当前需要，又要考虑未来发展；既要广辟来源，又要紧紧抓住重点；既要持之以恒，又要与临时突击结合。

二、文献积累方法

（一）阅读

阅读有泛读、快读与精读三种方法。对检出的一批文献可先应用泛读方法筛选；对选留的一批文献，在逐篇逐本文献阅读中可采用快读方法来筛选其中要保存的内容；然后再对这些内容进行精读，以求理解吸收。

1. 泛读　又称浏览或概览，是一种花费较少时间博览群书并了解其大概内容的阅读方法。

对于期刊中的文章主要是看它的标题、提要、结论或个别的数据，对于图书主要是看内容提要、前言、序跋和目录，以求了解大概内容，对该文（书）的全貌有个初步的认识。泛读的目的一是了解学科的进展情况，二是以最快的速度找到自己最需要的部分，以便进一步阅读。泛读是快读的基础，是为快读作准备的。

2. 快读　又称粗读、略读，是一种突破按字、词、句阅读的习惯，以较快速度掌握其中心内容的阅读方法。快读时，目光不是停留在一个词、一个概念上，而是采用几行几行地扫描式的变速阅读方法。关系不大的地方一掠即过；发现重要内容则放慢速度，力求了解其内容；读到精要关键处，则逐字逐句咀嚼，深入领会。

快读的要领是在了解中心内容的前提下跳过自己不需要的部分，着重掌握其中的主要论点与论据。掌握快读法的关键是要有坚实的专业知识基础，否则容易将主要的内容遗漏而抓不住全文的核心。

3. 精读　这是在快读的基础上再认真细读其关键精要部分，力求做到理解、消化与吸收的一种阅读方法。精读不仅要求逐字逐句仔细阅读，对一些经典医著的精要之处，还必须熟读背诵。更重要的是要用心咀嚼、消化，边阅读，边思考。不仅要读懂书上已有的内容，还要动脑筋，下功夫钻研，能由此及彼地去深入探索书上还没有写出的东西，有所创新。精读是学习过程中重要的一环，是深入钻研专业知识所必须采用的方法。但是，精读需要花费大量的时间，不宜范围过宽，应有重点地选择阅读。

在精读中，对照阅读法是值得推广的。采用对照阅读法，要善于使用各种书目，在同类书中要有所选择。一般宜先读近人的，后读古人的，因为近人论著中会包含古人论述的内容。同时，为了提高对照阅读的效果，对照点必须具体明确，针对性要强，收到的效果才好。

（二）筛选

在阅读过程中，要按照新颖性、可靠性与适用性的原则对文献进行分析，去粗取精、去伪存真地取舍。文献筛选的关键是要从所积累的资料中筛选出能说明某学科领域或某专题研究的发展脉络，不同时期各种观点的具有典型代表意义的资料。尤其应着意选取观点新颖，能代表新的发展方向的资料。文献的筛选实际上也是研读已获取的资料，化繁为简，消化吸收，从而将其与自身的学习科研融为一体的过程。

1. 新颖性　首先，从文献发表的时间来判断。一般来说，科技文献的发表是紧跟时代前进步伐的，在内容相同或相近的一组文章中，新近发表的文章一般代表新的研究水平。其次，从文献的作者和出版单位来判断。一般来说，在某个专业或某一专题研究中居于领先地位的单位与学科带头人以及长期从事某一专题研究的人员持续发表的文献，都具有一定的先进性；核心期刊发表的或国家级出版单位出版的论著则代表国家水平，有时也相当于世界水平；某一国家书刊上发表另一国家的科技成就，则说明这项研究已受到国际上的重视或承认。再者，还要从文献的内容来判断。主要看是否提出或介绍新观点、新理论、新概念、新工艺和新设计。最后，从获奖的级别来判断。获得国际奖、国家级奖及省部级奖的成果，分别反映了其国际领先水平、国内先进水平和地区及部门先进水平。

2. 可靠性　文献资料的可靠性主要指文献资料的真实性。一般来说，国内外知名专家、学者和教授撰写的文章所提供的情况比较准确；著名学府、著名科研机构和著名出版社出版的文献可靠性大；机密资料比公开资料的可靠性大；技术档案、科技报告、标准文献、专利文献比一般书刊可靠性大；科技书刊比科普读物可靠性大；官方来源比私人来源的可靠性大，专业研究机构的资料比一般社团的资料可靠性大。

3. 适用性　文献资料的适用性是指文献资料可资利用的程度。主要看文献资料中介绍的理论、技术、方法是否切合课题需要，是可直接使用、参考使用，还是给予启发和引导，可以从技术、方法是处于探索阶段、研究阶段还是应用阶段来判断。另外，从文献资料的读者面也可做出适用性的判断。一般来说，读者人数越多，使用价值越大；读者的职业面越宽，适用范围越广。

（三）保存

在文献的阅读与筛选过程中，应随时将需要的内容保存下来。保存的方法很多，有笔记、摘要、剪贴与利用现代技术积累资料。

1. 笔记　历代医家都很重视用笔记积累资料，明代名医王肯堂花费 10 多年时间，博览群书，认真收集资料，写成《证治准绳》。清代医家张璐为了撰写《张氏医通》，参考 60 多位医家 100 多部著作，积累数十万字的资料，十易其稿，历时 7 年才写成。这样的事例不胜枚举。笔记一般分成阅读笔记和心得笔记两大类。

(1) 阅读笔记：即在阅读过程中记下所读内容的笔记。其中一种是在读到对自己很有用的章节时，当时来不及一一细读或写下心得，可先记下有关书名和书后所附参考文献，标明出处，便于以后查找利用，这称为索引式笔记；另一种是把原文中某些重要句子原封不动地抄下来，作为备用。抄录时必须绝对忠于原文，防止断章取义，并注明出处，以便查考，这称为引语式笔记。再一种是在读完全文后，对作者所论述和探讨的主要问题，按作者的思想脉络，加上自己的理解，用简洁的语言或条举的形式依次记载下来，这称为提纲式笔记，这种笔记记录各章节论述的主要论点、结论、医案、数据等。提纲式笔记记录的内容比索引式、引语式笔记更具体、有条理，一般不需要再查原文就可以直接利用。

(2) 心得笔记：心得笔记不同于阅读笔记，它不是简单地摘录原文或写下提纲，而是记下自己阅读后的心得体会，其中凝聚着自己的新认识和新见解。科学研究与科学著述是一种艰巨的脑力劳动，大脑对客观事物的判断、推理与新概念的形成，不是一蹴而就的，而是经历量变到质变的过程。读书过程中闪现的思想火花特别重要，应养成写心得笔记的好习惯。

心得笔记的形式多种多样，一种是在阅读中及时写下简单的心得体会，或作注释，或作考证，或提出质疑，或对不同见解提出商榷，这称为批注式笔记。古代医家常将它写在所读书页的天头处，称为“眉批”。另一种是读后有感而发的创造性思维的记载，这是读书笔记中最重要的一种，通称札记式笔记。札记式笔记实际上是一种创作，是对原作融会贯通后，写出有一定见解的心得体会。要求言之成理，持之有据，无论是发挥或辩解，都要有一定深度和新意。一点一滴的心得体会是“零金碎玉”，经过日久天长的积累，就会产生认识上的飞跃，逐渐形成自己的体系或理论。如清代医家尤怡在《医学读书记》的“自序”中写道：“予自弱冠，即喜博涉医学，自轩岐以迄近代诸书，搜览之下，凡有所得，或言或疑，辄笔诸简，虽所见未广，而日月既多，卷帙遂成。”所以，写心得笔记是为科学研究与科学著述积累资料的重要方法。

2. 摘要　摘要是原著的一个缩影，它是在理解原文精神实质的基础上，通过综合归纳而概括出来的，既要体现原文的主要内容，又要层次分明，重点突出，其内容一般包括原文的论点、论据、实验结果与结论等。摘要的文字应尽可能简明扼要，可分为下列形式。

(1) 概要式摘要：对原文的中心思想、基本论点、论据和结论全部融会贯通后，用简练的语言重点扼要地概述。文摘类期刊上刊载的文摘与冠于论文前面的摘要均属此类。这种摘要要求高度概括，主题明确，重点突出，并要忠实准确地反映出原文的学术观点。

(2) 引语式摘要：这种摘要除了对原著的内容进行扼要的概述外，还要把原文的重点语句摘录下来，将两部分内容结合在一起，形成独立完整的整体。其中，引语部分必须原文照录，加上引号，并注明出处。

(3) 节录式摘要：即将论著中某些重要内容，逐字逐句地节录，应注意内容的完整性，不可断章取义。选择节录的内容须经过认真的分析思考，抄写的过程既能加强记忆，加深理解，还能激发创作思维。节录出来的同类资料综合成一份较为完整的资料，还可为写文献综述或论文提供参考依据。

(4) 综合式摘要：对许多同类资料进行比较、分析，并将每篇具有特色的内容分别摘录，然后围绕一个主题，按照一定的顺序或层次组合成一个逻辑体系。在归纳整理的过程中要去其重复，突出特点，切忌单纯堆砌资料。写综合性摘要时要有自己的观点，用自己的语言为主，可穿插相应的引语。

3. 剪贴　用剪贴的方法积累文献资料，是建立个人资料文档的一种有效方法。个人订阅的报刊，可在阅读之后，将所需要的部分剪下来，或到图书馆将有用的资料复印回来，按研究需要分门别类地粘贴在统一的底本上，每类后面要预留一定的空页，以便加进新的资料。然后装订成册，封面写上标题和自编分类号，扉页列出资料目录，内页写上小标题和编上页码。

4. 利用现代技术积累资料　随着现代化办公设备和技术的广泛应用，积累资料有了新的、更广阔、更方便的途径。录音、录像、静电复印、计算机下载与存储等现代化手段都可加以利用。尤其应利用计算机进行检索、整理和积累文献资料，编制个人科研的数据库。

(四) 整理

文献整理就是用科学方法对准备保存的资料整序，使之条理化、系统化。常用的方法有分类法和主题法两种。

1. 分类法　分类就是将收集到的资料根据学科内容，按照一定的学科分类体系分门别类地组织编排。分类整理按文献内容的学科属性确定每一条文献在分类体系中的位置，它能将相同文献归结在一起，相近文献联系在一起，也能将不同文献区别开来，使文献有条不紊、井然有序，为准确而系统地利用文献提供方便。

2. 主题法　用主题法整序，就是按反映文献主题内容的主题词字顺编排已获取的资料。采用主题法能将分散在不同学科的同一主题内容的文献归并集中。进行主题整序时，应尽量选择规范化的主题词，同一主题的资料过多，可再按该主题不同的侧面选用副主题词进一步区分。

第二节　文献的管理

科研人员在科学研究工作中，需要对科技文献进行查阅、整理和分析。随着科技文献数量的快速增长和电子期刊的快速发展，科研人员面对的文献信息数量越来越大，通过手工收集、整理、组织和引用这些文献信息十分烦琐与困难，而文献管理软件能帮助科研工作者高效完成工作。

一、文献管理概述

“工欲善其事，必先利其器”。科研人员在从事论文撰写、项目申请及专利申报等工作时，常常会搜集大量的文献，而随着现代科技信息资源大爆炸时代的到来，增加了文献收集、整理、查阅及参考文献管理的难度。传统的文献管理方法主要是做笔记、写卡片和全文复印，这种管理方法只适用于对少量文献信息的管理，当文献过多时，工作量就会相应增大，很有可能由于文件夹太多而引起管理混乱，导致利用困难。因此，文献管理工具应运而生。

文献管理工具是一种用于帮助用户组织、管理与课题相关的参考文献，建立个人参考文献数据库，集参考文献的检索、收集、整理功能于一体的软件。既可嵌入文字处理软件中使用，还可以直接通过在线数据库下载文献题录并对其进行统计分析。其功能主要包括建立个人文献数据库、汇集管理所获取的文献信息，支持批量导入或导出文献，对个人文献数据库进行检索，支持网络全文链接或本地附件链接，支持论文写作的参考文献插入和按期刊投稿要求转换论文的格式等。

二、文献管理工具

目前国内外常用的文献管理软件很多，比较常用的有知网研学平台、EndNote（Web）、NoteExpress、NoteFirst、Mendeley、Zotero、Refworks 等。

（一）知网研学平台的使用方法

1. 资源获取　知网研学平台提供多种中外文获取方式，如数据库检索、浏览器插件“文献采集助手”。也提供了高质量的专业内容，如学科资源包、在线课程。

(1) 数据库检索：研学平台支持 cnki 中外文资源的统一检索和发现，包括期刊论文、会议论文、博硕士论文、报纸文章、年鉴全文、特色期刊六类文献资源。从研学平台首页左侧菜单中点击“数据库”，可选择 cnki 数据库，在检索框中输入检索词，点击搜索或高级检索，进入检索页面。

在检索结果页面中，勾选多篇文献，点击“收藏到”按钮；或点击图标“单篇收藏”到学习专题。也可在左侧数据库菜单中选择其他外文数据库如 CrossRef、IEEExplore、Pubmed、Science Direct、Springer 检索。

(2) 文献采集助手：可使用浏览器插件“文献采集助手”将 web of science、SAGE、Wiley、IEEE、EBSCO、Semantic Scholar、谷歌学术等国内外常用数据库（已支持 75 个）的题录或全文一键保存到知网研学，也支持保存网页正文、整个网页和网址。目前插件支持火狐浏览器、Chrome 内核浏览器、Edge 浏览器。首先，在研学产品首页 x.cnki.net 下载“文献采集助手安装包”安装。其次，打开“文献采集助手”已支持的数据库或学术搜索网站如 web of science，输入检索词，即可检索。页面右侧显示“文献采集助手”侧边栏，助手中已获取到当前检索结果页面中的文献信息，勾选你想要收藏的文献后，点击“保存到专题”即可。

（3）学科资源包：这是由学科大牛、学科编辑、研学用户对学科优质文献进行汇编、点评、导读，为学习者提供精准知识服务。

（4）资源导航：点击学科资源包旁边的“更多”可查看各种学科资源，其资源导航提供专家汇编、融合学科解读、经典必读、综述资源、小研学术、学科趋势六类学科资源包。

（5）在线课程：研学平台提供在线视频课程，为用户提供更丰富的学习资源。点击知网研学界面右侧“课程”栏中的“更多”即可进入，目前平台已提供科研技能、学科领学、研学讲堂、升学考证、外语学习五类课程，包含付费课程、免费课程。

2. 文献管理

（1）建立学习专题：研学平台支持中外文献、各类学习资源的一站式管理。通过创建专题及子专题，实现多层级的学习资源体系化管理。专题内可按被引、下载、笔记数、文献重要度、学习时间等查阅学习资料，如图 6-1 所示。

图 6-1　建立学习专题界面

可将本地学习资料上传到研学平台学习专题中统一管理与学习。支持 12 种资源类型，包括图书、期刊论文、学位论文、会议、报纸、年鉴、论文集、专利、标准、研究报告、电子文献、其他。用户可以在数据库中检索文献，然后选择文献收藏到专题，也可以选择本地文献上传到专题，如图 6-2 所示。

（2）下载全文：研学平台提供“下载全文”功能，下载权益与阅读权益一致，能阅读即能下载。下载为 caj 文件，下载入口包括专题文献列表页面、在线阅读页面。

3. 文献阅读　研学平台基于 XML 碎片化内容的增强出版，构建动态、交互、知识有机关联的新型阅读模式，方便学习者带着批判性思维去阅读、去探究，发现问题、提出问题。

（1）在线阅读：研学平台提供 XML 阅读、PDF 阅读两种阅读模式，通过图标区分 XML 文献和 PDF 文献。查看章节目录/图表/知网节，在 XML 阅读模式下，平台完成了对大量文献的

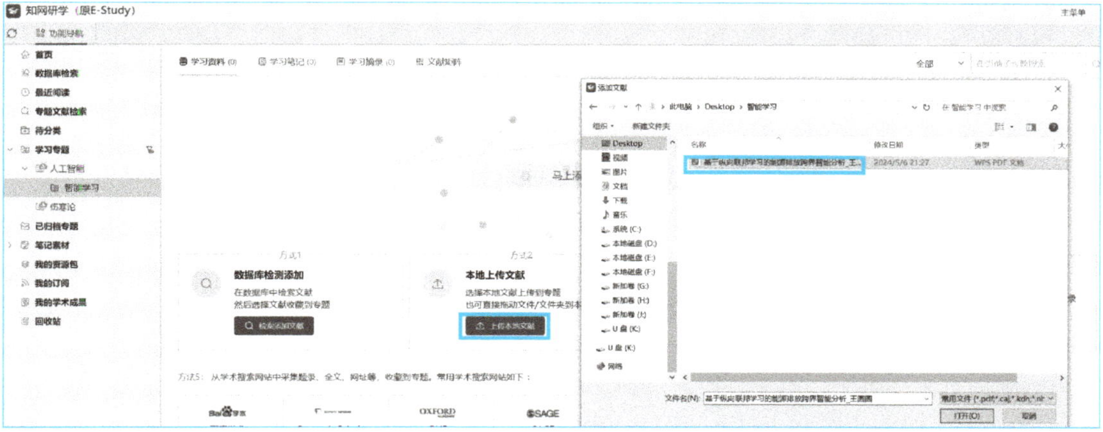

图 6－2 本地文献上传到专题界面

篇、章、节、图、表、公式的碎片化加工。点击左侧“栏章节名称”，可实现文章内容的自动跳转定位。点击“图表名称”，可以实现文中图表的快速定位。当鼠标定位在图表上，可以放大或缩小图表，也支持对图表进行“笔记、摘录、涂鸦、纠错”操作。点击“作者名”，可自动跳转到该作者的知网节，了解该学者的基本信息、研究方向、主要成果等。点击作者、单位名称、关键词、基金等，也可自动跳转到对应的知网节，了解相关文献、关注度指数分析等。

（2）文中参考文献阅读：在阅读的过程中，单击参考文献角标，在文中以弹框形式展示参考文献的题录信息，可直接展开阅读或与当前文献对比阅读，如图 6－3 所示。

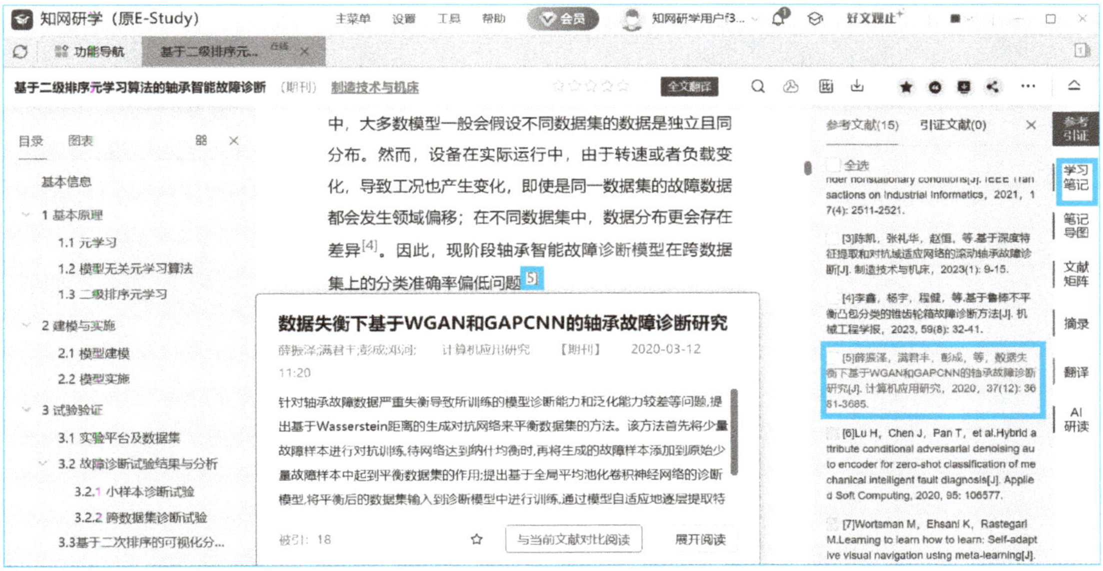

图 6－3 文中参考文献阅读界面

（3）添加段落笔记：可对文章内容中的某一段落，添加段落笔记。点击某一段落的内容，在该段落的右下方会出现【＋】图标，点击“添加段落笔记”即可。

（4）工具书：阅读文献时，打开工具书开关（默认为打开状态），可高亮显示文内专业名词，点击高亮词可查看该名词的学术释义和规范译名。如果不希望专业词高亮，可关闭工具书开关。阅读时，还可随时选中文字点击“工具书”功能获取学科名词的学术释义。如想查看词条详情和更多解释，可点击快照中对应的条目，跳转到知网工具书查看，如图 6－4 所示。

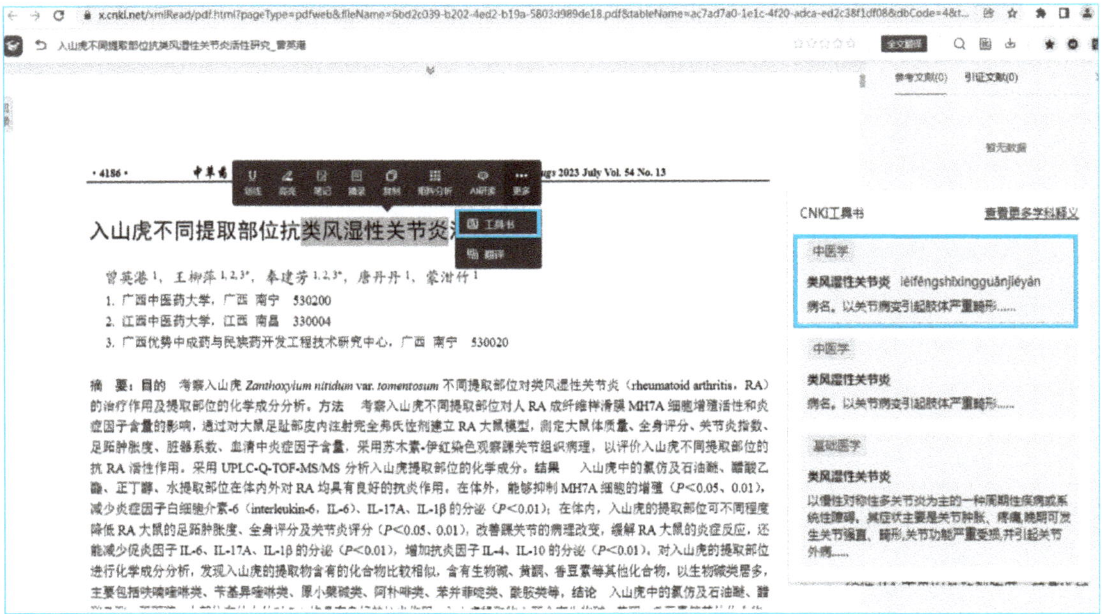

图 6－4　工具书使用界面

（5）翻译：阅读外文文献时，可随时进行中英翻译，提高学习效率。系统提供全文翻译、划词翻译等翻译工具。

（6）记笔记：在阅读过程中，可随时做笔记，并且所做的笔记内容会插入到原文的对应位置。划词选中原文内容，点击“笔记”，即可添加笔记。支持为“划线笔记、高亮笔记”，设置颜色及其透明度。支持添加文本、图片、公式、链接、附件等笔记内容，支持为笔记打标签，方便后期的管理和利用。

（7）文献矩阵：研学平台提供“文献矩阵”工具，为读者提供文献研读及多篇文献对比分析的思路，支持同一研究主题文献的笔记整理，发现其研究领域中的研究问题、研究思路、研究空白点等。

4. 写作和投稿

（1）撰写论文：用户可以在 word 文档中使用知网研学插件中写论文。

（2）投稿：在知网研学菜单栏选中“工具”>“投稿通道”进行在线选刊投稿。选择一种出版物后，点击“投稿”，即可跳转到该期刊的作者投稿系统。也可以在 word 文档知网研学(原 E-Study)插件中，选择“投稿”。

5. 我的订阅　研学平台提供多种订阅方式，包括期刊订阅、RSS 订阅、学科订阅、主题订阅和作者关注，可根据需要自行选择订阅。系统会根据订阅信息及时推送新消息，方便快速查阅最新学术动态。

6. 好文观止　这是基于对研学所有用户的阅读、重要度标记、笔记等学习行为的分析，得出不同学科下的热门研究主题(关键词)，以知识图谱的形式呈现。可关注自己感兴趣的主题词，平台将推送相应主题词下的热门学习文献及段落。快速了解各个学科下的热门研究方向，以及其他学习者关注的文献和内容。

7. 我的学术成果　点击知网研学客户端左侧“我的学术成果”，弹出学者认证菜单，按照引导完成认证之后，可以在 CNKI 认领自己的学术成果，认领后可免费阅读，并支持免费下载。

网址：https://estudy.cnki.net/

（二）EndNote™ 20 的使用方法

1. 建立个人数据库

（1）新建个人数据库：打开 EndNote™ 20，“File”菜单下点击“New”新建个人数据库，系统会提示输入文件名，指定要保存的路径，建立一个 EndNote 空数据库文件，如图 6－5 所示。

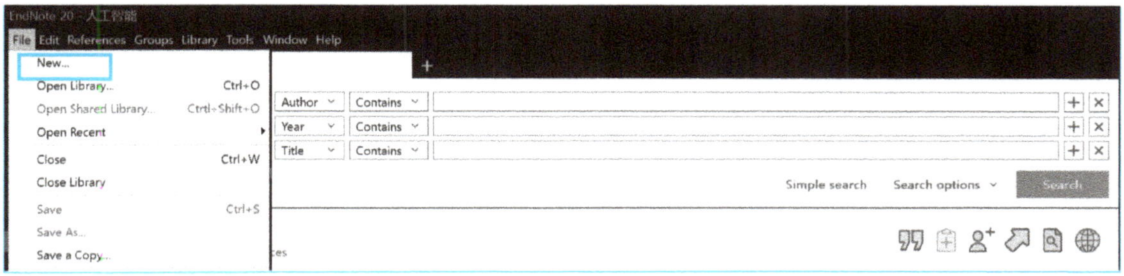

图 6－5　新建个人数据库界面

以“人工智能”为例，选好存储路径，创建 EndNote Library，生成“.enl”和“.Data”两个文件。“.Data”又包括 PDF、rdb、tdb 三个子文件，PDF 主要用于存放下载的全文，rdb 和 tdb 主要用来存放题录信息。

（2）获取文献信息

1）在线检索（PubMed）：进入 EndNote，从“Tools”下点击“Online Search”，出现“Choose A Connection”对话框，选择“PubMed 数据库”，选定的数据库就会被添加到在线搜索组，并出现检索框，如图 6－6 所示。

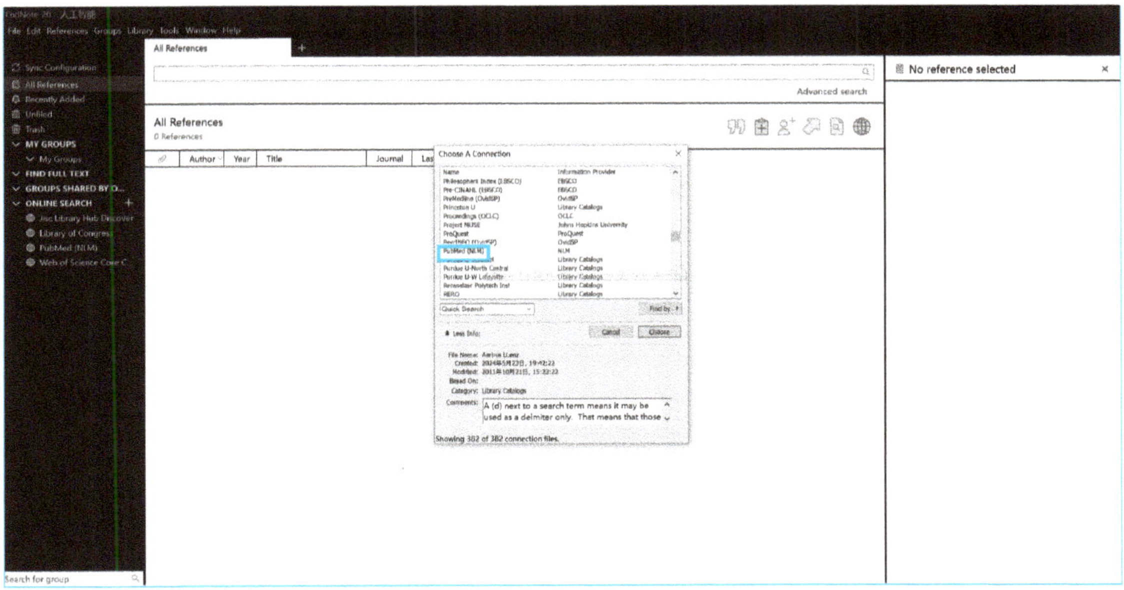

图 6－6　获取文献信息界面

或者设置常用的数据库(PubMed),在 Tools 菜单下的“Connection Files”中打开“Open Connection Manager”,出现“Endnote Connections”界面,然后勾选常用的数据库,如图 6-7 所示。

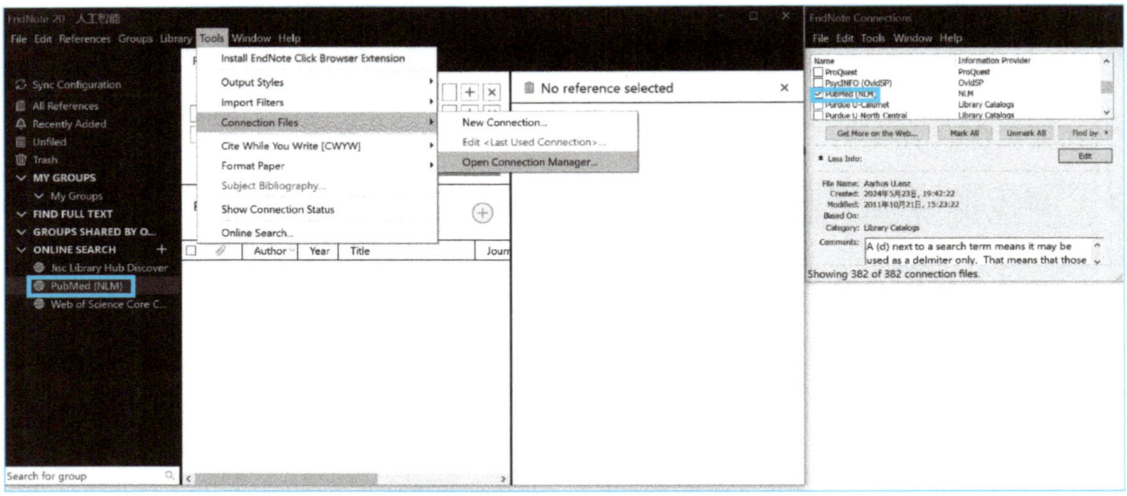

图 6-7 设置常用的数据库界面

应用 EndNote 在线检索 PubMed 数据库,检索框中选择 Mesh 主题词字段输入关键词“artificial intelligence”和“chinese medicine”点击“Search”进行检索下载,自动将文献保存在当前数据库的在线文献组中,可以删除这些文献,也可以添加到 Groups 组中,如图 6-8 所示。

图 6-8 在线检索 PubMed 数据库界面

2) 数据库检索结果批量导入(PubMed):使用者可以先到 PubMed 数据库中检索,选择主题字段,输入检索关键词“artificial intelligence”和“chinese medicine”,点击“Search”,选择要下载的文献,如图 6-9 所示。

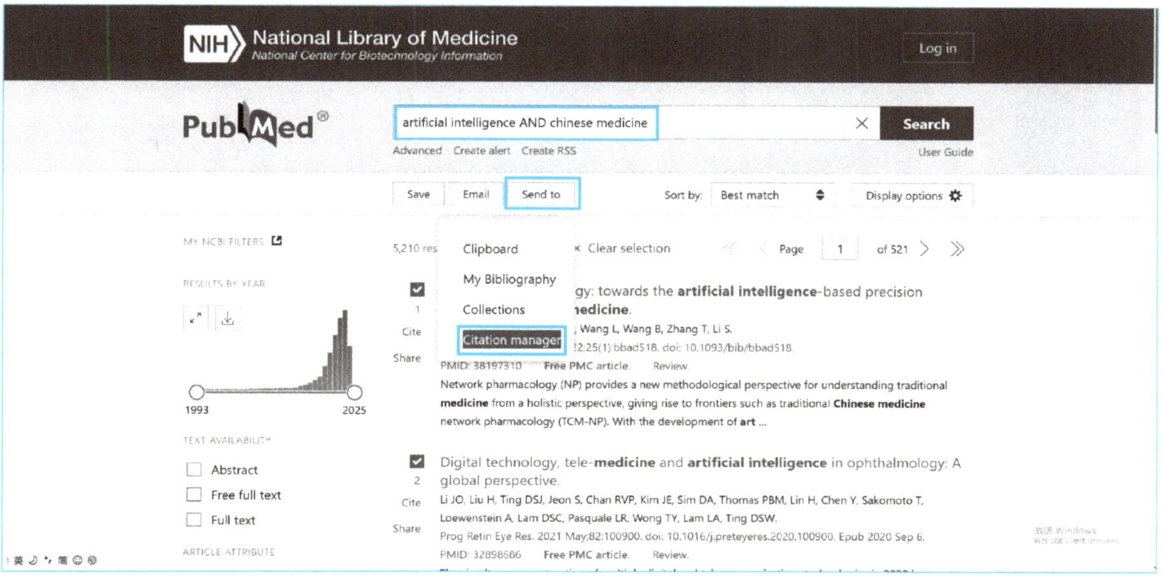

图 6－9　检索结果批量导入界面

在“Send to”下点击“Citation manager”，选择用 EndNote 处理，系统将自动创建一个“Imported References”，存放从网上数据库导入的文献。用户可以将这些文献加入自己的用户组中去，如图 6－10 所示。

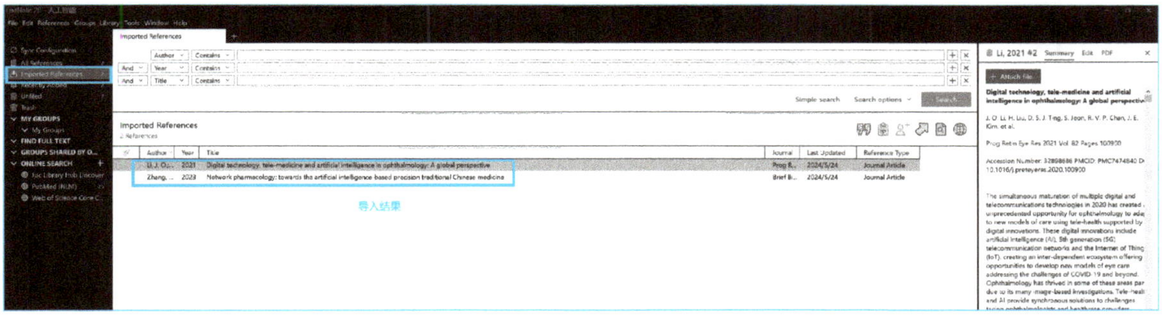

图 6－10　导入文献管理界面

2. 管理个人数据库

（1）分组管理文献：通过菜单栏的“Groups”下的“Create Group”；或者在组面板中单击右键，选择“Create Group”；或者选择要放到“Groups”组的文献，再从“Groups”中选择“Add References To”后选择“Create Group”（如“人工智能”的个人数据库的文章根据主题不同分成临床组和实验组，如图 6－11 所示）。

（2）检索：在 EndNote 工具栏右侧的“Quick Search”输入框中输入文献的特征信息，可迅速在个人数据库的指定组别或全库中找到相应的文献，或通过题录信息栏上方的高级检索进行多条件组合的检索。

（3）排序：文献的排序只需要点击菜单栏的“Author”“Year”“Title”等可以进行相关排序。

（4）去重：通过菜单栏中的“Library”下的“Find Duplicates”即可查看重复的参考文献。

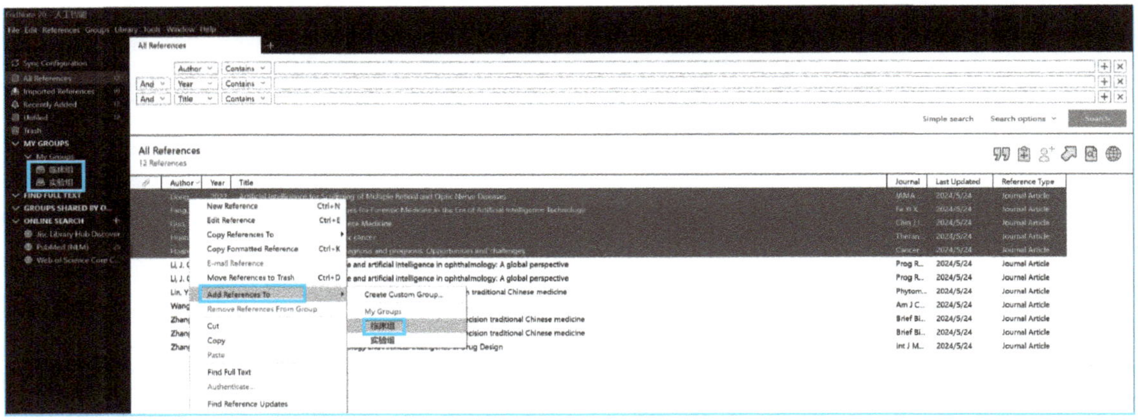

图 6-11　分组管理文献界面

(5) 删除和复制文献：通过菜单栏的“Edit”下的“Cut”可以删除选中的参考文献。

(6) 笔记与附件管理：双击任意一条文献记录，在界面右侧论文详细信息栏上方的“Edit”，可对其各字段进行编辑，字段中“Research Note”是专门供使用者做笔记的。一是保存在“Figure”字段中，二是保存在“File Attachments”字段中。“Figure”字段一般用来保存图形、图表和表格类型的文件，一条文献只能存放一个文件；而“File Attachments”字段可以存放多个文件，如图 6-12 所示。

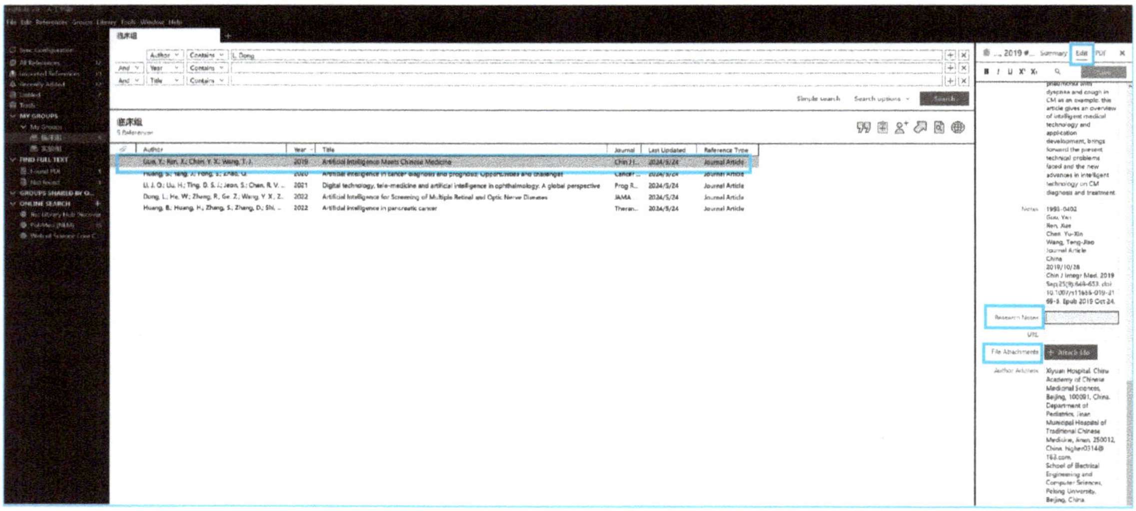

图 6-12　笔记与附件管理界面

(7) 设置：通过菜单栏的“Edit”下的“Preference”打开“EndNote Preferences(偏好设置)”对话框，可对 EndNote 的外观和功能进行设置。包括设定显示参数、格式参数以及其他选项。

(8) 分析：EndNote 可以对个人数据库中所有文献的作者、机构、关键词等字段进行统计分析，帮助用户有针对性地阅读文献。通过菜单栏“Tools”下的“Subject Bibliography”，可选择字段进行统计分析。

(9) 同步在线：EndNote 的在线版本 EndNote Web 可以实现同步在线，分组共享并设置权限，前提是双方必须拥有 EndNote Web 账号且开通 EndNote Sync 同步功能。点击工具栏

“Library”下的“Sync”,可以将 EndNote 中存储的文献信息同步到在线版本 EndNote Web 上,如此可以在任何地方、任何时候使用保存的文献信息,与他人共享文献信息并开展合作。

3. 使用个人数据库

(1) 应用 EndNote 撰写论文

1) 插入参考文献：从 Word 的“Tools”菜单进入“EndNote”子菜单,选择“Go To EndNote”,进入 EndNote 个人数据库。点选 EndNote 中要引用的文献(可以选择多个),回到 Word。选择“Insert Selected Citation(s)”,即可在光标指定的位置插入选定的参考文献,如图 6 - 13 所示。

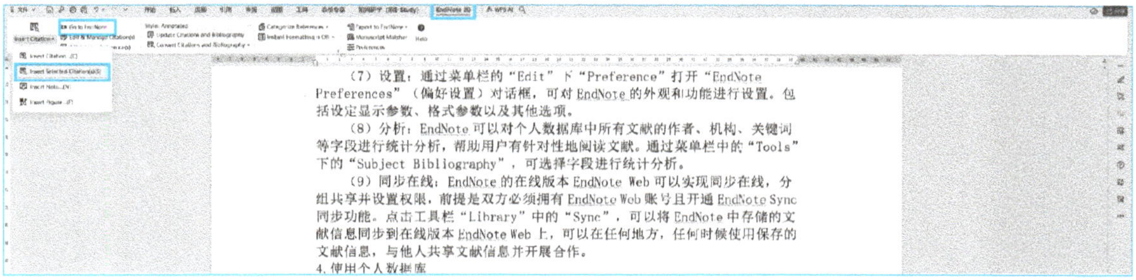

图 6 - 13　插入参考文献界面

或打开 EndNote,在 Word 中将鼠标指在要插入文献的位置,点击快捷工具栏的“Insert Citation(s)”就会弹出“Find&Insert My References”对话框,输入检索词,点击“Find”,EndNote 将自动在全部字段中查找,选定要插入的文献后单击“Insert”即可。

2) 引用文献格式转换：EndNote 可以使插入的参考文献自动转换为各种期刊要求的规范格式。点击 Word 中“Edit & Manage Citation(s)”,从“Tools”菜单中选择“Configure Bibliography”,点击“Browse”选择指定期刊参考文献输出格式,确定后 Word 文档中的参考文献就会按照设定的杂志格式要求自动重新编排。

3) 编辑参考文献：EndNote 会按照参考文献在正文中插入的位置对参考文献列表进行重新排序、编号和整合。

4) 去除 EndNote 标记：论文在投稿前,需要用快捷工具栏中的“Remove Field Codes”命令移除 EndNote 标记,移除后将不能再利用 EndNote 对参考文献格式进行编排。

(2) 利用模板写作：EndNote 不仅提供了 200 多种杂志的全文格式模板,而且 EndNote™ 20 还具有“Manuscript Matcher”(文稿匹配)模块,可以帮助用户高效锁定合适的投稿期刊。具体步骤：打开 EndNote,通过“Tools”菜单下的“Manuscript Template”,进入期刊全文格式模板选择界面,选择要投稿的期刊。打开该期刊的投入格式模板后,自动弹出向导,只需将标题、摘要、正文等内容按要求添加进去,即可形成符合该杂志格式要求的论文。

网址：https://endnote.com/downloads

第三节　文献合理使用与学术规范

文献合理使用是指在特定条件下允许个人和特定组织在未经版权人许可的情况下无偿使用版权作品的法律规范,属于知识产权方面的范畴。为避免侵权纠纷,一些国际条约和国家的著作权法中对文献的合理使用都有明确的规定。《中华人民共和国著作权法》将“合理使用”纳入“权利的限制”中，2006 年 5 月 18 日国务院颁布了《信息网络传播权保护条例》，规范了文献信息使用的秩序。

学术规范是学术专业共同体内约定俗成的（成文或不成文）规则、守则。在我国，学术规范主要体现在学术道德上，2004 年 6 月 22 日教育部社会科学委员会第一次会议全体讨论通过了《高等学校哲学社会科学研究学术规范（试行）》，2009 年 7 月教育部社会科学委员会学风建设委员会组织编写的《高校人文社会科学学术规范指南》，对高校哲学社会科学、人文社会科学研究应遵循的规范做了比较详尽的规定。

一、文献合理使用的原则

大多数国家著作权法中都涉及文献的合理使用问题。《中华人民共和国著作权法》中明确要求文献使用者必须遵守以下原则：应当指明作者姓名或名称、作品名称，并且不得影响该作品的正常使用，也不得不合理地损害著作权人的合法权益。

《中华人民共和国著作权法》第 24 条规定了 13 种合理使用他人作品的方式。① 为个人学习、研究或者欣赏，使用他人已经发表的作品。② 为介绍、评论某一作品或者说明某一问题，在作品中适当引用他人已经发表的作品。③ 为报道新闻，在报纸、期刊、广播电视台、电视台等媒体中不可避免地再现或者引用已经发表的作品。④ 报纸、期刊、广播电台、电视台等媒体刊登或者播放其他报纸、期刊、广播电台、电视台等媒体已经发表的关于政治、经济、宗教问题的时事性文章，但著作权人声明不许刊登、播放的除外。⑤ 报纸、期刊、广播电台、电视台等媒体刊登或者播放在公众集会上发表的讲话，但作者声明不许刊登、播放的除外。⑥ 为学校课堂教学或者科学研究，改编、汇编、播放或者少量复制已经发表的作品，供教学或者科研人员使用，但不得出版发行。⑦ 国家机关为执行公务在合理范围内使用已经发表的作品。⑧ 图书馆、档案馆、纪念馆、博物馆、文化馆等为陈列或者保存版本的需要，复制本馆收藏的作品。⑨ 免费表演已经发表的作品，该表演未向公众收取费用，也未向表演者支付报酬，且不以营利为目的。⑩ 对设置或者陈列在公共场所的艺术作品进行临摹、绘画、摄影、录像。⑪ 将中国公民、法人或者非法人组织已经发表的以国家通用语言文字创作的作品翻译成少数民族语言文字作品在国内出版发行。⑫ 以阅读障碍者能够感知的无障碍方式向其提供已经发表的作品。⑬ 法律、行政法规规定的其他情形。

《中华人民共和国著作权法》第 25 条规定：为实施义务教育和国家教育规划而编写出版教科书，可以不经著作权人许可，在教科书中汇编已经发表的作品片段或者短小的文字作品、音乐作品或者单幅的美术作品、摄影作品、图形作品，但应当按照规定向著作权人支付报酬，指明作者姓名或者名称、作品名称，并且不得侵犯著作权人依照本法享有的其他权利。

二、学术规范的内容

学术规范涉及学术研究的全过程及学术活动的各个方面，要求尊重知识产权和学术伦理，严禁抄袭剽窃，充分理解、尊重前人及今人已有的学术成果，并通过引证、注释等形式加以明确说明，从而在有序的学术对话、学术积累中加以创新。学术规范包括学术道德规范、学术法律规范、学术写作规范、学术评价规范。

1. 学术道德规范　学术道德是指在学术活动中所表现出来的道德，是科学研究者在科学研究活动中所特有的，由经济和学术关系所决定的，依靠社会舆论、传统习惯和人们内心信念来维系的，并以善恶进行评价的原则规范、心理意识和行为活动的总和。学术道德规范是事关学术研究是否有效进行和健康发展的重大问题，其主要内容包括国家制定的相关法律法规、学术界所共同遵守的道德规范等。

2. 学术法律规范　指学术活动中必须遵循的法律法规和有关技术标准。与学术活动有关的行为规范，在《中华人民共和国民法通则》《中华人民共和国著作权法》《中华人民共和国专利法》《中华人民共和国保守国家秘密法》《中华人民共和国统计法》《出版管理条例》等法律法规中多有涉及。

3. 学术写作规范　指在学术论文、著作等学术写作中，必须遵守的相关要求。学术论文是科研成果的一种文字表现形式，是某一学术课题在实验性、理论性或观测性上新的科学研究成果或创新见解和知识的科学记录、总结。如《科学技术报告、学位论文和学术论文的编写格式》对论文的选题、观点、内容、结构等方面做出了明确规定。

4. 学术评价规范　主要指课题的思想和学术成果的鉴定或评价、各类优秀成果的评奖、职称评定中对科研成果的考核认定，以及教学、科研人员工作考核考评等方面应遵循的准则。学术评价一般有"同行评价"和"量化评价"两种评价方法。

三、参考文献著录规则

参考文献的引用应遵从科学性、真实性及新颖性的原则。参考文献是为撰写或编辑论文和著作而引用的有关文献信息资源，它是学术论文的一个重要组成部分，是继承前人成果的一个反映，能真实地反映出论文中某些论点、数据、资料来龙去脉的依据。向读者准确提供检索信息源的线索，是尊重他人著作权的义务。

（一）参考文献著录规范与要求

关于文后参考文献的著录有国际标准和国家标准。2015 年中国国家标准化管理委员会颁布了新的国家标准《信息与文献　参考文献著录规则》(GB/T 7714－2015)。该标准是一项专门供著者和编辑著录参考文献的国家标准，在参考文献著录项目的设置、著录格式的确定及参考文献表的组织等方面尽可能与国际标准保持一致，以达到共享文献信息资源的目的。

英文参考文献引用的规范应该根据专业方向的不同选择使用美国现代语言协会(Modern Language Association, MLA)格式或者美国心理学会(American Psychological Association, APA)格式，医学论文参考文献要求采用温哥华格式(Vancouver style)。温哥华格式出自国际医学期刊编辑委员会(International Committee of Medical Journal Editors, ICMJE)制定的《生物医学期刊对原稿的统一要求》，主要用于生物医学期刊。

（二）参考文献著录格式

参考文献须在列出论文题目后，标上文献类型标识代码。根据 GB/T 7714－2015 规定，常用文献的标识代码有图书[M]、期刊[J]、会议论文[C]、汇编[G]、报纸[N]、学位论文[D]、报告[R]、标准[S]、专利[P]、电子公告[EB]等；电子资源载体的标识代码有光盘(CD—ROM)[CD]、联机网络(online)[OL]、磁带(magnetic tape)[MT]、磁盘(disk)[DK]等。几种主要参考文献著录项目与著录格式示例如下。

1. 专著著录格式　"[序号]主要责任者.题名[文献类型标识/文献载体标识].出版地：出版者，出版年：引文页码."示例如下。

[1] 蒋林,朱意麟,滕红丽.特色桂药：壮瑶药本草选编[M].南宁：广西民族出版社,2024：195-197.

2. 连续出版物著录格式 “[序号]主要责任者.题名[文献类型标识/文献载体标识].出版者,年,卷(期)：引文页码.”示例如下。

[1] 曾英港,王柳萍,奉建芳,等.入山虎不同提取部位抗类风湿性关节炎活性研究[J].中草药,2023,54(13)：4186-4201.

3. 专利文献的著录格式 “[序号]专利申请者或所有者.专利题名：专利号[文献类型标识/文献载体标识].公告日期或公开日期[引用日期].获取和访问途径.数字对象唯一标识符.”示例如下。

[1] 邓一刚.全智能节电器：200610171314.3[P].2006-12-13.

[2] 西安电子科技大学.光折变自适应光外差探测方法：01128777.2[P/OL].2002-03-05[2002-05-28]. http://211.152.9.47/sipoasp/zljs/hyjs-yxnew.asp?recid=01128777.2&leixin=0.

4. 学位论文的著录格式 “[序号]作者.题名[文献类型标识/文献载体标识].学位授予单位所在地：学位授予单位,年：页码.”示例如下。

[1] 马欢.人类活动影响下海河流域典型区水循环变化分析[D].北京：清华大学,2011：27.

5. 标准的著录格式 “[序号]起草人/起草单位.标准名称：标准号[文献类型标识/文献载体标识].发布单位所在地：发布单位,年：页码.”示例如下。

[1] 全国信息与文献标准化技术委员会.文献著录：第4部分 非书资料：GB/T 3792.4-2009[S].北京：中国标准出版社,2010：3.

6. 电子文献的著录格式 “[序号]主要责任者.题名：其他题名信息[文献类型标识/文献载体标识].出版地：出版者,出版年：引文页码(更新或修改日期)[引用日期].获取和访问途径.数字对象唯一标识符.”示例如下。

[1] 中国互联网信息中心.第29次中国互联网发展现状统计报告.[R/OL].(2012-01-16)[2013-03-26]. http://www.cnnic.net.cn/hlwfzyj/hlwxzbg/201201/P020120709345264696 80.pdf.

[2] Online Computer Library Center, Inc. About OCLC: history of cooperation [EB/OL]. [2012-03-27]. http://www.oclc.org/about/cooperation.en.html.

第四节 文献综述的撰写

文献综述是一种重要的科研论文形式,是作者通过检索收集某个专题的文献,在阅读整理的基础上,对其分析研究并加工而成的一种论文,又称综述论文。文献综述是“综”与“述”的结合,与一般论文不同之处主要在于“综”,即需要先对他人的文献进行综合分析、归纳整理,使材料更精练明确、更有逻辑层次;再进行专门、全面、深入的系统论述,属于三次文献。

一、撰写文献综述的意义与作用

撰写文献综述能培养利用和组织材料的能力,是提高思维能力和表达能力的一种锻炼。

因为文献综述的撰写，是在对现有的资料加以分析和综合的基础上进行高度概括的科学思维过程。要求把众多文献中共同的理论观点、实验结果等提炼出来，并将有争论的不同见解汇集起来，按照自己的撰写意图和思维过程，加以组织安排，形成有机的逻辑体系。通过综述的写作能提高归纳、分析和综合能力。

撰写文献综述是开展科学研究的基础性工作。第一，科研人员要查阅有关的文献，为科研选题提供大量的材料。第二，在撰写过程中，又可联系实际，认真分析思考自己研究课题中的内容，对自己初步拟定的题目进行修正，为选准课题打下较牢固的基础。第三，文献综述中的部分内容，可为科研项目申报填写选题依据时所用。第四，还可以发现某一专题研究工作中的缺点、空白与不足，结合实际确定自己应采取的科研手段，亦可汲取别人新的研究方法，为拟定课题的实施方案所参考。因此，写好一篇文献综述，会在学术思想上有所启发，在科学实验中有所借鉴，对自己从事研究课题的水平有所衡量，对将取得的结果有所预见。

文献综述还可作为论文发表，也是一种科研成果。它能为同行提供经归纳提炼的相文课题的大量信息，帮助读者在较短的时间内了解、掌握相关研究历史背景、研究现状、争论焦点、已解决和尚未解决的问题、前景展望等，是选择研究方向，寻找科研课题的重要线索。

二、文献综述的类型

到目前为止，文献综述类型尚未有统一的划分标准。按照不同的划分标准，文献综述可以分为不同的类型。

（一）按撰写方法划分

1. 叙述性综述　针对某一问题或专题搜集、分析、整理相关的文献资料，用高度概括的语言对相关的理论、观点、数据、方法、发展概况等做综合、客观描述。叙述性综述最主要的特点是客观介绍和描述原始文献中的各种观点和方法，一般不做褒贬评论。它使读者可以在较短时间内了解到本学科、专业或专题中的各种观点、方法、理论、数据，获取翔实有用的资料。

2. 评论性综述　在对某一问题或专题进行综合描述的基础上，纵向或横向进行对比、分析和评论，并提出作者的观点、见解和个人评论结果。其主要特点是分析和评价，启迪读者，引导读者寻找新的研究方向。

（二）按内容性质划分

1. 动态性综述　针对某一专题，按年代和学科发展的历史阶段，由远及近地综合分析和反映这方面研究工作的进展，其特点是具有时效性，可以反映最新发展态势；严格时间顺序安排内容，着重介绍历史阶段性的成就；对学科发展阶段要划分准确，每一阶段要列出有代表性的文献，全文能基本上反映本专题或学科历史发展的概况。

2. 成就性综述　重点介绍某一学科或课题的新成就、新技术、新进展、新观点。对历史的回顾可从略，时间顺序也不要求连贯，可直接介绍当前或某一时期的重要成就，包括对最有效的实验结果和工作方法的述评。这种综述有较大的实用价值，对当前工作有指导意义。

3. 回顾性综述　描述过去一定时期内的某一学科或某一课题的成果和发展历程，一般按由近及远的时间顺序回顾、追溯历史性成就。其特点是总结性较强，溯源并总结了某一学科或专题的发展历程。

4. 展望性综述　在现有文献综述的基础上，以展望未来、预测某一学科或某一课题的发展趋势，对未来一定时期内的发展方向和目标提出预测综述。其特点是对历史和成就可简略叙述，重点在不同意见的反映，对未来的预测和对策上，对学科的发展和研究有一定的导向作用。

5. 争鸣性综述　对某一问题的几种代表性争议意见，严格引用原文的事实和观点，并按照不同的观点进行分类、归纳和总结的综述。其特点是严格引用原文，作者自己的分析极少。这种综述系从争论中求真理，从争鸣中求发展，可以活跃学术思想、开阔眼界、拓宽思路。

此外，按照综述服务的对象划分，可分为决策性综述、研究性综述和普及性综述；按照综述文献报道的对象划分，可分为学科综述、文献综述、会议综述和专题综述等。

三、文献综述的撰写

与其他科研论文相比，文献综述具有专题性强、主题限于一定范围，多以第三人称并持客观态度引用他人论述等特点。作者不一定照录他人文献的原文，可以用自己的语言去转述，但必须忠于原意，不把个人观点强加到引用资料上，更不能断章取义和歪曲他人观点，一般仅在总结与展望时提出个人观点。

（一）文献综述的撰写步骤

文献综述不是文献的简单罗列或组合，是“综”与“述”的结合。“综”是将有关文献中的信息加以整理、分析和综合的过程，而“述”则是在“综”的基础上，按综述撰写的格式，归纳概况出来的过程。其大致撰写流程一般包括选题、收集、整理和汇总成文。

1. 选题　这是写好文献综述的首要条件，可以从下面角度思考选题。

（1）根据客观条件和工作实际，选择与自己专业或研究方向密切相关的课题。

（2）作为选择目前研究、教学和临床工作中常见、尚未解决又迫切需要解决的问题作为课题，重点考虑课题的新颖性问题，避免重复研究。

（3）根据明确的研究目的，确定选题。题目可大可小，可以大到一个领域、一个学科，也可以小到一种疾病、一个方法、一个理论。应明确综述是中医药某一领域、某一分支学科、某一专题还是某一类药物或某一个药物的研究进展。

2. 收集　充分利用检索工具，广泛收集文献资料，这是写好综述的前提。选定题目后，一般根据确定收集的年限(一般以近 5 年发表的文献为主)，围绕某一题目或主题收集文献，少则几十篇，多则数百篇。应充分利用检索工具，全面获取原始文献。

3. 整理　收集与主题有关的文献后，要对这些文献进行阅读、归纳和整理。从某种意义上讲，阅读、整理并引用原始文献的质量高低，直接影响自己撰写的文献综述的质量。如何从文献中筛选出具有典型性、科学性和可靠性的文献，则显得十分重要。

首先，先选读近期发表的综述、述评，然后再看远期的。其次，泛读某篇文献时，应先读摘要和结论，初步了解文献的主要内容，权衡其学术价值，确定其对撰写综述是否有用，再将收集的文献分成“价值不大”“有价值”和“很大价值”三类。第三，做好摘要。重点资料必须找原文并详细阅读，提炼或直接摘录这些“有价值”和“很大价值”文献中的重点句、重点节和重点段，并写下阅读文献时获得的启示、体会和想法。摘录引用的文献一定要记录文献出处。

4. 汇总成文　收集并筛选一定数量“有价值”的文献后，就可以拟订提纲，再归纳提炼并形成初稿，完成定稿。写作过程中，发现文献不足，则继续查阅和补充相关文献，切忌文献不足就勉强动笔，影响综述的质量。

（1）提纲：可以根据不同类型的综述，按照综述撰写的基本要求，依据一定的逻辑关系构建文章的总体框架和提纲。提纲是由序号和文字组成的、有层次的标题，从一级标题到二级、三级标题逐级划分。

(2) 初稿：根据提纲拟定的标题顺序，有层次地逐个展开叙述。需注意论点明确、突出重点、论据充分，语言精练。

(3) 定稿：结合不同期刊对综述文献格式和内容的要求，对综述初稿的结构、内容及格式进行修改和完善。

（二）文献综述的格式

文献综述大体分为题目、摘要、关键词、前言、正文、总结、参考文献等部分。

1. 题目　题目应对综述内容起到概况和揭示的作用，要确切、简明，能准确反映论文内容。一般采用名词词组表达，字数一般不超过 20 字。

2. 摘要　这是对综述内容的简短陈述，采用第三人称撰写，一般不加注释和评论，字数一般不超过 400 字。是否需要摘要（中、英文），不同期刊有不同的规定，具体查看拟发表期刊的要求。

3. 关键词　关键词一般选用 3～8 个能够反映综述文献内容特征的名词词组，每一关键词之间用分号（中文摘要为全角符号，英文摘要为半角符号）分开，最后一个关键词后不打标点符号。关键词尽量使用美国国立医学图书馆最新版 *Index Medicus* 中 MeSH 和《中国中医药学主题词表》中的主题词（规范用词），中英文关键词须一一对应。中文药物名称应使用最新版本的《中华人民共和国药典》或卫生部药典委员会编辑的《药名词汇》（非法定药物）中的名称，英文药物名称则采用国际非专利药名。

4. 前言　又称引言、导言、绪言等，是论文的开端。主要是简明扼要说明写作目的和背景，明确有关概念，规定综述的范围，阐明学术意义，使读者对综述的内容有所了解。前言应言简意赅，字数一般不超过 500 字。

5. 正文　这是论文的主体部分，是整篇文献综述的核心。主要是通过提出问题、分析问题和解决问题而展开的，可以从不同的侧面、不同的层次来加以叙述。可以按时间顺序写，也可以按问题性质来写，无固定格式。要围绕论点和论据来组织文献，每一段落开头应以论点引路，接着介绍各家论点，以及引用文献所提出的实验结果或调查统计数据作为论据。标题和标题或段和段之间应保持内在逻辑关系。字数一般不超过 6 000 字。

6. 结语　这是用简练的语言对全文综述后得出的结论做简要的概括和总结，点明专题研究中的主要成果、存在的问题和未来发展动向，并表明自己的见解或评价。字数一般不超过 500 字。

7. 参考文献　这是文献综述的重要组成部分。列出参考文献的意义主要有三方面：一是尊重被征引者的劳动成果，遵循学术道德规范，保护知识产权；二是体现作者严谨的治学态度，提高综述的可信性；三是为读者提供查找原始文献的线索。因此，应尽量选用质量高、有代表性的文献。所引用的文献都要标明出处，并严格按照国家标准 GB/T 7714－2015 的规则进行规范著录。

第五节　学术不端与论文检测系统

学术不端行为是指高等学校及其教学科研人员、管理人员和学生，在科学研究及相关活动中发生的违反公认的学术准则、违背学术诚信的行为。学术不端行为败坏了学术风气，制约了学术发展，造成了不良社会影响。

一、学术不端

我国政府部门、高校和出版机构相继公布了一系列学术道德守则、行业标准等。2007 年科技部成立了科研诚信管理办公室，同年，科技部联合教育部、中国科学院、中国工程院等十部委成立了科研诚信建设联席会议科研诚信咨询委员会；2012 年和 2016 年教育部相继出台了《学位论文作假行为处理办法》《高等学校预防与处理学术不端行为办法》；2017 年中国科学技术协会要求科技工作者严于律己严格执行《科技工作者道德行为自律规范》；2018 年国务院办公厅印发《关于进一步加强科研诚信建设的若干意见》；2019 年国家新闻出版总署发布《学术出版规范——期刊学术不端行为界定(CY/T 174—2019)》。我国出台的这些办法及规范，建立健全科研诚信制度、完善学术不端行为的处理机制，有效监督了高等学校学风建设工作，有助于防范或杜绝高校学术不端行为。

根据《高等学校预防与处理学术不端行为办法》的规定，学术不端行为一般有以下表现形式：抄袭(剽窃)、数据伪造、一稿多投、不正当署名等。

1. 抄袭(剽窃)　抄袭(剽窃)行为的基本特征是非法占有性、学术欺诈性和发表性。抄袭(剽窃)的认定一般遵循三个标准：一是被抄袭(剽窃)的作品是否依法受《中华人民共和国著作权法》保护；二是抄袭(剽窃)者使用他人作品是否超出了适当引用的范围；三是引用是否标明出处。我国《图书、期刊版权保护试行条例实施细则》第十五条明确规定，引用非诗词类作品不得超过 2 500 字或被引用作品的十分之一；凡引用一人或多人的作品，所引用的总量不得超过本人创作作品总量的十分之一。

2. 数据伪造　指没有做过某个试验、实验、观察或实地调查，却无中生有地编造数据；或者做过某个试验、实验、观察或实地调查获得了一定的数据，但对原始数据进行了有目的的篡改等。学术研究的诚信取决于实验数据和数据记录的真实性，数据伪造会误导研究工作的开展，导致研究人员在错误的道路上浪费大量的时间、精力和资源。

3. 一稿多投　指同一作者的同一篇论文，在同一时间段分别投向几家期刊，继而在两种或多种期刊同时或相继发表内容相同或相近的论文。这不仅浪费了编辑和审稿人的时间，还扰乱了学术出版正常秩序，亦可能出现知识产权的纠纷，是一种违背学术道德、学术诚信的学术不端行为。

4. 不正当署名　指未参加实际研究或者创作，而在研究成果、学术论文上署名；通过不正当手段，偷换署名或改动署名顺序；未经合作者同意，以个人名义发表合作研究成果；在各类学术活动中未经被署名人同意而署其名等。其危害在于侵犯了他人的著作权或著作权有关的利益。

二、论文检测系统

传统上学术不端现象发现多是举报等手段，这种方法耗时费力，还会因专业知识的不足而无法进行准确的判断。随着互联网的发展和在线检测技术的逐渐成熟，学术不端文献检测系统实现了对抄袭(剽窃)、伪造、篡改等学术不端行为的准确、快速检测，现已成为高校学术成果、学位论文所涉内容的知识产权和出版机构初审稿件的主要检测工具。

目前国内常用的学术不端检测系统有中国知网学术不端文献检测系统、万方数据文献相似性检测系统(简称万方检测,WFSD)、维普论文检测系统、超星大雅相似度分析(简称“大雅”系统)、PaperPass检测系统等。

(一) 中国知网学术不端文献检测系统

2006年,中国知网正式研发学术不端文献检测系统,并于2008年12月底正式开放使用。

1. 资源概述　该系统包括学术不端文献检测系统和科研诚信管理系统(人事版)两部分。根据用户群的特点,学术不端文献检测系统分为科技期刊学术不端文献检测系统(AMLC)、社科期刊学术不端文献检测系统(SMLC)、学位论文学术不端行为检测系统(TMLC)、大学生论文管理系统(PMLC);科研诚信管理系统(人事版)包括英文检测系统和中英文对照检测系统。

2. 系统特点　检测范围涵盖中国学术期刊网络出版总库、中国博士学位论文全文数据库、中国优秀硕士学位论文全文数据库、中国重要会议论文全文数据库、中国重要报纸全文数据库、中国专利全文数据库、互联网资源、英文数据库(涵盖期刊、博硕、会议的英文数据及德国Springer、英国Taylor&Francis期刊数据库等)、中国港澳台学术文献库、优先出版文献库、互联网文档资源、个人比对库等资源。

3. 检测结果　检测结果中除了总复制比外,还有复制比(去除引用文献检测结果复制比、去除本人文献检测结果复制比)、总检测指标(重合字数、总字数、总段落数、疑似段落数、前部重合字数、后部重合字数)、子检测指标(重合字数、小段落数、大段落数、最大段长、平均段长、前部重合度、后部重合度)。另外,在检测结果中能详细显示比对源文献的篇名、作者、发表刊物、发表时间等信息。如果点击抄袭来源篇名,可以查看文件相似内容对比情况,也可以删除系统给出的某些抄袭来源文献,得到新的检测结果。

(二) 万方数据文献相似性检测系统

万方检测是2009年由北京万方数据股份有限公司投入研发的文献相似性检测系统。

1. 资源概述　该系统分为万方检测(个人)和万方检测(机构)两个版本。检测范围包括中国学术期刊数据库、优先出版论文数据库、中国博士学位论文全文数据库、中国优秀硕士学位论文全文数据库、中国重要学术会议论文数据库、互联网学术资源数据库、学术网络文献数据库、中国专利文献全文数据库、中国标准全文数据库、中国优秀报纸全文数据库、特色英文文摘数据库、大学生论文联合比对库、个人自建资源库、高校特色资源自建库,为检测服务提供上亿篇学术文献与网络资源比对数据。

为方便应届毕业生完成学术论文预检,教育部旗下的学信网与万方数据合作,2021年4月30日上线“学信网——论文相似性检测系统”,为应届毕业生提供正规、安全的文献相似性检测服务,文献相似性检测算法与检测结果报告服务由万方数据提供。目前应届毕业生每人可以获取一次免费论文检测。

2. 系统特点　针对不同人群的需求,提供的不同版本的检测服务,包括学术预审版、硕博论文版、大学生论文版、课程作业版、职称论文版、毕业论文抽检系统等,支持检测中、英文语种。承诺严格遵守文献保密规定,用户的送检论文仅用作检测分析,无其他商业运作行为。

3. 检测结果　可提供多种场景应用的多维结果检测报告,包括简明报告、详细片段报告、原文标注报告、简全文比对报告。检测结果显示论文的总相似比、参考文献相似比、剩余相似比和比对源文献的篇名、作者、发表刊物、发表时间等信息,便于用户参考。

（三）维普论文检测系统

维普论文检测系统由重庆维普资讯有限公司旗下控股公司——重庆泛语科技有限公司自主研发。

1. 系统概述　根据用户需求不同，分为个人用户和机构用户两个版本。个人用户又分为大学生版、研究生版、编辑部版和职称版四个版本。大学生版适用于本科、专科、网络教育、成教论文查重；研究生版适用于硕士、博士研究生论文查重；编辑部版适用未发表的期刊投稿、会议论文、课程及课题报告教学小论文；职称版适用于已发表论文查重和评职称使用。机构用户面向购买机构提供查重服务。

2. 系统特点　检测范围包括中文科技期刊论文全文数据库、中文主要报纸全文数据库、中国专利特色数据库、博士/硕士学位论文全文数据库、中国主要会议论文特色数据库、中国港澳台文献资源、外文特色文献数据全库、维普优先出版论文全文数据库、互联网数据资源/互联网文档资源、高校自建资源库、图书资源、古籍文献资源、个人自建资源库、年鉴资源、IPUB 原创作品等，可以满足高等院校、科研院所、党政机关、企事业单位、基础教育机构、出版单位及其他学术机构及各类论文撰写者等不同用户的需求。

3. 检测结果　目前，系统可提供的详细检测报告，用不同的颜色标注相似片段、引用片段、专业用语。可提供原文对照报告、片段对照报告、格式分析报告、比对报告、PDF 报告等多版本报告，用户可根据需求选择适合自己的报告类型。其中，格式分析报告，可以帮助作者核对是否遗漏了哪种格式的内容，并能将参考文献的格式进行自动规范，供作者复制粘贴到文档中。用户还可自行设置检测通过标准值，并可创建个人自建资源库，上传自主拥有的论文资源，在检测论文时可选择是否同时将个人自建资源库中的资源纳入检测范围，由系统自动提取解析，以有效补充送检文档的比对范围。

正常情况下，万字以内的论文，检测耗时 2～5 分钟。系统仅保留 7 日以内的检测报告，用户检测完成后应尽快下载检测报告。

（四）超星大雅相似度分析

“大雅”系统隶属于北京世纪超星信息技术发展有限责任公司。

1. 系统概述　该系统可实现待检测文献与图书、报纸、期刊、论文、网络资源等多维度数据库的穿透交叉查重。支持单篇文献、文字粘贴或批量等多种上传方式，一般单篇文献、文字粘贴适用于个人，批量上传多适合机构进行检测，如账号为机构管理员账号，即可进行批量检测和批量互检。每位学习通用户有一次免费检测的机会（可下载报告）。

2. 系统特点　“大雅”系统凭借图书优势，弥补了其他同类工具在中文图书上无法检测的空白，可以为用户提供更加全面的相似文献信息。支持检测中、英文语种，其他小语种暂不支持。该系统检测范围包括超星 430 万种图书及学位论文、会议论文、报纸文献，还有网页、文档、外文等其他海量资源，适合毕业生学位论文、科研人员撰写论文（书稿、报告）检测，以及面向科研人员及其成果评审等各类需要。

3. 检测结果　点击“在线报告”，可以进入到检测文献的相似度分析结果页。检测结果包含：文献相似度（去除自引、参考）、总文献相似度、去除可能自引文献相似度、去除参考文献相似度、文献原创度、重复字符数（去除自引、参考）。标红文字表明是重复文字，标蓝文字表明与当前段落不重复。有 HTML 和 PDF 报告格式，检测报告仅保留 7 日，建议下载另行保存。

主要参考文献

[1] 邓翀.中医药文献检索[M]. 3版.上海：上海科学技术出版社，2017.

[2] 周建芳.信息检索与信息素养 [M].3版.北京：科学出版社，2021.

[3] 孙玲.医药信息检索[M].北京：中国中医药出版社，2019.

[4] 庞慧萍，宋美丽.信息检索与利用[M]. 2版.北京：北京理工大学出版社，2022.

[5] 樊瑜，吴少杰.信息检索与文献管理[M].武汉：华中科技大学出版社，2021.

[6] 张素萍.文献检索与信息素养教育研究[M].延吉：延边大学出版社，2023.

[7] 蔡丽萍，郭晓瑞.文献信息检索教程 [M]. 3版.北京：北京邮电大学出版社，2022.

[8] 王细荣，张佳，叶芳婷.文献信息检索与论文写作 [M]. 8版.上海：上海交通大学出版社，2022.

[9] 李一梅，罗时忠.化学化工文献信息检索 [M]. 3版.合肥：中国科学技术大学出版社，2021.

[10] 高巧林，章新友.医学文献检索 [M]. 3版.北京：人民卫生出版社，2021.

[11] 章新友，黄必胜.药学文献检索 [M]. 3版.北京：中国中医药出版社，2023.

本书配套数字教学资源

微信扫描二维码，加入中医药信息检索与利用读者交流圈，获取配套教学视频、学习课件、课后习题和沟通交流平台等板块内容，夯实基础知识

www.ingramcontent.com/pod-product-compliance
Lightning Source LLC
Chambersburg PA
CBHW041755220926
51847CB00014B/208
* 9 7 8 7 5 4 7 8 6 9 1 8 5 *